LISTY sprzed LAT

ROMA J. FISZER

LISTY sprzed LAT

Część pierwsza

W szponach nienawiści

Rozdział 1

Iwona szukała promieni słonecznych wpadających przez uchylone okno do gabinetu Ewy. Zwróciła krzesło nieco bardziej w ich kierunku, odchyliła się do tyłu, przymknęła oczy, a po chwili złożyła dłonie na piersiach. Chciała, by ich jak najwięcej skumulowało się na niej. Czuła, jak rozgrzewają ją z każdą chwilą coraz bardziej; szybko poczuła ciepło w samych koniuszkach palców. Bezwiednie rozchyliła poły białego laboratoryjnego fartucha, podciągnęła spódnicę do połowy ud i wyciągnęła do przodu długie nogi. Całe ciało odżywało po czterech godzinach spędzonych w klimatyzowanym laboratorium. Poczuła się komfortowo. Zwilżyła językiem wargi. Do jej uszu, jak przez mgłę, docierał szum samochodów z niedalekiej trójmiejskiej arterii, świergot ptaków rajcujących na okolicznych drzewach oraz głos Ewy, która prowadziła z kimś rozmowę telefoniczną. Iwona od dziecka uwielbiała taki stan półodrętwienia w pełnym słońcu i często wprawiała się w niego z premedytacją. Teraz co jakiś czas uchylała oko, żeby skontrolować, co robi Ewa. W ciągu kilkunastu lat odwiedzania jej gabinetu na południową kawę nauczyła się wyłączać z rozumienia, o czym tamta rozmawia. Ta kawa była dla Iwony pewnym rytuałem, z którego mimo wszelkich różnic dzielących ją z Ewą, siedzącą z drugiej strony przestronnego biurka, nie chciała i nie mogła zrezygnować.

Biurko było mahoniowe, z finezyjnie wyciętym blatem, żeby dało się wygodnie przy nim poruszać na olbrzymim, resorowanym skórzanym fotelu. Miało wydzieloną część na monitor komputera i telefony. Każdy, kto wchodził do gabinetu Ewy, musiał czuć respekt, zwłaszcza że krzesło, na którym siadała Iwona, nie stało normalnie po drugiej stronie biurka; Iwona dostawiała je sobie tylko na czas kawy. Wszyscy inni musieli stać. Niewielki stolik i cztery foteliki pod ścianą służyły tylko dla specjalnych gości z zewnątrz lub w przypadku nadzwyczajnej potrzeby spotkania z kilkoma osobami z firmy.

Wszyscy w firmie wiedzieli, że z wybiciem dwunastej mają co najmniej dwadzieścia minut na nieco bardziej prywatne zachowania, często również przy kawie, więc Iwona nie mogła egoistycznie zrezygnować ze swoich wyjść do Ewy, choć wiele razy już chciała tak zrobić. Poświęcam się dla innych, pomyślała z uśmiechem.

Znały się z Ewą ponad dwadzieścia lat. Przeszły razem czas studiów magisterskich, który je bardzo do siebie zbliżył. Iwona od pierwszego spotkania na inauguracji studiów w auli uczelni polubiła tę, nieśmiałą wówczas, jasną szatynkę. Kiedy tamta poczuła jej sympatię, przylgnęła do Iwony na dobre. Podczas przerw w zajęciach na ogół trzymały się razem, jeździły wspólną trasą do domów w kierunku Chyloni, albo na zajęcia w innych miejscach Trójmiasta. Często wspólnie się uczyły w swoim kąciku w stołówce; raz tylko Ewa przyjechała do domu Iwony, ale więcej nie chciała i nie zapraszała również do siebie. Iwonie wydało się, że gdy Ewa rozglądała się wówczas po jej wesołym pokoiku, jej wzrok posmutniał. Na ogół tworzyły parę podczas ćwiczeń laboratoryjnych, łączyło je także wiele wspólnych zainteresowań, jak choćby fotografia czy muzyka. Ale potem nastąpiły wspólne studia doktoranckie, w tym półroczny pobyt w Sztokholmie. Tak. To właśnie tam coś się zmieniło. Iwona poznała, kim jej przyjaciółka potrafi być. Doktor Jekyll i mister Hyde w jednym; uśmiechnęła się do siebie.

Znów zerknęła w jej kierunku. Ta, tym razem, jakby czekała na otwarcie przez Iwonę oka, machnęła ręką w jej stronę i wskazała na odkryte uda. Iwona uśmiechnęła się tylko i znowu przymknęła oczy. Źle dzisiaj Ewka wygląda. Wyjątkowo źle. Może przypomniał jej się Sztokholm i była na nocnych łowach? Kiedyś takimi sprawami się chwaliła... Iwona przerwała ledwie rozpoczętą analizę, bo najpierw usłyszała słowa: „Do widzenia", nerwowe stuknięcie odstawianej na biurko słuchawki, a zaraz potem syczący głos.

– Znowu robisz sobie u mnie Copacabanę?

– Zmień repertuar, Ewka. Zawsze musisz mi uzmysławiać, że jest takie miejsce, gdzie nigdy nie byłam? Choć akurat do tej plaży absolutnie mnie nie ciągnie. – Iwona niechętnie otworzyła oczy. – Zdajesz sobie sprawę, jaki tam musi być syf? – dodała, wykrzywiając się przy tych słowach niemiłosiernie. – Poza tym, kochana, złość piękności szkodzi. Porobią ci się zmarszczki.

– Tyle razy ci mówiłam żebyś tutaj nie plażowała. Przecież w każdej chwili może ktoś wejść, a ty w negliżu! – wykrzyknęła przytłumionym głosem Ewa.

– Hi, hi, hi. – Iwona zachichotała i podskoczyła na krześle. – Wszyscy ze strachu przed tobą mają ściśnięte pośladki, więc kto nie musi, nie przychodzi. A z drugiej strony: ja i negliż, ale cię poniosło... Zresztą jak zwykle, średnio raz w tygodniu.

– Bo średnio raz w tygodniu robisz sobie tutaj plażę.

– To nie moja wina, że tak rzadko mamy w Trójmieście słońce.

– Wiesz, chyba jesteś bezczelna.

– ...i do tego impertynencka.

Iwona zwróciła się razem z krzesłem w kierunku biurka Ewy i mrugnęła. Ewie rozszerzyły się ze zdziwienia oczy, ale po chwili machnęła dłonią z cieniem uśmiechu.

– Ale byś mogła... nie rozchełstywać się tak. – Pomogła sobie teatralnym gestem.

– Ewka... szczerze, czegoś mi brakuje?

Iwona otaksowała swoje wciąż zgrabne gołe nogi i odkryte nieco piersi, bo podczas wygrzewania się na słońcu bezwiednie wsunęła górę bluzki za stanik; teraz poprawiła ją i obciągnęła spódnicę. W jej życiu zbyt wiele poszło nie tak, więc starała się przynajmniej dobrze wyglądać. Dużo spacerowała, a kiedy tylko skończyło się lato i możliwość pływania w kochanym Mauszu, chodziła dwa razy w tygodniu na basen. Dzięki temu nie imały jej się także przeziębienia.

– Tak już lepiej. Ale przecież nie jest zimno, a ty mówisz, że byłaś skostniała.

– Nic takiego dzisiaj jeszcze nie powiedziałam, chociaż prawdę mówiąc, faktycznie przyszłam skostniała.

– Kobieto, na dworze jest dobrze ponad dwadzieścia stopni – oburzyła się Ewa.

– Ale w laboratorium termostat klimatyzacji utrzymuje równo dwadzieścia stopni, a dla mnie jest to temperatura przemarzania. – Iwona uniosła brew. – Syty głodnego nie zrozumie... – Wzruszyła ramionami. – Wiesz? Można udawać, że jest się szczęśliwym albo nawet zgrywać głupka, ale tego, że się jest zmarzniętym czy choćby przechłodzonym, nikt nie jest w stanie udać. – Iwona uśmiechnęła się szeroko.

– A ty jak zwykle to samo.

– I *vice versa*.

Ewa zagrała nerwowo paznokciami po biurku.

– Połamiesz je sobie – mruknęła Iwona.

– Nie martw się, to tipsy. Sprawię sobie nowe – zachichotała nerwowo Ewa, ale zaraz spoważniała i uciekła wzrokiem.

Iwona spojrzała przeciągle na jej zmęczoną twarz. Oceniła, że Ewa nałożyła dzisiaj na policzki więcej brązu niż zwykle, miała podkrążone oczy i do tego, dostrzegła, że ucieka przed nią wzrokiem. Dawno tak źle jak dzisiaj nie wyglądała, chociaż czasami po jakiejś balandze na kaszubskiej daczy też zdarzało jej się wyglądać nieszczególnie. Ewa zwróciła na moment głowę w kierunku Iwony; ta nie mogła się powstrzymać przed uwagą.

– Źle wyglądasz... pewnie krótko spałaś. Powinnaś trochę odpocząć. Heńka dzisiaj nie ma, możesz iść do domu, zdrzemnąć się...

– Chyba wiem lepiej od ciebie, że go nie ma, skoro to mój mąż!

– Ewka. Ja ci tylko dobrze radzę. Naprawdę chcę dobrze. Kto ci tak szczerze powie?

Iwonie wydało się, że oczy Ewy na moment się zaszkliły.

– Nikt...

– No więc widzisz. Może powinnaś gdzieś wyjechać? Kilka twoich słów i Heniek ci ulegnie. Możecie wyjechać nawet na... Copacabanę. – Iwona mrugnęła.

– Żartujesz sobie ze mnie! – Ewa poderwała się fotela. – Nie bądź taka... taka jajcara! Przecież dobrze wiesz, że dokąd byśmy nie pojechali, on po dwóch dniach zostawi mnie tam samą i wyjedzie pod byle pozorem: na spotkanie biznesowe, targi, nagłą konferencję w Barcelonie czy... w Mar del Plata, już on coś wymyśli!

– No tak. Ty wiesz lepiej, skoro to twój mąż.

Ewa zatrzepotała rękoma.

– A u was jest niby inaczej?! Też mówiłaś, że wolisz z Zygmuntem nie jeździć.

– Nie widzisz różnicy?

– A jest różnica?

– Ano taka, że jak kiedyś spróbowaliśmy wyjechać wspólnie, to nie było dnia, żeby Heniek nie dzwonił do Zygmunta i konferowali, konferowali...

– No, skoro Zygmunt odpowiada w firmie za pijar, reklamę i takie tam...

– Cóż, lubi to i jest chyba niezły w tym, co robi, nie? – Iwona spojrzała badawczo na Ewę.

– Jest dobry... ale najważniejsze, że dla ciebie też jest dobry; lepszy niż Heniek dla mnie. – Ewa przyciszyła głos. – Przecież widzę. Ile razy Zygmunt mówił: „muszę to skonsultować z Iwonką" albo: „obiecałem Iwonce, że pojedziemy na zakupy".

– No, tego by jeszcze brakowało, żebym targała zakupy sama, a on by woził sobie tyłek autem.

– Ja tak nie mam...

– Bo tak sobie Heńka wychowałaś.

– Czy musisz mi takie rzeczy mówić?!

– Ja nie zaczęłam tego tematu.

– Ale się na mnie wyżywasz!

– Ewka, zauważyłam tylko, że źle wyglądasz i coś powinnaś zrobić, żeby odpocząć. Tyle ci powiedziałam na początku.

– Ale przy każdej okazji co zdanie wbijasz mi szpilę.

– Aha. Czyli lepiej, jakbym ci powiedziała, że wyglądasz kwitnąco i powinnaś...

– Sram na takie rady i takie słowa! – zawołała histerycznie Ewa, uderzając dłonią w blat biurka.

Iwona zmierzyła ją wzrokiem, dopiła kawę, pokręciła głową, podniosła się z krzesła i wolnym krokiem ruszyła w kierunku drzwi.

– Na nikogo nie można liczyć... – Doszły ją jeszcze wypowiedziane cicho słowa.

Rozdział 2

Ręce Ewy opadły bezwładnie wzdłuż tułowia. Powoli wstała, wykonała kilka głębokich oddechów i podeszła do okna. Wpatrywała się w ludzi spacerujących po niewielkim parku sąsiadującym z budynkiem ich firmy. Wykonała ponownie kilka głębokich oddechów, a po chwili, przytrzymując się biurka, dotarła do fotela. Z leżącej przed sobą torebki wyciągnęła kopertę, a z niej kartkę. Czytała znany tekst uważnie, po kilka razy, pocierając dłonią czoło. Rozległ się sygnał telefonu i zapaliła lampka podświetlająca połączenie z sekretarką.

– Słucham – rzuciła szorstko do słuchawki.

– Pani prezes, księgowa z fakturami...

– Proszę za trzy minuty.

Schowała kartkę do koperty i wsunęła ją do torebki. Przymknęła oczy i chwilę tak trwała. W końcu potrząsnęła głową, kasztanowe loki pofrunęły na boki. Otworzyła oczy i podniosła leżące na biurku lusterko; przejrzała się w nim. Pokręciła głową z dezaprobatą. Rozejrzała się po mahoniowym blacie, przysunęła do siebie wydruk jakichś tabel excelowych i nałożyła na nos okulary; wodziła po dokumencie wzrokiem, przesuwając długopis po komórkach wypełnionych liczbami. Po chwili rozległo się ciche pukanie.

– Proszę! – zawołała.

W drzwiach stanęła księgowa z papierami w ręku.

– Czy one muszą być podpisane dzisiaj? – spytała Ewa sucho, zerkając w jej kierunku.

– Tak, bo wśród nich jest jedna z honorową sprawą.

Księgowa podeszła i położyła dokumenty na biurku.

Ewa zmarszczyła brwi i przeglądała kolejne faktury, kiwając głową.

– No dobrze, ale dlaczego zostało kupione tak dużo tych chemikaliów? – Zatrzymała się przy ostatniej z faktur i postukała po niej trzymanym w dłoni długopisem.

– To właśnie ta sprawa... Poprzednio nie było ich w hurtowni, a szefowa laboratorium musiała je mieć na już i załatwiła pożyczenie pewnej ilości od firmy Ziaja. Teraz trzeba im prostu oddać – wyjaśniła księgowa. – Oczywiście, przygotujemy stosowne dokumenty do przekazania, bo od nich też wzięliśmy za pokwitowaniem.

– Aha.

Ewa zatwierdzała faktury jedną po drugiej. Księgowa spoglądała zdziwiona na jej drżącą dłoń. Po chwili zebrała wszystkie dokumenty z biurka i podziękowała. Tuż przy drzwiach zatrzymała się.

– Jest pani zmęczona. Powinna pani odpocząć – powiedziała z troską w głosie i spojrzała współczująco.

– Pani nic do tego! – podniosła głos Ewa. – Poza tym wiem, że jest bardzo ciepło, ale czy nie można do pracy jakoś stosowniej się ubrać?! – Pomachała wyciągniętą dłonią, wskazując na szorty i odsłaniającą pępek bluzkę księgowej. – To nie jest dom wypoczynkowy, a poważna firma!

– Przepraszam – wyszeptała zdezorientowana księgowa i szybko opuściła gabinet.

Ewa przymknęła oczy. Spod jej powiek wypłynęły łzy. Przykryła twarz dłońmi.

– Boże... Boże... – wyszeptała.

Uniosła się z wolna z fotela i lekko zachwiała. Ruszyła w kierunku łazienki znajdującej się na tyłach gabinetu. Popatrzyła na swoją twarz w lustrze. Łzy rozpuściły tusz i płynęły po twarzy dwiema ciemnymi strużkami.

– Dlaczego ja...? – jęknęła.

Przyłożyła czoło do chłodnej tafli lustra i trwała tak kilka długich chwil. Wyprostowała się. Spojrzała znowu w lustro i pokręciła głową. Przemyła oczy i poprawiła makijaż. Wolnym krokiem wróciła do gabinetu. Spojrzała z niechęcią na biurko. Podeszła do uchylonego okna i wpatrzyła się w parę siedzącą pod drzewami na ławce. Obejmowali się czule i całowali. Przymknęła oczy. Po chwili znowu podeszła do biurka i omiotła je złym wzrokiem. Sięgnęła po torebkę, zawiesiła ją na ramieniu i ruszyła w kierunku drzwi.

W holu zatrzymała się na chwilę przy jasnoorzechowej recepcyjnej ladzie.

– Mam ważne spotkanie poza firmą i dzisiaj już nie wrócę – rzuciła do sekretarki siedzącej za nią. – Proszę mnie pod żadnym pozorem z nikim nie łączyć. Nawet z mężem.

– Przecież pani mąż nigdy do pani na służbowy telefon nie dzwoni – odpowiedziała rezolutnie dziewczyna.

Ewa zacisnęła usta i potrząsnęła głową. Ruszyła szybkim krokiem w kierunku klatki schodowej. Chciała trzasnąć drzwiami, ale samozamykacz hydrauliczny nie pozwolił. Siła włożona w ruch ręką i opór mechanizmu wywołały ból w ramieniu. Tupnęła ze złości obcasem. Drzwi dostojnie zamknęły się same.

Rozdział 3

Iwetko, to ty? – Usłyszała głos z pokoju syna.

– Tak, to ja, Patryczku! – odkrzyknęła śpiewnie i uśmiechnęła się szeroko.

– Zaraz przyjdę!

Mówił do niej Iwonko, kiedy był maluszkiem, potem po wielu latach mówienia na wiele sposobów: mamo, mamuś, mamuniu nagle, po przejściu do liceum, zaczął niespodziewanie nazywać ją Iwetką. Obejrzał jakiś stary czeski film na portalu cda, spodobało mu się imię bohaterki i... tak zostało. Ona śmiała się z tego, Zygmunt z początku się dziwił, ale wreszcie machnął na to ręką. Jej rodzice, czyli dziadkowie Patryka, Lilla i Stasio, z początku byli zaskoczeni, szczególnie jej tato, ale po jakimś czasie wszyscy się przyzwyczaili.

Gdy wyszła z łazienki, Patryk czekał w holu. Pocałował ją w policzek.

– Ciężko miałaś?

– Dzień jak co dzień.

Weszli do stołowego.

– Dzisiaj złożyłem dokumenty w trzecim miejscu. – Rzucił się na fotel, robiąc obrót w powietrzu, jak to było w jego zwyczaju, i spojrzał triumfalnie na matkę.

– Tym razem dokąd?

– Do Wyższej Szkoły Morskiej! – Podniósł brodę i zadowolony z siebie przymknął oczy.

– Do niej miałbyś najbliżej, ale...

– Iwetko... złożyłem papiery w trzy miejsca, a teraz przeprowadzę pracę analityczną, czy warto mi wszędzie podchodzić do tych egzaminów.

– Ja w swoim czasie poszłam tylko na rozmowę na wydział biologii morza i tam zostałam. – Iwona uśmiechnęła się do syna. – Po tygodniu od rozmowy już byłam w limicie przyjętych, choć w rezerwie miałam jeszcze trzy dni do rozpoczęcia egzaminów na biologię w Gdańsku. Zawinęłam się jednak i czmychnęłam z rodzicami nad Mausz.

– U mnie, niestety, wszędzie są egzaminy – westchnął. – Do końca najbliższego weekendu, podczas którego mam zamiar dobrze odpocząć, przeprowadzę wspomnianą analizę i podejmę strategiczną decyzję. Znam przedmioty, mam terminy egzaminów, zostanie mi potem jeszcze ponad dwa tygodnie kucia... – Machnął dłonią i uśmiechnął się.

– O kurczę! – wykrzyknęła naraz Iwona i spojrzała na syna. – Zapomniałam o obiedzie!

– Nie jestem głodny, bo po drodze z Grabówka poszliśmy z Irkiem na zapiekankę, ale chętnie zjadłbym jeszcze... pizzę! – Przewrócił oczami.

– A ja rano zostawiłam w lodówce do rozmrożenia schabowe...

– To najwyżej wieczorem je usmażysz, a ja jutro zanim wrócisz, zrobię ziemniaczki, sałatę i jakiś kompot... i już!

– To niezbyt zdrowo z tą pizzą... – Skrzywiła się na niby.

– Wiem, że ją lubisz, a kotlety... wieczorem, jak zrobi się chłodniej.

– Mówisz...?

– Iwetko – Patryk uśmiechnął się rozbrajająco. – przecież ojciec i tak wróci dopiero na noc. Już zamawiam! – Poderwał się.

Iwona roześmiała się i machnęła dłonią.

– To zamawiaj, a ja wreszcie przebiorę się po domowemu. – Ruszyła do siebie.

Po kilku minutach pojawiła się w salonie ubrana kolorowo. Patryk przerwał na chwilę gonitwę palcami po tablecie i z uśmiechem spojrzał na matkę.

– Zamówiłeś?

– Dla ciebie jak zwykle romeo, dla mnie nieustająco giulia. – Oblizał się.

– Jesteś zbereźnik! – Mrugnęła.

– Giulia z białą mozzarellą, pachnąca bazylią, jest taka... taka, że wciąż jej się chce. – Przymknął na chwilę oczy. – A ciebie co najbardziej pociąga w twoim romeo? – Tym razem on mrugnął do matki.

Iwona odpowiedziała w konwencji narzuconej przez syna.

– Grudki fety wtopione w żółty ser otulający plasterki salami, a wszystko pachnące odurzającym oregano. Tak, smak i zapach Romea jest boski... – Przymknęła oczy, podobnie jak przed chwilą syn.

– A ojciec niezmiennie by zamówił veronę, czy tak? – zachichotał. – Jesteśmy stali w uczuciach.

– Uczuciach czy wyborach? Wybór przez niego wówczas tej pizzerii i zamówienie dla każdego z nas innej pizzy to był strzał w dziesiątkę.

– Ale tacie powiedziałaś tylko, że mu się udało... – Patryk spojrzał badawczo na matkę. Iwona zmieszała się i opuściła wzrok. – Przyznam się, mamuś, że czasami nie rozumiem, dlaczego nie mówicie sobie szczerze, co naprawdę myślicie.

Zatrzepotała powiekami.

– Czy ja się przesłyszałam? Powiedziałeś mamuś?

– Nie wolno...?

– A z tym szczerym mówieniem, to o co ci chodzi?

Iwona podkuliła nogi na sofie i zmarszczyła brwi, ale po chwili uśmiechnęła się zachęcająco do syna, bo miała wrażenie, że się zawahał.

– Obserwuję was od jakiegoś czasu uważniej i dziwię się, czemu nie wyjedziecie gdzieś razem albo przynajmniej nie wyjaśnicie sobie, dlaczego tak się czasami unikacie – wyrzucił z siebie, gestykulując, Patryk i pokiwał głową.

Iwonę zatkało. Spoglądała na syna, zupełnie nie wiedząc, jak zareagować. On ją wyręczył, bo uzupełnił wcześniejsze słowa.

– Ja taki nie jestem i nie zamierzam być.

– To nie takie proste, synu.

– Doświadczenie mi podpowiada...

– A co, masz takie duże doświadczenie? – Iwona przerwała synowi.

– Duże pewnie nie, ale żeby się tak nie działo jak u was, wyboru dokonywałem starannie, przez kilka lat.

– Boże! Jakiego wyboru?! – Opuściła gwałtownie nogi na dywan i wyprostowała się. – Czy ja o czymś nie wiem?

– Miało być o was... ale dobrze, najpierw powiem o sobie – uśmiechnął się. – Pamiętasz tę dziewczynkę, która po pierwszej komunii pokazała mi język, kiedy staliśmy przy kościele?

Iwona roześmiała się w głos. Przypomniała sobie tę scenę.

– Ty jej pokazałeś kciuk, a ona ci język. Pamiętam. Chwilę potem mama dziewczynki podeszła do mnie i dyskretnie przeprosiła za zachowanie córki. Ale co to ma wspólnego...

– Potem do końca szkoły podstawowej już ze sobą nie rozmawialiśmy, a do tamtego momentu często – wszedł jej w słowo i roześmiał się.

– Ale dlaczego?

– Ona wówczas mnie nie przeprosiła.

– Ale chyba zbytnio nie było za co, prawda?

– Chodzi o pewne zasady. Uznałem, że nie jest warta... nie, nie tak, właściwie to chciałem ją do tego zmusić.

– Czy ty mówisz, synu, poważnie?

– Nie wiem, skąd mi się to wówczas wzięło, ale uważałem, że powinna mnie przeprosić. Potem ciągle jej się przyglądałem i czekałem. Miałem czas.

– Jesteś niesamowity.

– W kolejnych latach chodziliśmy do różnych gimnazjów. Spotykałem ją sporadycznie na basenie, kiedy chodziłem tam z ojcem. Była coraz ładniejsza i coraz częściej uśmiechaliśmy się do siebie.

– Czy ty mówisz to wszystko z własnego życia, tak działo się realnie, czy opowiadasz jakiś film?

– Iwetko... – Patryk zaśmiał się. – Film to film, a życie to życie.

– Jaki ty jesteś mądry... zawstydzasz mnie. Ja w twoim wieku taka nie byłam. – Pokręciła głową.

– To po kim to mam? – Mrugnął i rozłożył ramiona.

– Co jeszcze chcesz mi powiedzieć...? – Iwona podrapała się po głowie i spojrzała na syna z lekko udawaną bezradnością.

– Wrócę więc do tej dziewczyny...

– Przecież niby jej nie lubiłeś, tak mi się wówczas wydawało i z dzisiejszego opowiadania również wynika, że nie darzysz jej sympatią.

– Tego nie powiedziałem.

– A ona ma jakieś imię?

– Ma, długie i ładne. – Patryk uśmiechnął się. – Dominika... – wypowiedział je przeciągle i przewrócił oczami.

– Ładne... Ale powiedz mi...

– Nic na skróty, wszystko po kolei, mamo. Musisz wysłuchać, bo potem ja ciebie też będę chciał wysłuchać – rzekł z naciskiem, patrząc na matkę.

– Chyba nie mówisz tego poważnie?

– Jak najpoważniej, mamuś. Najpierw porozmawiam z tobą, a potem z tatą. Tak sobie po maturze postanowiłem. I nie rób takiej zdziwionej miny, nie, nie, nie. – Mrugnął. – Posłuchaj do końca mojej opowieści. Trzy lata temu spotkaliśmy się z Dominiką w liceum na przesłuchaniach do kółka teatralnego. Polonistka wysłuchała recytacji jakiegoś wiersza, powiedzianego z pamięci przez każdego z obecnych, a potem czytaliśmy teksty z *Balladyny*; zamierzała ją wystawić.

– Rozumiem, że już wtedy ze sobą rozmawialiście? – Iwona ożywiła się.

– Na pierwszych dwóch próbach tylko o tekście. Ona mnie przecież ciągle nie przeprosiła za ten wyciągnięty język.

Iwona uniosła dłonie i zaczęła się śmiać.

– No i z czego tyle śmiechu? – spytał Patryk prawie poważnie. – Wysłuchaj mnie do końca.

– Ty jesteś... niesamowity! – Iwona złożyła dłonie.

– Moim zdaniem wierność zasadom odziedziczyłem po tobie. – Pokiwał głową. – Po trzeciej próbie kółka teatralnego Dominika przestała na nie przychodzić; przeczuwałem wówczas dlaczego, a od niedawna wiem na sto procent, o co chodziło.

– Dziwne jest to, co mówisz, to wasze postępowanie, podchody...

Patryk wzruszył ramionami i poprawił się w fotelu.

– Polonistka już na drugiej próbie wyznaczyła mnie do roli Kirkora, a ją chciała zrobić Aliną. Tak powiedziała nam dopiero na którejś z kolejnych prób, kiedy szukała jej wzrokiem wśród młodzieży i nie znalazła. Następny raz na próbie grupy teatralnej Dominika pojawiła się dopiero po przedstawieniu *Balladyny*...

– Pamiętam to przedstawienie. Dostaliście duże oklaski. Czyli rozumiem, że coś Dominice przeszkodziło przychodzić wcześniej na te próby? – Wbiła wzrok w syna.

– Spytam cię najpierw, czy pamiętasz wielki śmiech, jaki się rozległ w pewnym momencie po spektaklu.

– Śmiech pamiętam, ale nie znałam jego przyczyny, bo wstający ludzie zasłonili mi scenę. Powiedziałeś wówczas po przyjściu do domu, że to ktoś z zespołu zrobił jakiś gest.

– Tak było, mamo.

– Znowu, mamo?

– Tak, bo to ważna rozmowa, przynajmniej dla mnie, a zbliżam się powoli do finału mojej opowieści. – Patryk wyszczerzył się.

– Niby ważna, a ty się kielczysz – zatrąciła po poznańsku.

– Bo tak dobrze porozmawiać z tobą o swoich dawnych i zupełnie niedawnych sprawach. Dominika siedziała wtedy w drugim rzędzie na wprost sceny, za dyrektorem. Kiedy wyszliśmy na scenę powtórnie i rozległy się wiwaty, ona pokazała mi kciuk, a ja jej pokazałem... język! – Zatrząsł się cały ze śmiechu.

– Co ty mówisz?! Nie widziałam tego. Strasznie to nieodpowiednie było. Dlaczego mi o tym nie powiedziałeś?

– Ci, co mieli to zobaczyć, zobaczyli, a ja nie miałem okazji o tym z tobą porozmawiać. Zresztą wówczas nie wiedziałem, jak się sprawy z Dominiką potoczą, choć już w kilka dni po moim wywalonym języku potoczyły się dobrze.

– Ty do niej... cały czas... świrowałeś? – Iwona uniosła brwi i z całą siłą wcisnęła się w oparcie sofy.

– Bingo! Cały czas, od okresu przed komunią – przyznał. – Ona zresztą do mnie też.

– Ja... piórkuję!

– Mamo. Coś sobie wcześniej postanowiłem i nie mogłem tak bez powodu tego zmienić.

– Ale to trwało tyle lat!

– Bo nam się nigdzie nie spieszyło. To były zachowania odpowiednie dla naszego wieku. Już sobie to wszystko wyjaśniliśmy.

– Wy oboje jesteście pokręceni. – Iwona zaśmiała się.

– Tak, ale pozytywnie, bo przestrzegamy pewnych zasad. Ona jest bardzo inteligentną dziewczyną. Zorientowała się szybko, o co mi chodziło, szukała tylko odpowiedniej okazji, żeby mi to pokazać. Chciała doprowadzić do remisu po komunii i to jej się wreszcie udało po wielu latach, chociaż nie przewidziała mojej reakcji.

Patryk rozłożył ramiona i kolejny raz komicznie przewrócił oczami.

W tej samej chwili rozległy się dwa sygnały: telefonu Iwony i domofonu. Roześmiani matka i syn spojrzeli po sobie; ona ruszyła w kierunku leżącej na komodzie komórki, on do przedpokoju. Po kilku chwilach Patryk wkroczył do pokoju z dwoma kartonami pizzy.

– Nie, nie, nie! – Iwona pokręciła głową. – Przestrzegajmy zasad. Jemy w kuchni. – Pogroziła synowi palcem.

– I kto mnie nauczył zasad? Mówiłem? – Patryk roześmiał się. – Ojciec by pewnie pozwolił mi zjeść tutaj. Jak ciebie czasami nie ma, to tak robimy.

– Po moim trupie! – Iwona złapała syna pod ramię i poprowadziła przed sobą do kuchni.

Po chwili zajadali z apetytem każdy swoją pizzę.

– I kto dzwonił? – spytał Patryk, napychając usta aromatyczną giulią.

– Ojciec... – Przełknęła kęs romea Iwona. – Poinformował mnie, że zostają dzisiaj na noc w Warszawie. – Wzruszyła ramionami; syn spojrzał na nią zdziwiony.

– Tak to przyjęłaś, jakby cię nie obchodziło.

– Przywykłam – odpowiedziała, widząc wzrok syna. – Widocznie mają rozmowy biznesowe, bo mieli się spotkać z klientem zagranicznym.

– Niech ci będzie, że to rozmowy biznesowe.

– Matce nie wierzysz?

– Tobie, mamuś, wierzę. Kto mi tam głowę zawraca! – Spojrzał z dezaprobatą w kierunku swojej komórki. – O! Irek załatwił cztery miejsca na dzisiaj do Erina. – Odczytał treść otrzymanego esemesa. – Dzisiaj jest tam

Portsmouth, wspaniała zabawa, i w związku z tym proszę, mamo, przełóżmy dokończenie naszej rozmowy na weekend. Może być?

– Może być – zgodziła się Iwona. – Zwłaszcza że wiem, co to jest *Portsmouth* w Erinie.

– Poważnie?

– A ty myślisz, że świat powstał dopiero teraz, kiedy ty zdałeś maturę?

Rozdział 4

Ewa od powrotu do domu siedziała w swoim ulubionym, wypieszczonym i pełnym skórzanych foteli oraz sof salonie, pijąc drinka za drinkiem. Makijaż miała rozmazany, bluzeczkę rozpiętą, ale teraz nie musiała się już pilnować, że ktoś niespodziewanie wejdzie tu i ją zaskoczy. Kiedy w domu był Heniek, to na ogół ktoś do nich wpadał, zawsze więc była stosownie ubrana, zawsze w gotowości do odgrywania roli pani domu. Lubiła to zresztą. Dzisiaj miał przyjechać dopiero wieczorem, zatem nie musiała się obawiać żadnej niezapowiedzianej wizyty. Do Heńka przyjeżdżali różni ludzie, nawet wieczorem, tak jakby dokładnie wiedzieli, o której będzie w domu. Jej nikt nie odwiedzał. Pociągnęła nosem. Dzisiaj miała więc sporo czasu dla siebie. Trzymała szklaneczkę w dłoniach i wpatrywała się w rudawozłoty płyn przykrywający już tylko jej dno. Lubiła i potrafiła pić; najchętniej zresztą w towarzystwie, wtedy się śmiała, dowcipkowała, rzucała na boki kokieteryjne spojrzenia, puszczała muzykę i tańczyła, jak trafiła się okazja. Podobała się mężczyznom i lubiła mężczyzn. Dzisiaj jednak to co innego. Była sama i dlatego sama też piła. Spoglądała od czasu do czasu na leżącą na drugim fotelu wyciągniętą z koperty kartkę ze stemplami, na przemian płakała i popijała ze szklaneczki.

– Dlaczego ja...! – Kolejny raz zawołała głośno. – Dlaczego to mnie?!

Histeryczny płacz uderzył o ściany, a łzy ponownie puściły się z jej oczu. Pociągając kolejnego łyka ze szklaneczki, przypatrywała się, jak komórka, wibrując, kręci się po szklanej tafli stolika. Spojrzała na ekran. Heniek.

– Nie mam ochoty z tobą rozmawiać! – zawołała w przestrzeń pokoju. – To wszystko przez ciebie! Tylko pieniądze ci w głowie, biznes i biznes. A ja co?! Przecież jestem kobietą! Dawno o tym zapomniałeś, że jestem twoją żoną!

Ekran telefonu przygasł. Ewa zaczęła chlipać i znowu tępo spojrzała na sąsiedni fotel i kartkę.

– Nie chcę! Nie chcę! Bożeee...! – wykrzyczała kolejny raz.

Komórka znowu się rozświetliła. Przyszedł esemes. Wzięła ją w dłonie; to informacja o zapisanej poczcie głosowej.

– Ciekawe, co tym razem wymyślisz...? – Chlipnęła i przełączyła komórkę na odsłuchiwanie poczty.

W pokoju rozległ się głos Heńka.

– Musieliśmy z Zygmuntem zostać w Warszawie. Mamy niespodziewane ważne spotkanie biznesowe. Wynagrodzę ci to w weekend; zaprosimy znajomych na grilla i zrobimy fajną imprezkę. Pomyśl o jakichś atrakcjach! Pa.

– Ty kretynie! – wrzasnęła Ewa, rzucając komórkę. – Ja nie chcę żadnej imprezki! Chciałabym czegoś innego, chciałabym, żebyś był blisko, zawsze... – zawyła – ...ale już nic z tego!

Dostała spazmów. Dolała kolejny raz alkoholu do szklaneczki. Piła, płacząc. Po chwili napadł ją atak histerycznego śmiechu.

– Ja mam pomyśleć o jakichś atrakcjach! Ja! Co za palant!

Tusz pomieszany ze łzami spływał jej grubymi, ciemnymi strugami po policzkach.

Rozdział 5

Do stołowego wszedł Zygmunt.

– Mogę na chwilę rzucić okiem na sport? – Nie czekając na odpowiedź, przełączył pilotem kanał i usiadł w fotelu.

– Ale ja dopiero co zaczęłam oglądać serial! – zaprotestowała Iwona, robiąc groźną minę.

– Tylko na momencik... – Zygmunt spojrzał na nią przepraszająco, a po chwili przełączył na kolejny kanał sportowy. – Dzięki nowemu kontraktowi – rzucił, wskazując na siebie – naliczono w firmie podwyżki... Dostałem tysiąc pięćset złotych, więcej o pięćset, niż zapowiedział mi w Warszawie Henryk. A tobie ile skapnęło? – uśmiechnął się.

– Trzysta. – Iwona wzruszyła ramionami. – Wypada więc nam średnio po dziewięćset złotych, co i tak jest dwa razy więcej niż średnia firmowa – dodała. – Chociaż właściwie dla szefowej laboratorium, od którego zależy technologia i jakość naszych produktów, mogliby się trochę bardziej postarać. Ostatecznie to dzięki pracy mojego zespołu powstały te kremy, które mamy wprowadzić nie tylko na nasz rynek.

– Ale do tej pory miałaś tylko tysiąc złotych mniej od głównej księgowej.

– Czyli uważasz, że jeśli mam więcej niż dziewczyna z produkcji, to powinnam być zadowolona, tak? Rozumiem, że ona będzie miała teraz tyle co ja... A ty skąd o tym wiesz?

Zakłopotany Zygmunt podrapał się po głowie. Zapadło milczenie.

– Jesteśmy zaproszeni przez Heńków na daczę w ten weekend. Ma być kilku zaprzyjaźnionych biznesmenów, w tym szef sopockiej Ziai, i rozmowa o wspólnej realizacji najnowszego przedsięwzięcia – rzucił po chwili Zygmunt.

– Zawieziesz mnie w piątek do rodziców nad Mausz, bo do Heńków się nie wybieram! – ucięła Iwona. – Może Patryk będzie mógł pojechać ze mną. Wezmę jeszcze poniedziałek wolny i już.

– Ale jak ja będę wyglądał?!

– Dasz sobie radę, jak zwykle. Heniek ci wybaczy, zresztą ostatnio bez ciebie nie może się obejść.

– W końcu to dzięki moim badaniom rynku i pomysłom pijarowym dotarliśmy do zagranicznych klientów, którzy zdecydowali się kupować całą linię nowych produktów!

– Gdyby nie produkty, które powstały w moim laboratorium, nie trzeba by robić żadnego nowego pijaru i też by jakoś było – rzuciła zgryźliwie Iwona.

– Dobrze, że jesteśmy parą... uzupełniamy się – próbował ją udobruchać Zygmunt.

– Mówisz, że jesteśmy parą... – Oczy Iwony zamieniły się w szparki.

– Ale może Ewa będzie na ciebie krzywo patrzyła; ostatecznie jesteście przyjaciółkami od niepamiętnych czasów. – Zygmunt próbował wrócić do zaproszenia Heńków.

– Tak, znamy się od studiów, to fakt, ale przyjaciółkami nigdy nie byłyśmy i nie będziemy. Poznałam ją jak zły szeląg. – Iwona machnęła dłonią.

– Przecież kiedyś mówiłaś, jak bardzo ci jej żal, że nie może mieć dziecka, więc myślałem... a teraz...?

Zygmunt podrapał się po głowie z zakłopotaniem.

– Wtedy, ponad osiemnaście lat temu, współczułam jej szczerze. Taka mimo wszystko jestem – powiedziała z naciskiem. – Myśmy mieli Patryka, a ona, kiedy dowiedziała się, że nie będą mogli mieć dziecka, wpadła w depresję. Ale żebyś wiedział o niej tyle co ja... to inaczej byś mówił. – Spojrzała mu prosto w oczy.

– Chyba, kochanie, przesadzasz... – żachnął się.

– Nie sądzę... – Iwona przerwała mu, machając dłonią. – Doskonale wiem, co mówię, bo przez pół roku napatrzyłam się wystarczająco na jej występy.

Przymknęła oczy.

– Gdybyś oglądał jak ja jej codzienne wieczorowo-nocne wyjścia w Sztokholmie na „łów" do knajp, pubów, a potem ranne chwalenie się zaliczeniem kolejnego faceta. „Całe życie będę miała co wspominać!" – krzyknęła do mnie któregoś dnia po uwadze, że w takim stanie nie powinna iść na uczelnię. A potem, w Gdyni, po kilku latach spokoju, nieustannie przyprawiała rogi Henrykowi, chociaż on też nie pozostawał jej dłużny.

– Mimo wszystko wydaje mi się, że przesadzasz. – Doszedł ją głos Zygmunta; Iwona raptownie otworzyła oczy.

– Ewa to sucz... – niespodziewanie wycedziła twardo.

Zygmunt dziwnie na nią spojrzał, Iwona nieco się zmieszała, a ten zaczął się histerycznie śmiać. Machnęła ręką i wyszła ze stołowego.

– A serial? – W holu doszedł ją okrzyk męża.

– Obejrzyj sobie mecz, ja się wcześniej położę i pooglądam coś u siebie na leżąco! – odkrzyknęła.

Rozdział 6

Czy możesz mi zdradzić, dlaczego kolejny raz w ciągu ostatnich pięciu lat dostałam tak niską podwyżkę? – Iwona odstawiła filiżankę na biurko i spojrzała na Ewę siedzącą w fotelu naprzeciwko.

– Na jakiej podstawie mówisz, że to niska podwyżka? Przecież nikt nie ma prawa opowiadać komukolwiek o warunkach swojej umowy, więc dlaczego tak twierdzisz? – Zaskoczona Ewa nie potrafiła ukryć irytacji.

– Osobiście nikomu nie mówiłam, ile dostałam, ale chyba w domu z mężem mogę o tym rozmawiać. Zresztą to on pierwszy mi powiedział, ile dostał. Ja bym się nie pochwaliła... ze wstydu, że tak mało. Dodam jeszcze, że wczoraj i dzisiaj na trasie między parkingiem a wejściem do firmy słyszałam zadowolone głosy, że tak dużej podwyżki już dawno w firmie nie było.

– Czyli średnio nie jest źle.

– Tylko że ja, zresztą jak zwykle, dostałam poniżej średniej firmowej!

– Od kiedy zrobiłaś się taka roszczeniowa?

– W porządku! – wycedziła Iwona i spojrzała na Ewę z pogardą. – Pogadałyśmy sobie szczerze, czas wracać do pracy. – Podniosła się z krzesła i ruszyła do wyjścia. – A wiesz, tak w ogóle, dlaczego do ciebie wciąż przychodzę? – Obejrzała się jeszcze w progu.

– No jak to dlaczego? Tyle lat się znamy, chyba się lubimy, jesteśmy przyja...

– Tego słowa nawet nie wypowiadaj, bo to jest nieprawda – przerwała jej Iwona. – Nie rozumiesz w ogóle, co znaczy przyjaźń! – Podniosła głos; Ewę wcisnęło w fotel. – Wiedz, że przychodzę do ciebie tylko dlatego, by nie zaczęły się w firmie rozmowy, że coś między nami jest nie okej. Dbam bardziej o image twój i twojego męża niż o swój.

– Gadając w ten sposób, możesz tylko zaszkodzić Zygmuntowi – próbowała odgryźć się Ewa i rzuciła Iwonie złe spojrzenie.

– O niego się martwisz, a nie o mnie? A jak mogłabym jemu zaszkodzić albo nawet ty? Fama o jego roli w nowym kontrakcie poszła już w świat. Teraz wszędzie dostałby więcej niż u was, więc to raczej ty nie szarżuj, bo jeszcze mu powtórzę!

Pomachała zdumionej Ewie i wyszła na korytarz ze sztucznym uśmiechem na twarzy.

Ewa przez kilka chwil siedziała zaskoczona. Co z niej za cholera?! Spojrzała na drzwi, za którymi przed chwilą zniknęła Iwona, parsknęła sardonicznie, ale zaraz spoważniała. Chociaż w zasadzie ma rację! Każdy dałby mu teraz dużo więcej niż my. Przymknęła oczy. Iwonie wszystko się w życiu ułożyło: małżeństwo, że tylko pozazdrościć, męża ma na każde skinienie, razem licząc, mają całkiem fajne zarobki, Heniek go nie zamieni na kogoś innego, a już teraz na pewno. Kiedyś nawet podpuszczałam, żeby go zwolnił, wahał się, nie zrobił tego, zostawił go ostatecznie, więc teraz na to nie ma szans.

Zamyśliła się, potarła dłonią czoło. Prosiłeś mnie, Henryku, o jakieś atrakcje? *Voilà.* Uśmiechnęła się złośliwie. Już ja wam wszystkim zapewnię atrakcje. Tobie, Iwonie i... Zygmuntowi. Tak! Jemu zapewnię zupełnie nadzwyczajne atrakcje!

Zaśmiała się szatańsko.

Rozdział 7

Rodzice Iwony ucieszyli się z jej przyjazdu w sobotni poranek. Zygmunt wypił małą kawę, porozmawiał chwilę z teściami, tłumacząc się, że dzisiaj ma biznesowe spotkanie, i odjechał. Rodzice zerknęli na Iwonę, ale ta potwierdziła jego słowa. Po jego odjeździe poszła z tatą wykąpać się w jeziorze, posiedzieli trochę na pomoście, na którego utrzymanie składali się z grupą takich jak oni letników. Pogawędzili o dawnych latach, kiedy ośrodki wczasowe nad Mauszem funkcjonowały prężnie, a sprzęt pływający remontowano na bieżąco. Jezioro pełne było wówczas łódek, kajaków i rowerów wodnych, z których dochodziły rozmowy i śmiechy wczasowiczów. Dzisiaj, w porównaniu z tamtymi czasami, panowała na jeziorze i wokół niego cisza.

Tato już chciał wracać do domku, ale Iwona wyprosiła jeszcze jedną kąpiel. Wykąpali się oboje zgodnie, bo jej ojciec nigdy nie odmawiał sobie takiej przyjemności. Nawet gdy były chłodne dni, szedł się wykąpać, a Iwona na ogół razem z nim. Po powrocie na daczę usiedli z przyjemnością do kopiastych talerzy ryżu ze śmietaną i cynamonem.

– Uwinęłaś się szybko – uśmiechnęła się do mamy Iwona, prezentując śmietanowo-cynamonowe wąsy; mama podała jej chusteczkę. Zaśmiały się.

– Dzisiaj, w tym upale, niczego innego nie dałoby się zjeść – skwitował tato. – No i jeszcze do popicia maślanka. Cymes!

– Za to zrobimy sobie wcześniejszą kolację z ognia – uśmiechnęła się do Iwony mama. – Dobrze, że przywiozłaś kiszkę kaszubską i gryczaną kaszankę. Uwielbiam ją.

– Piwo słodowe też kupiłem, Liluś. – Pan Stasio spojrzał na żonę, jakby czekał na pochwałę.

– Podziękuję ci za nie przy ognisku – zachichotała jego żona; Iwona jej zawtórowała.

Uwielbiała te przekomarzania rodziców; było w nich wiele ciepła i humoru. Sama niewiele miała takich miłych doświadczeń z Zygmuntem. Zmarkotniała.

– Coś się stało? – Mama wychwyciła natychmiast zmianę nastroju córki.

– Nie. Zastanawiam się, czy dobrze zrobiłam, nie zmuszając Patryka do przyjazdu razem ze mną.

– Chyba da sobie radę w domu – rzucił tato. – Ma na weekend wolną chatę, to po co miał tu przyjeżdżać? – roześmiał się.

– Tak, Stasiu, nawet nie mów. To dobry chłopak. – Pogroziła mu palcem żona.

– Ale zawsze chłopak.

– A ty byłeś święty?

– W zasadzie... tak. Nie miałem zresztą takich warunków.

– Tato, ale czasy się zmieniły.

– No właśnie – uzupełniła pani Lilla.

Potem Iwona z mamą przysiadły w cieniu na leżakach, od czasu do czasu chichocząc, a tato ruszył na krótką drzemkę. Po niej zabrał się do przygotowywania, a potem rozpalania ogniska, mama zaś z Iwoną zawijały kaszankę i kiszki kaszubskie w folię.

Nagle od bramy rozległo się wołanie:

– Jesteśmy!

Iwona i rodzice jak na komendę spojrzeli w tamtą stronę. Bramę ze skobla otwierał Patryk, przy nim stała urocza szatynka.

– Dzieci przyjechały! – zapiszczała pani Lilla.

– A kogóż on przywiózł? – spytał cicho tato.

– Zaraz się dowiemy – uśmiechnęła się Iwona. – Akurat zdążyliście na ognisko! – zawołała w stronę drogi, po której już maszerowali Patryk z dziewczyną.

– To moja… Dominika – przedstawił Patryk – …a to moi dziadkowie i mama.

Ładna szatynka o ciepłym uśmiechu i miłym tembrze głosu szybko poczuła się swojsko, czym ich natychmiast zawojowała.

– Kiedy czasami jeździmy do Wiela na daczę do mamy siostry, to też grillujemy w sreberkach. A co jest w tych? – Pokazała głową na ruszt nad ogniskiem, na którym tato Iwony układał błyszczące zawiniątka.

– Kiszka kaszubska i kaszanka gryczana – uśmiechnęła się pani Lilla.

– Ale smakołyki! Od razu poczułam głód…

Poklepała się po brzuchu.

– A przecież nie chciałaś po drodze ani frytek, ani pizzy – powiedział z wyrzutem Patryk.

– Raz, że w autobusie nie lubię jeść, a dwa, przeczuwałam, że tutaj będą frykasy – zaśmiała się srebrzyście.

– A dawno się znacie?

Pani Lilla nie byłaby sobą, gdyby nie zadała bezpośredniego pytania.

– Trochę krócej niż państwo... – Dominika zmrużyła śmiesznie oczy, uśmiechając się do dziadków Patryka. – Ale mówiąc poważnie, poznaliśmy się w pierwszej klasie podstawówki.

– Z tym że nie chodziliśmy do jednej klasy – wyjaśnił Patryk. – Może to i dobrze, bo i tak mieliśmy... ciche dni, a nawet lata.

Wszyscy roześmiali się.

– To jest ta dziewczynka od wyciągniętego języka po pierwszej komunii? – spytała pani Lilla, gdy się uciszyło.

– Dobra jesteś, babciu – pochwalił Patryk.

– Tak, to niestety ja i nawet język mam ten sam... – zaśmiała się Dominika, a po chwili przypomniała historię sprzed lat, uzupełnioną zdarzeniem z liceum z wyciągniętym językiem Patryka. – Więc teraz jesteśmy wreszcie na remis, czyli kwita, i dobrze nam z tym.

– Dzisiaj jest na działce zupełnie jak kiedyś – westchnęła sentymentalnie Iwona.

– Bo działka żyje, kiedy są dzieci... – rozmarzyła się pani Lilla.

Niebawem wszyscy z apetytem zajadali kiszkę kaszubską i kaszankę gryczaną. Z wolna szarzało. Wesołe ogniki unosiły się od czasu do czasu z trzaskiem, gdy dziadek Patryka dorzucał do ogniska szczapę drewna.

Nagle rozległ się dźwięk gitary, którą Patryk nie wiadomo kiedy przyniósł z domku. Śpiewali cicho stare niezapomniane harcerskie piosenki albo dawniejsze przeboje polskich zespołów. Okazało się, że ten repertuar nie jest obcy także Dominice, której silny dziewczęcy głos momentami brzmiał najgłośniej. Po jakimś czasie Patryka przy gitarze zmieniła jego mama, a ją po chwili zastąpił dziadek.

– Ależ mi się u państwa podoba – westchnęła głośno Dominika. – Wszyscy grają na gitarze, jest tak dobrze, swojsko, jakbym przyjeżdżała tutaj od wielu lat.

– Nic nie stoi, dziecko, na przeszkodzie, byś bywała tutaj przez wiele, wiele kolejnych lat – nieoczekiwanie powiedziała pani Lilla; Iwona zrobiła oczy.

Niespeszony Patryk objął Dominikę. Uśmiechali się do siebie promiennie.

Rozdział 8

Na tarasie domku Henryka i Ewy głośna muzyka już dawno wypłoszyła ptaki, a teraz nawet nietoperze nie śmiały zapędzać się w tę stronę. Po jednej stronie ogniska w tańcu wyżywało się kilka par, po drugiej stronie toczyła się głośna rozmowa podchmielonych mężczyzn o biznesie.

– Może pójdziemy pomoczyć nogi na pomost? Co wy na to? – W ciemności zabrzmiał czyjś męski głos.

– Możecie się nawet popluskać, byle ostrożnie! – krzyknął Henryk.

– Dobry pomysł! Super! Dzisiaj jest ciepło i nawet komarów nie ma! – Rozległy się na przemian głosy kobiece i męskie, chwalące tę propozycję.

Towarzystwo zaczęło się powoli zbierać i niebawem bezładna kolumna ruszyła w kierunku jeziora, błyskającego w oddali gwiazdami odbijającymi się w jego wodach.

– A ja się nawet wykąpię! Przezornie włożyłam kostium! – krzyknęła jedna z kobiet.

– Ja nie mam kostiumu, ale za to fajne figi! Też się wykąpię! – zawtórowała inna.

– A ja mam jakieś gacie, więc też się mogę pomoczyć! – zahuczał jakiś męski zachrypnięty głos.

– Zygmunt, mam do ciebie prośbę – odezwał się cicho Henryk i złapał go za dłoń. – Wyręcz mnie, proszę, i przynieś na pomost ze dwie butelki alkoholu, kieliszki i co tam jeszcze uznasz, że może się przydać. Wszystko znajdziesz w saloniku albo w kuchni. Ja pójdę ich popilnować, żeby się nie potopili – zaśmiał się i ruszył szybkim krokiem za oddalającymi się gośćmi.

Zygmunt wzruszył ramionami i ruszył wolnym krokiem w kierunku domku. Kiedy przekroczył drzwi, usłyszał tuż za sobą głos Ewy.

– Pomogę ci. Weźmiemy jeszcze soki, kilka szklaneczek, może piwo, bo pewnie goście nie będą chcieli tak szybko stamtąd wracać – powiedziała, obejmując go ramionami w pasie; na moment zatrzymali się. Zygmunt poczuł ciepłe ciało Ewy na swoich plecach; po chwili pieszczące jego tors dłonie wywołały u niego dreszcze.

– Wejdźmy do środka, bo przecież musimy coś wziąć i pójść z tym nad jezioro – odezwała się cicho; pchnęła go lekko w kierunku wnętrza.

Po wejściu do domku powtórnie przytuliła się do niego, obejmując go od tyłu jeszcze silniej niż uprzednio ramionami. Jej dłonie zaczęły wędrować po jego ciele od góry do dołu. Zygmunt przymknął oczy, ale po chwili oprzytomniał. Spróbował się uchylić, przerwać jej karesy, złapał silnie jej obie dłonie, ale Ewa przyssała się ustami do jego karku. Próbował się wyszarpnąć, jednak uchyliła się zręcznie, sama schwyciła jego dłoń i pociągnęła przez salonik w kierunku kuchni. Ruszył za nią potulnie. Po wejściu do kuchni nieoczekiwanie usiadła na kamiennym stole i przyciągnęła go do siebie nogami, zaplatając na jego plecach dłonie. Zygmunt próbował się zrazu wyswobodzić z tego uścisku, ale czynił to z każdą chwilą z coraz mniejszym przekonaniem.

– Nie bądź dzieckiem. Mam zacząć krzyczeć i narobić ci wstydu? – szeptała, a jej dłonie błądziły po jego torsie, biodrach, spływały coraz niżej.

Rozpięła mu koszulę i całowała gdzie popadnie, szukając jego ust. Wreszcie ich wargi spotkały się i połączyły w namiętnym pocałunku. Zygmunt kolejny raz oprzytomniał i ponownie spróbował się wyzwolić.

– Nikt nie przyjdzie, nie bądź głupi, to tylko chwila. Korzystaj z okazji – wyszeptała mu chrapliwie do ucha.

Po chwili nawet nie zorientował się, jak połączyli się w miarowym falowaniu.

– Dobry jesteś – wyszeptała po jakimś czasie, głęboko westchnęła i poluźniła uścisk ramion i nóg. – Szkoda, że tak późno nam się udało. Przecież kiedyś do mnie świrowałeś, nie tak było?

– Miałem wrażenie, że to ty mnie podrywasz, ale nie chciałem... – odparł, łapiąc oddech, ale jednocześnie poczuł, że włosy na plecach prostują mu się ze strachu.

– Czego nie chciałeś? Zrobić przykrości Heńkowi? Jemu nie da się zrobić przykrości. Ech... masz rację, to ja ciebie podrywałam, ale ty też mnie pragnąłeś, przyznaj się, tak?

– To prawda... ale... – Głos mu się rwał.

Dlaczego ja to zrobiłem! – Jakiś inny głos zawył w jego głowie.

Ewa zeskoczyła ze stołu, szybkim ruchem zaciągnęła ekler sukienki i raz jeszcze pocałowała go w tors.

– No dobrze, ty też się ogarnij. Minuta w łazience dla mnie, potem minuta dla ciebie, bierzemy soki, szklanki, alkohol i co tam jeszcze Heniek ci powiedział, i ruszajmy na pomost, żeby nie było, że my tutaj coś tam, coś tam... – zaśmiała się i pocałowała go znowu. – Powiem ci szczerze, naprawdę jesteś dobry. Szkoda tylko, że było tak mało czasu.

Rozdział 9

Iwona od kilku minut, odkąd Zygmunt wszedł do salonu i opadł na fotel, przypatrywała się jego twarzy.

– Długo cię trzyma po sobotniej imprezie.

– Trochę popiliśmy...

– Ale zabawa chyba się udała, co? – Spojrzała na niego badawczo. Miała wrażenie, jakby zaskoczyło go to pytanie. – Nic mi nie opowiesz?

– No wiesz... Jak zwykle dużo hałasu robili ci faceci, co zawsze.

– A były jakieś kobiety, których nie znam?

– Czy ty musisz wypytywać tak szczegółowo?

– To chyba nie jest dziwne czy szczegółowe pytanie, na które nie mogłeś sobie wcześniej przygotować odpowiedzi, co? – rzuciła ironicznie.

Ich oczy się spotkały. Iwona dostrzegła coś dziwnego w jego wzroku.

– A gospodyni jak zwykle zatańczyła solówkę? Kogo tym razem adorowała?

Spojrzała na męża przez szparki oczu; Zygmunt uciekł wzrokiem, a ona odniosła wrażenie, że przywarł mocniej do oparcia fotela.

– Trzeba było być, tobyś wszystko widziała... – burknął.

– Gdybym ja tam była, tobyś czuł się dzisiaj lepiej. Miałabym cię cały czas na oku, więc nie byłoby ani przesady w piciu, ani innych szaleństw.

Zygmunt rzucił żonie krótkie spojrzenie i zaśmiał się nerwowo.

– Poszalałeś trochę...?

– Czy tobie sprawia przyjemność takie dręczenie?

– Ja cię dręczę? Po prostu pytam. Nie wiedziałeś, że kobiety są ciekawskie? A może masz coś do ukrycia?

Spojrzała na niego uważniej; na moment wcisnął głowę w ramiona, ale zaraz wyprostował się. Nie uszło to jej uwagi.

– Przypomina mi się, że już raz kiedyś też tak chowałeś głowę – rzuciła przez zaciśnięte zęby. – Tyle tylko, że wówczas, jak pamiętasz, Patryk był malutki, a ja nie chciałam ci robić draki, bo twoja mama była ciężko chora. Widzę, że u Henryka naprawdę musiało być wesoło!

Włożyła ręce pod pachy, bo nagle poczuła, że palce ma lodowate z nerwów.

– No tak... było wesoło – wymamrotał i spojrzał na nią niepewnie.

– To z jaką panienką się puściłeś?

Zygmunt szarpnął się; uciekł wzrokiem gdzieś w bok. Iwonie przypomniała się sytuacja sprzed lat.

– Widzę, że trafiony, zatopiony!

– Ale czy ty musisz tak...

– Że niby jak?

– No tak, prawie wulgarnie.

– Aha. Puszczenie się, zdrada nie jest wulgarna, nie jest niczym niewłaściwym, ale rozmowa o tym już tak?

Poderwała się z fotela, trzęsąc się cała.

Zygmunt, nie patrząc jej w oczy, także wstał i ruszył wolnym krokiem do wyjścia z pokoju.

– Myślisz, że jak wyjdziesz i zmilczysz, to sprawy nie będzie, rozejdzie się po kościach? – zawołała za nim.

– Nie, ale wolałbym...

Zatrzymał się na chwilę i spojrzał na nią; po chwili zwrócił się ponownie w kierunku drzwi.

– Patrzcie! Nagle esteta się w nim obudził. To która rozstawiła nogi? – zawołała histerycznie.

Stanął tuż przed progiem stołowego jak wryty i ponownie odwrócił się w stronę Iwony. W jego oczach dojrzała teraz przestrach. Pokiwała głową.

– Taak. Ja już wszystko wiem, czy domyślam się... co w tym przypadku na jedno wychodzi. Nie musisz mi już nic więcej mówić. Nie mam najmniejszej ochoty z tobą dłużej rozmawiać. Nigdy!

Zamknęła oczy i odwróciła się od niego; spod jej powiek wypłynęły łzy.

Usłyszała jego oddalające się kroki, a po kilku chwilach drzwi wejściowe najpierw się otworzyły, a potem zamknęły. W mieszkaniu zapadła głucha cisza.

Rozdział 10

Iwona siorbnęła głośniej, żeby zmusić Ewę do zwrócenia na siebie uwagi; ta rzeczywiście skierowała oczy w jej stronę.

– Słyszałam, że w weekend była przednia zabawa – wycedziła dobitnie.

– Co to znaczy: słyszałam?

– Masz rację. Nie słyszałam, a domyśliłam się. Was nawet nie stać na szczerość.

– Kogo masz na myśli...?

– Ludzi twojego pokroju, takich, którzy uwielbiają orgie zamiast zabawy. Ty już wiesz, o kim i o czym myślę. Do tego grona dołączył już jakiś czas temu mój Zygmunt. Chociaż Bogiem a prawdą, on już od ponad piętnastu lat, a nawet jeszcze dawniej, nie był mój. On po prostu przy mnie tylko był, bo nie chciałam robić nikomu przykrości. Jak ta głupia.

– O czym ty mówisz?

– Zastanawiam się, która na tym weekendowym ognisku zaoferowała mu swoje gościnne krocze? Wiesz coś na ten temat? Mam co prawda swój typ, ale...

– Czy ty musisz się tak wulgarnie wyrażać?

– Popatrz! Zygmunt użył identycznego sformułowania. Czy wyście to ze sobą uzgodnili?

– Niby co uzgodnili?

– Czy według ciebie słowa, jakich użyłam, mogą być bardziej wulgarne niż sam akt zdrady, puszczenie się mojego męża na imprezie u tak zwanych przyjaciół z jakąś dziwką?

– Patrzcie, święta się odezwała! A poza tym tak się odwdzięczasz?

– Ja mam się za coś odwdzięczać? Mało serca i pracy włożyłam w waszą firmę? A jeśli chodzi o Zygmunta, to on chyba podziękował komu trzeba za gościnne...

– Przestań już! Znalazła się święta!

– Co ty z tą świętością? – Iwona podskoczyła na krześle. – Może i nie jestem całkiem święta, ale spytam ciebie jeszcze raz, tak samo jak jego. Która z kobiet na tym spotkaniu zaoferowała mu swoje wdzięki, bo on sam chyba by się na coś takiego nie zdobył?

– A jeśli to byłam ja, to co mi zrobisz?!

– Ty?!... No więc powiem ci to, co już dawno powinnam była powiedzieć. Jesteś zwykłą kurwą. Już wtedy w Sztokholmie nieźle się zapowiadałaś, ale wówczas jeszcze miałaś jakiś wygląd, ale teraz! Dziwię się temu głupkowi, że poleciał na taką zdzirę!

Ewa poderwała się, zamachała ramionami, rozejrzała się gwałtownie wokół i schwyciła torebkę, którą miała pod ręką. Rzuciła nią z całej siły w Iwonę. Z torebki powypadały różne drobiazgi. Jakaś kartka po krótkim locie, kołysząc się w powietrzu, zatrzymała się na kolanach Iwony.

– Zostaw to! Słyszysz?! Zo...

– Zaraz... – Iwona przebiegła treść kartki wzrokiem i zamarła. Jej wyraz twarzy zmieniał się z każdą chwilą.

Ewa opadła bez słowa na krzesło. Targnął nią krótki szloch.

– Dlaczego... dlaczego nic nie powiedziałaś?

– A co miałam mówić? Ty, szczęśliwa żona i matka, mająca mnie zawsze w głębokim poważaniu, czemu miałoby cię to obchodzić.

– Oj, Ewa, Ewa... Po prostu mnie nie znasz. Czy to pewne, co tutaj jest napisane?

Ewa odwróciła głowę i powiedziała cicho:

– Tak, to drugie powtórzone badanie, tym razem w akademii w Gdańsku.

– A jakie są rokowania?

– Miesiąc temu profesor dał mi trzy miesiące, jeśli nie zacznę się natychmiast leczyć.

– No i...

– Pamiętasz, jak trzy lata temu uznałaś, że jestem wariatką, bo powiększyłam sobie piersi?

– Przecież jedno z drugim nie ma nic wspólnego.

– Ma. Wtedy, tak naprawdę, miałam operację wstawienia rozrusznika i bajpasów, a te piersi były tylko maskowaniem tamtego.

– Całkowita idiotka.

– Wiem. Ani naświetlania, ani chemia, ani żadna operacja teraz nie wchodzą już w rachubę. Mój organizm dogorywa. Nie wytrzyma też żadnej operacji. Prawdopodobieństwo pomyślnego przejścia tej całej terapii onkologicznej teraz pewnie sięga maksimum dwudziestu pięciu procent, a miesiąc temu wynosiło trzydzieści do pięćdziesięciu.

– Więc dlaczego nie zaczęłaś jej wtedy?

– I tak jestem wrakiem, a nie chciałam zostać roślinką...

– Ewa, przecież tak nie można... nie wolno.

Iwona podeszła do Ewy i przytuliła ją. Obie teraz szlochały.

– A co Heniek na to...?

– On jeszcze nic nie wie, a wówczas tak to zgrałam z jego wyjazdem na narty, żeby się nie domyślił.

– Wiesz, to jest dla mnie niepojęte.

– Kazałby mi się leczyć, uruchomiłby wszystkie środki, jakie by się dało, może by nawet machnął ręką na firmę, a ja nie chciałam, nie chcę, żeby ludzie nagle zostali bez pracy...

– Jesteś wariatka... – Iwona przytuliła Ewę z całej siły. – Ale może teraz, jak ja już wiem, to zgodzisz się...

– Nie. Teraz tym bardziej nie. Chcę spokojnie odejść... Przepraszam, że cię o to zapytam: będziesz ze mną?

– Nawet gdybyś nie chciała, to i tak bym była.

Znowu mocno się przytuliły. Zapadła cisza.

– Wiesz, o czym teraz marzę? – wyszeptała Ewa i spojrzała oczami pełnymi łez na Iwonę. – Czy mogłabyś wprowadzić się do mnie na ten czas, dobrze?

– Dobrze.

– Naprawdę? Nawet się nie zastanowisz? – Ewa otworzyła szeroko oczy.

– Każdy by tak zrobił. – Iwona próbowała się uśmiechnąć.

– Nie znam nikogo takiego i dlatego bałam się, że ty też odmówisz.

– Muszę ci coś szczerze powiedzieć, jeśli mamy spędzić trochę czasu...

– To będą dla mnie najszczęśliwsze dni w życiu! – nieoczekiwanie Ewa rozpłakała się głośno.

– Tak nie wolno, Ewuniu... makijaż ci się... spieprzy! – zachichotała po ostatnim słowie Iwona.

– Kto by mnie tak rozweselił? – Ewa z uśmiechem przez łzy przywarła z całych sił do Iwony.

– Powiedz mi tylko, dlaczego kiedyś uruchomiłaś w sobie mister Hayde'a?

– Bo nie potrafiłam, ze wstydu, porozmawiać z tobą, poprosić cię o radę i... – zawiesiła głos i wpatrywała się w Iwonę.

– No dokończ... Teraz musimy mówić sobie wszystko, choćby nie wiem jak bolało.

– Chciałam cię prosić, żebyś znów została moją przyjaciółką, tak jak kiedyś, ale wydawało mi się...

– Nie kończ, to także moja wina. Coś sobie zupełnie niepotrzebnie ubzdurałam. Ale zostawmy takie rozmowy na czas po powrocie do domu... – Iwona pogładziła Ewę po policzku; ta uśmiechnęła się niepewnie. W jej oczach znowu pojawiły się łzy, ale Iwona pokręciła głową. – Zdradź mi tylko, jak chcesz zorganizować mój pobyt u siebie, bo muszę się przygotować.

– Obie zajmiemy pokoje gościnne na górze. Nie chcę odchodzić w szpitalu ani w żadnej umieralni. W domu chcę... Może nawet przyjdzie mama, która wiele lat temu mnie porzuciła...

– Postaram się o to...

– Wiedziałam, czułam, że mi pomożesz...

– Tylko najpierw muszę rozmówić się z Zygmuntem. Zadzwonię do niego i odwiezie mnie do domu, żebym wieczorem, jak przyjadę do ciebie, miała to już za sobą.

– Rozumiem... – wyszeptała Ewa, a w jej oczach pojawił się przestrach.

– Nie, nie bój się, żadnej awantury nie będzie, ale musi wiedzieć, co i jak.

– Tak, rozumiem. Dziękuję ci.

– Pa! – Iwona uśmiechnęła się blado i ruszyła w kierunku drzwi.

– Pa, Iwonko, czekam na ciebie. – Doszły ją ciche słowa Ewy.

Część druga

Przyjaźń aż po... grób

Rozdział 11

Podczas jazdy w samochodzie panowała cisza. Iwona usiłowała zebrać myśli, zaś Zygmunt, spoglądający na nią od czasu do czasu, nie śmiał o nic spytać.

– Dziękuję, że mnie przywiozłeś do domu – zaczęła Iwona, gdy usiedli na fotelach w stołowym; spojrzał w jej oczy pytająco, ale położyła palec na ustach. – Ewa jest… umierająca – powiedziała cicho i zamilkła.

– Co ty mówisz?! Co, jak? – Zygmunt nie potrafił ukryć zaskoczenia.

– Na pewno wszystko opowie ci w odpowiednim czasie Henryk. Przeprowadzam się do niej na ten czas – dodała po chwili. – Muszę się spakować, jakbym jechała na długie wczasy.

– Ale nic mi nie powiesz…? – Zygmunt szarpnął się na fotelu, aż zaskrzypiał.

– Nie wiem wszystkiego, choć czytałam orzeczenie lekarskie opisujące jej stan. Oprócz spraw kardiologicznych: rozrusznik, bajpasy, ma śmiertelną chorobę onkologiczną, przy której tamto to pestka.

– Ale skąd, co, jak? Przecież...

– Życie... Każdego z nas może coś takiego w każdej chwili spotkać – ucięła Iwona. – Chcę jak najszybciej zostać sama, bo muszę sobie wszystko przemyśleć, no i się spakować, ale najpierw powinniśmy przeprowadzić rozmowę oczyszczającą, choć miałam z tobą już nigdy nie rozmawiać. – Popatrzyli na siebie. – Wyznajmy sobie najważniejsze grzechy ze swojego życia, póki czas, bo jak widzisz, nie znamy dnia ani godziny. Ty pierwszy – zakończyła twardo.

Zygmunt przymknął oczy i spuścił głowę.

– Zanim jeszcze wyjechałaś do Sztokholmu, miałem romans z taką Agnieszką – odezwał się cicho po długim namyśle. – Byłem głupi. Myślałem, że nikt się nie dowie, wyszumię się, jakoś to wszystko potem się zapomni...

– Ale nie domyślałeś się, że ja mam oczy i to czuję?

– Wtedy nie myślałem, że jesteś taka mądra, wymagająca, ale też wielkoduszna, że wybaczyłabyś, gdybym ci opowiedział, przyznał się.

– A teraz wiesz o tym?

– Wiem o tym od dawna. Zorientowałem się, kiedy zdradziłem cię kolejny raz, gdy Patryk był malutki, a ty mi wybaczyłaś.

– Nie wybaczyłam ci, bo takiego czegoś nie da się wybaczyć, ale przysypałam grubą warstwą innych spraw, by nie kłuła, nie doskwierała mi na co dzień. Poza tym twoja mama była wówczas chora.

– Właśnie. To moja mama mi wtedy powiedziała, żebym cię nie krzywdził, bo mam za żonę... anioła. – Zygmuntowi zadrżał głos.

– A ty opowiadałeś jej coś wcześniej o swoich sprawkach? – zdziwiła się Iwona.

– Nie... ale mama dostrzegła zmiany w moim zachowaniu, sposobie wysławiania się. Ona wyczuła, że cię zdradzam. Wtedy jeszcze nie najlepiej myślałem o kobietach... ale od tamtego czasu jestem pewien, że kobiety mają o jeden zmysł więcej niż my, mężczyźni.

– Dlaczego mi tego nigdy wcześniej nie powiedziałeś? – Iwona położyła dłoń na stoliku; Zygmunt przykrył ją swoją dłonią.

– Myślałem, że mi nie uwierzysz, przecież wcześniej jeszcze raz cię zawiodłem, chociaż ty o tym fakcie zupełnie nie wiedziałaś, bo nie było cię w Polsce, byłaś w Sztokholmie.

– Nie rozumiem? – Iwona wyciągnęła rękę spod jego dłoni.

– Poznałem pewną dziewczynę podczas wyjścia z kolegami do pubu i mało brakowało, by narobiła mi kłopotów. Z mojej winy zaangażowała się, bo była młoda i łatwowierna... Sprawę udało mi się załagodzić, choć głupio mi do dzisiaj.

– A ostatni wyskok? – Ewa spojrzała lodowato na Zygmunta; uciekł ze wzrokiem.

– Nie mam żadnego wytłumaczenia... – Spojrzał zaczerwienionymi oczami na Iwonę.

– Czy to już wszystko?

– Z istotnych spraw... wszystko.

– Teraz kolej na mnie, bo jeśli ma to być rozmowa oczyszczająca, to i ja muszę coś opowiedzieć o sobie. – Oczy Iwony i Zygmunta spotkały się. – Nie jestem całkiem bez winy i też nie mam dla siebie żadnego wytłumaczenia, chociaż w moim przypadku dotyczyło to tylko jednego człowieka.

– Ale przecież... – próbował coś powiedzieć Zygmunt.

– Pamiętasz, jak często miewałam migreny w czasie ciąży? – Spojrzała mu mocno w oczy; skinął głową. – Te migreny to nie zawsze było to, co mówiłam, ale tęsknota za innym mężczyzną, Anglikiem, którego poznałam podczas studiów doktoranckich. Zakochałam się w nim, miał na imię Arthur.

Zygmunt z niedowierzaniem pokręcił głową.

– Tak było. Mam jeszcze listy z tamtego czasu, ale przecież ci ich nie pokażę. Pisywał do mnie na poste restante przez rok. Żeby zająć czymś głowę, mimo zaawansowanej ciąży, rzuciłam się do dokończenia doktoratu. Potem urodziłam Patryka, choć Arthur prosił mnie i błagał, żebym przyjechała do Anglii. Przyjąłby mnie z dzieckiem.

– Czy to było... zaraz, Patryk jest jego dzieckiem?!

– Nie, ale poczekaj, po kolei.

– Musiał cię kochać... ty pewnie jego też.

– Tak, jednak zwyciężyły moje głupie, staroświeckie zasady. Przecież nie mogłam tutaj... – zatoczyła ramieniem łuk – ...powiedzieć wszystkim *adieu*. Zerwać zaręczyn, odwołać ślub. Moi rodzice, twoi rodzice, tak na ten dzień przecież czekali. Cieszyli się... – teraz jej zadrżał głos i zaszkliły się oczy. – Dla pewności zrobiłam badania DNA, bo mimo wszystko trochę się pogubiłam, czyje to jest dziecko, chociaż kobieta powinna wiedzieć wszystko na sto procent. Na swoje wytłumaczenie mam tylko to, że pierwszy raz byłam w ciąży. Oczywiście, dziecko było twoje. Ta niepewność wynikała z tego, że były tylko trzy dni odstępu, kiedy spałam najpierw z Arthurem, a potem z tobą.

Iwona zasłoniła oczy dłońmi; załkała.

Zygmunt odwrócił głowę do okna i długo milczał. Potem dotknął delikatnie jej ramienia. Otrząsnęła się.

– Muszę ci jeszcze coś powiedzieć... Gdyby nie ciąża, to z tobą...

– Proszę, nie mów już nic. Domyślam się... – wszedł jej w słowo i złożył dłonie.

Znów zapadło długie milczenie; ciszę przerwała Iwona.

– Teraz wiem, że zniszczyłam życie i tobie, i sobie – powiedziała z oczami pełnymi łez.

– Też jestem winny. Zawiodłem cię tak wiele razy.

Patrzyli na siebie w milczeniu.

– Jak myśmy mogli sobie coś takiego zrobić. Tyle razy skrzywdziliśmy siebie...

Iwona przymknęła oczy; znowu zapadła cisza.

– I co teraz ze sobą zrobimy? – spytał cicho Zygmunt. – Jestem gotów zapomnieć o twojej historii, zresztą to już tyle lat minęło, a czy ty potrafisz mi wybaczyć?

Iwona pokręciła głową.

– Starałam się przez te wszystkie lata, żeby między nami jakoś było, skupiałam się na tym, by Patryk niczego nie zauważył, próbowałam zapomnieć o tamtym mężczyźnie, ale nie udało mi się, a teraz jeszcze to.

Zapadła kolejna cisza. Zygmunt już otwierał usta, żeby coś powiedzieć, ale Iwona go ubiegła.

– Mam prośbę. Spróbuj umówić się pilnie, zaraz, z Heńkiem. – Poruszyła się nerwowo. – Zanim pojadę wieczorem do Ewy, muszę jeszcze z wami obydwoma porozmawiać – powiedziała twardo; Zygmuntowi rozszerzyły się oczy. – Muszę. Proszę. Ta rozmowa jest istotna dla nas wszystkich.

– A tej nie dokończymy?

– Dokończymy... kiedyś. Wiemy już o swoich sprawkach wszystko, ale teraz ważniejsza jest Ewa. – Zrobiła nerwowy ruch dłonią.

– Dobrze... wobec tego gdzie?

– Wybierzcie sami miejsce, gdzie spokojnie będziemy mogli porozmawiać. Tym razem polegam na twoim wyczuciu – uśmiechnęła się przez łzy.

Za niecałą godzinę spotkali się w ogródku restauracji na Kamiennej Górze. Usiedli daleko od ludzi. Iwona poprosiła tylko o wodę. Henryk był wyraźnie poruszony.

– Ewa wszystko mi powiedziała... – zaczął. – Boże! Jaka ze mnie była świnia!

Iwona złapała go za rękę.

– Wszyscy nabroiliśmy, ale chcę... proszę, żebyśmy teraz zapomnieli o tym, co złe, a spróbowali od tej chwili zachowywać się jak... przyjaciele. – Spojrzała na Henryka, a potem przeniosła wzrok na męża; Zygmunt pokiwał głową. – Spróbujmy, proszę... – powtórzyła. Głos jej się załamał, spod przeciwsłonecznych okularów wypłynęła łza.

– Szkoda, że coś takiego musi się stać, żeby człowiek się ocknął. – Heniek, z natury nieskory do okazywania jakichkolwiek innych nastrojów poza radością i złością, miał wilgotne oczy.

– Słuchajcie, bo to ważne. – Iwona położyła obie ręce na dłoniach Henryka i Zygmunta. – Postanowiłam odejść z firmy, ale zapewnię na swoje miejsce doskonałą siłę, dawną koleżankę ze studiów, tylko musicie jej porządnie zapłacić, nie tak jak mnie. – Spojrzała odważnie Henrykowi w oczy.

– Coś ty powiedziała? – zareagował gwałtownie Henryk; Iwona położyła palec na ustach. – Czy jesteś pewna? – spytał ciszej, nie mogąc się pogodzić z jej słowami.

– To jest niezbędne dla oczyszczenia – powiedziała twardo Iwona. – Mam jednak dobrą informację. Koleżance, która mnie zastąpi, przekażę wszystkie moje najtajniejsze sekrety i będę ją wspomagała, kiedy tylko zajdzie potrzeba.

– A ty co będziesz robić? – Henryk zmarszczył brwi. – Przecież mogę ci zapewnić, co tylko będziesz chciała. Zostań! Zygmunt od jutra będzie wiceprezesem i chcę, żeby został moim wspólnikiem. Ufam mu jak nikomu.

Zygmunt z wrażenia odchylił się do tyłu; oczy mu się rozszerzyły. Dla niego też to była nowina.

– Szukaj od jutra kogoś na swoje miejsce, bo ty będziesz miał ważniejsze zadania – dodał Henryk i spróbował się uśmiechnąć. – Będziesz mnie we wszystkim zastępował! Przestań się dziwić, tylko powiedz: jasne, szefie.

– Jasne, szefie! – Zygmunt prawie krzyknął.

– Ja, ile tylko się da i mi Ewa z Iwoną pozwolą, będę chciał być w domu, jako chłopiec na posyłki. – Zamknął oczy i zamilkł. – Powiedz mi, Iwonko, co ty będziesz robiła, bo chcę cię wynagrodzić za wszystko, co utraciłaś przez moją krótkowzroczność, że tak to nazwę.

– Na początek spróbuję pierwsza przestać się mazać – uśmiechnęła się blado i poklepała obu mężczyzn po dłoniach. – Heńku! Postanowiłam pójść na uczelnię, na miejsce koleżanki, o której przed chwilą mówiłam. Zajmę się nauką, badaniami biotechnologicznymi, pojeżdżę na konferencje. Może zrobię habilitację. Ale będę cały czas was obserwować – zaśmiała się krótko, zaraz jednak wróciła do poważnego tonu. – Od jutra biorę urlop bezpłatny, żeby być przy Ewie, i już dzisiaj na noc wprowadzam się do was.

– Poważnie, zrobisz tak? – Heniek spojrzał na Iwonę z niedowierzaniem; ta pokiwała głową. – Ewa coś mi o tym mówiła, ale miałem wątpliwości, czy dobrze ją rozumiem. Co prawda na wszelki wypadek ściągnąłem fachowców od przeprowadzek; Ewa nimi kieruje. Przygotowują górkę dla was.

– Tak z nią ustaliłyśmy – potwierdziła skinieniem głowy Iwona. – Będę koło dziewiątej, wcześniej nie dam rady.

– Przygotujemy z Ewką pyszną kolację powitalną. – Heniek uśmiechnął się. – Oczywiście bez alkoholu – dodał.

– Wpadnij do delikatesów i kup małą butelkę szampana, jeśli go w domu nie masz – rzuciła z lekkim uśmiechem Iwona; Heńkowi rozszerzyły się oczy. – Musisz kupić, bo ja nie mam. A trzeba Ewce zapewnić... piękne dni. – Spod jej okularów znowu wypłynęła łza. – Przepraszam...

– Tak, masz rację, Iwonko. – Henryk nachylił się do jej dłoni i pocałował ją. – Jesteś cudowna! – dodał i po chwili przeniósł wzrok na Zygmunta. – A ty szykuj się od jutra w pracy na krew, pot i łzy. Swoje! Nie pracowników.

– Jasne, szefie – odparł Zygmunt z poważną miną. Henryk poklepał go po ramieniu.

– Teraz posłuchaj: od dwunastej do odwołania mamy jutro dwuosobową naradę... chwilami w towarzystwie prawników. Muszą dla ciebie przygotować wszelkie dokumenty, więc kiedy jutro pojawią się w firmie, powiedz im wstępnie, co ci zakomunikowałem. Niech pracują nad niezbędnymi papierami, jak tylko szybko się da. Ja jeszcze dzisiaj do obu zadzwonię, żeby wykonywali wszystko, co im powiesz. Dzisiaj masz ostatni wolny wieczór. – Znów poklepał Zygmunta po ramieniu, widząc jego zakłopotaną twarz. – Dasz radę ze wszystkim. Wierzę w ciebie.

Iwona z zaskoczeniem przyjmowała decyzje dotyczące Zygmunta, chociaż w myślach zgadzała się ze wszystkimi. Jakiż to wstrząs muszą przejść ludzie, żeby wejść wreszcie na właściwe tory – pomyślała. Oczywiście, to dotyczy również mnie.

Rozdział 12

Kiedy późnym wieczorem Zygmunt przywiózł Iwonę do Henryków, była pełna obaw co do swojej tak nagle podjętej misji, ale tu została mile zaskoczona przez Ewę. To ona otworzyła jej drzwi. Iwona dojrzała na jej twarzy niepewny uśmiech, a w oczach nutę niedowierzania. Przytuliły się. Ewa zaraz pociągnęła Iwonę na górę, nie zważając na uwagi Henryka, że na to będzie jeszcze czas. Lekko uśmiechając się, zdążyła mu wskazać wzrokiem bagaże Iwony. Szedł więc za nimi po schodach, kręcąc głową, z dwoma dużymi neseserami. Iwonie, która bywała w domu Henryków wielokrotnie, spodobało się przemeblowanie pokojów na piętrze ich domu.

Z sąsiadujących ze sobą: saloniku i sypialni dla gości utworzone zostały po przestawieniu mebli dwa ciepłe pokoje. Iwonie przypadł ten, który tak jej się kiedyś spodobał, nazywany przez Ewę lawendowym. Spytała ją, dlaczego wybrała akurat te dwa.

– Oba mają wspólny tarasik... – wyjaśniła. – Poza tym słońce zagląda tu aż do zachodu. Będziemy sobie czasami siedzieć i gaworzyć do późna, przyglądając się ugwieżdżonemu niebu – uśmiechnęła się; Iwona ją objęła.

– Kiedy tylko będziesz chciała. Będziemy, ile się da, na naszej Copacabanie.

Uśmiechnięta Ewa pogroziła jej palcem.

– To super, ale teraz pójdźmy coś zjeść, bo przygotowując kolację, zgłodniałam.

Iwona, mimo że starała się jeść zawsze najpóźniej do dwudziestej, nie zaprotestowała. Przywitał ją ładnie nakryty stół w salonie; poznała rękę Ewy. Kolorowy obrus, pstrokata hiszpańska zastawa, niewielkie półmiski z wędliną, serem, pomidorami, kieliszki i butelka szampana. Nieco z boku wazonik z kwiatami. Pokazała Henrykowi kciuk.

– Dasz, Iwonko, wiarę, że to była ostatnia średnia butelka? – Wskazał oczami na stół. – Poprosiłem, żeby ściągnęli na jutro kilka, przecież nie będę co chwila jeździł po zakupy – zażartował i żwawo ruszył w kierunku sprzętu audio; z głośników popłynął wstęp do piosenki *Everybody Hurts* grupy R.E.M., ulubionej piosenki Ewy.

Uśmiechnęła się i spojrzała na niego. Podeszli do siebie, a potem wykonali krótkie taneczne pas w kierunku stołu. Iwona zawsze zazdrościła im tanecznego zgrania; kiedyś stanowili ozdobę wszystkich imprez, gdzie był parkiet i dużo muzyki.

Iwona dostrzegła wówczas w świetle nisko zawieszonej lampy, że oboje mają podpuchnięte oczy. No tak, musieli po naszej rozmowie na Kamiennej Górze jeszcze ze sobą rozmawiać.

Iwona zmarszczyła brwi, słysząc słowa piosenki:

When the day is long the night
The night is yours alone
When you're sure you've had enough of this life,
well hang on
Don't let yourself go
Cause everybody cries
and everybody hurts sometimes[1].

Oczy Iwony i Ewy się spotkały; Henryk poderwał się.

– Zostaw... – poprosiła Ewa. – Piękna piosenka. Dotąd na ogół słuchałam tylko melodii, upajałam się nią, dzisiaj chyba po raz pierwszy wsłuchałam się w słowa. Tak wiele mówią o życiu...

Położyła ręce na dłoniach Iwony i Henryka i przymknęła oczy. Zapadła cisza.

– Włączę coś innego. – Henryk znowu się poderwał.

– Zostaw, proszę... Kojarzę tę piosenkę z pięknymi studenckimi czasami, słowa wówczas były te same, ale nie dotyczyły mnie. Piosenka jest wciąż cudowna, choć słowa dzisiaj pasują do mojej sytuacji, ale... ja mam przecież przy sobie was. – Ewa spojrzała najpierw na męża, a potem na Iwonę.

– Ależ z ciebie artystka... – Iwona postanowiła odwrócić uwagę Ewy od piosenki i wskazała głową na stół, kiwając z podziwu głową.

– Może czasami ty też nakryjesz, dobrze...? – odparła nieoczekiwanie Ewa, odwracając się całym ciałem w stronę

[1] Za: www.tekstowo.pl/piosenka.pl/piosenka, r_e_m, everybody_hurts.html:
Gdy każdy twój dzień ciągnie się ku wieczności
A noc – noc nie przynosi ze sobą nikogo
Gdy jesteś pewien, że masz dosyć tego życia... zaczekaj
Nie poddawaj się – każdy czasem płacze, każdy czasem cierpi.

Iwony. – Wszystko ci pokażę, gdzie co leży. Lubię czasem przyjść na gotowe, wtedy mam lepszy apetyt. – Mrugnęła.

– Przecież ja też potrafię nakryć stół do posiłku – przypomniał o sobie Henryk, gładząc Ewę po dłoni.

– Wiem, ale ja wolę tradycyjny podział ról. To jest sprawa kobiet, a ty możesz pomóc przynieść coś z kuchni, no i przygotować kieliszki, szklaneczki, jakąś butelkę – zachichotała Ewa.

Iwonę ujęły gesty Henryka, których dawno u niego nie widywała. Uśmiechy, muśnięcie policzka czy dłoni Ewy. W jej oczach wówczas zapalała się iskierka radości, choć twarz była zmęczona. Cała trójka zamilkła; z głośnika popłynęły słowa:

Well, everybody hurts sometimes
Everybody cries
And everybody hurts sometimes
And everybody hurts sometimes
So, hold on, hold on,
Hold on, hold on...
Everybody hurts
You are not alone[2].

– Tak... Nareszcie nie jestem sama. Mam was przy sobie... – Znowu, jak niedawno, spojrzała najpierw na męża, a potem na Iwonę. – Teraz możesz, Heniu,

---

[2] Za: www.tekstowo.pl/piosenka.pl/piosenka, r_e_m, everybody_hurts.html:
Cóż, każdy czasem cierpi
Każdy czasem płacze
I każdy cierpi czasami
I każdy cierpi czasami
Więc trzymaj się, trzymaj się,
Trzymaj się, trzymaj się...
Każdy cierpi – nie jesteś sam...

włączyć Beatlesów... – rzuciła nieoczekiwanie i poklepała go po dłoni; ten podniósł się natychmiast. – Wiesz, Iwonko, zdążyłam odnowić kontakt z panią Wiesią, która dawniej czasami u nas gotowała – zmieniła raptownie temat. – Od jutra będzie przychodzić codziennie, żeby przygotowywać śniadania i obiady. Zrywamy z cateringami – oznajmiła, podnosząc palec; Henryk potwierdził skinieniem głowy.

– Ale przecież kuchnią i posiłkami mogłabym się sama zająć. Robiłabym to z przyjemnością – zaprotestowała Iwona.

– Pani Wiesia jest bardzo praktyczna, ale też bardzo bezpośrednia. Od razu mi powiedziała, że w ten sposób zarobi sobie na malowanie i tapetowanie mieszkania, więc tobie... muszę odmówić. – Ewa uśmiechnęła się niby przepraszająco i rozłożyła dłonie. – Pragnę, byśmy mogły spędzać ze sobą jak najwięcej czasu, chcę rozmawiać z tobą, ile się da, nadrobić wszystko to, co utraciłam przez lata. – Jej twarz lekko posmutniała. – To znaczy taką miałabym prośbę – zmieniła ton i spojrzała z wyczekiwaniem w oczach na Iwonę.

– Ile tylko będziesz chciała. Przecież wiesz, że lubię plotkować i wracać do minionych chwil. – Iwona mrugnęła. – Z mamą możemy tak godzinami leniuchować...

– Właśnie tego u ciebie nigdy nie poznałam, a sama też nie miałam z kim tego robić. – Oczy Ewy zaszkliły się.

Henryk podrapał się po czole, a po chwili jakby z nieśmiałością pogłaskał żonę po dłoni. Uśmiechnęła się do niego blado.

– E tam, nadrobimy. – Iwona machnęła dłonią, spoglądając z uśmiechem raz na Ewę, raz na Henryka. – To co, długo tak będziemy, gospodarzu, czekać? – Uderzyła delikatnie nożem o butelkę i mrugnęła do niego. – Zdałoby się trochę szampana na apetyt, bo nie możemy się z Ewką zabrać do jedzenia.

– Henryku! Obudź się! – zawołała teatralnie Ewa i klasnęła. – Czekamy!

Henryk poderwał się, zgrabnie otworzył butelkę i napełnił kieliszki. Żółtawy napój zasyczał. Na wysokich kryształowych ściankach pojawiły się pęcherzyki. Podnieśli kieliszki i delikatnie stuknęli się.

– To... smacznego! – rzucił nieco zakłopotany Henryk.

Iwona zmusiła się do kilku kęsów, żeby zachęcić Ewę, ale widziała, że ona także jest spięta i ma kłopot z jedzeniem. Henryk jadł za to z apetytem, opowiadał zabawne historie, rozweselając obie kobiety. Ewa z czasem się rozruszała, uśmiechała się raz po raz, choć na dnie oczu ciągle miała smutek.

Po kolacji kobiety wyszły przed dom. Od wschodu na niebo wytoczyła się olbrzymia tarcza księżyca.

– Jaki on jest ogromny i piękny – zachwyciła się Ewa i zamilkła; wpatrywała się w połyskującą srebrzystą tarczę z uśmiechem. – Dawno go nie widziałam. – Zerknęła po jakimś czasie w górę na okna swojego od dzisiaj pokoju. – Teraz będzie zaglądał do mnie przez całą noc. Chciałabym zajrzeć w jego kratery...

– Jakie kratery...? – odezwał się zza ich pleców Henryk, który w tej chwili do nich dołączył.

– Mówiłam Iwonce, że chciałabym zajrzeć w kratery księżyca – powtórzyła Ewa.

– Chciałabyś obserwować księżyc? – zdziwił się Henryk. – Tak nagle?

– Bo dotąd nie miałam czasu. – Ewa rozłożyła ramiona. – Czułam zawsze, że on jest piękny, ale że aż tak...? Kiedyś, gdy byłam w liceum, marzyłam o lunecie, ale rodziców nie było stać, zresztą u nas słabo go było widać.

– Jutro ci kupię i zamontuję na tarasiku – postanowił Henryk i wskazał dłonią w górę. – Jeszcze dobrych kilka dni będzie co podziwiać – ocenił, przenosząc wzrok na księżyc.

– Już się cieszę... Lubisz się kąpać? – Ewa spojrzała na Iwonę, zmieniając raptownie temat i wskazała głową na basen.

– Uwielbiam i nigdy nie mam dość – odparła uśmiechnięta Iwona. – Patryk mówi, że nadawałabym się do roli Arielki! – zachichotała.

– Arielki? – Ewa zmarszczyła brwi.

– Jak był mały, to uwielbiał oglądać bajkę Disneya *Mała Syrenka* i tak mu się kiedyś skojarzyło, kiedy pływałam z płetwami w Mauszu.

– To poproś Zygmunta, żeby ci je przywiózł.

– Są nad jeziorem, a on tam się raczej w najbliższym czasie nie wybiera – odparła Iwona.

– Nie ma sprawy! Jutro kupię w sportowym sklepie – wtrącił się Henryk.

– Ale to wydatek...

– A daj spokój, Iwonko, to przecież grosze, ja i tak będę w pobliżu po teleskop i szampany, więc płetwy też kupię.

– Bardzo bym chciała pooglądać cię, Arielko, jak dzielnie posuwasz w wodzie... – Ewa popatrzyła na Iwonę. – Dobrze, że mam was przy sobie... – dodała cicho i przeniosła wzrok na męża.

Rozdział 13

Następnego dnia po śniadaniu Ewa raz po raz zachęcała Iwonę, by ta popływała w basenie. Iwona początkowo opierała się, argumentując, że nie ma w czym się kąpać, ale wreszcie uległa i poszła się przebrać.

Gdy wróciła w rozpiętej sukience, w widocznych pod nią czarnych figach i czarnym staniku, Ewa klasnęła.

– Tak jest super!

Otaksowała ją dokładniej, kiedy tamta zrzuciła sukienkę, i dodała:

– Kochana! Masz wciąż zgrabną figurę i wysportowane ciało... nie to, co ja teraz. – Ostatnie słowa wypowiedziała nieco smętnym głosem.

– Eeee tam! Tobie też nic nie brakuje! – Iwona machnęła dłonią. – Kostiumy mam nad Mauszem – wyjaśniła, wskazując na figi i stanik. – W Gdyni ich nie potrzebuję – dodała, potrząsając głową; przysiadła na murku okalającym basen i zgrabnie zsunęła się do wody.

Spodobało jej się to i pływała tego dnia jeszcze kilka razy.

– Wyobrażam sobie, jak ostro musisz zasuwać w płetwach – uśmiechnęła się Ewa po którymś wyjściu Iwony z basenu. – Jutro albo jeszcze dzisiaj pod wieczór pomoczę się trochę z tobą. Pozazdrościłam ci.

– To pomysł super!

– Napisałam Heńkowi esemesa, żeby jak będzie w sklepie sportowym, kupił nam cztery pary bikini i kostiumów jednoczęściowych. I to jak najbardziej kolorowych, takich hawajskich.

– Ale skąd będzie wiedział, jakie numery?

– E tam... zawsze mi kupował, więc i tym razem kupi dobrze.

– Ale... chyba za dużo ich postanowiłaś kupić. Tak często będziesz je zmieniać?

– No co ty! Po dwa z każdego rodzaju dla mnie i dla ciebie.

– Ale to przecież straszny wydatek!

– Nie przesadzaj z tymi wydatkami! Jesteś moim gościem i to wchodzi w moje koszta.

Iwona spiorunowała ją wzrokiem.

– Ej, no dobra. Tak mi się tylko powiedziało. – Ewa wyciągnęła do Iwony ramiona; przytuliły się. – O rany! – wrzasnęła po krótkim uścisku. – Aleś ty, Arielko, zimna! Ja to będę chyba kąpała się w dresie! – krzyknęła; obie roześmiały się głośno.

Iwona pobiegła się przebrać. Kiedy wróciła i usiadła na sąsiednim leżaku, Ewa odezwała się cicho.

– Chciałabym cię, Iwonko, przeprosić za to, co zrobiłam z Zygmuntem... Jego też muszę przeprosić, bo to była moja wina.

Zrobiło się cicho. Z daleka dochodziły tylko dźwięki samochodów, śpiew ptaków i czasami szczeknięcie psa.

– Myślałam, że akurat tę sprawę... zostawimy. – Iwona spojrzała z poważną miną na Ewę. – To on zawinił... To jest zawsze wina mężczyzny.

– Nie znasz mnie od tej strony – przerwała jej Ewa. – Jak się uprę, to żaden mi się nie wywinie. Zmusiłam go, szamotał się i choć jest silny, nie dał rady się wyzwolić.

– Możesz mi oszczędzić tych szczegółów? – Iwona przymknęła oczy.

– Przepraszam... – wyszeptała Ewa. – Czy potrafisz mi wybaczyć? – spytała po chwili cicho.

Głowa Iwony rozkołysała się na boki; po kilku chwilach spojrzała bacznie na Ewę.

– Awanturę już ci zrobiłam. – Zamyśliła się, ale wzroku z Ewy nie spuściła. – Dziwię się sobie, że mogę tak po prostu o tym z tobą rozmawiać. – Pokręciła głową, wciąż nie spuszczając wzroku z Ewy. – Właściwie to ta historia spowodowała, że odważyłam się wreszcie pomyśleć o sobie – dodała po krótkim zastanowieniu.

– Wszystko, jak zwykle, moja wina... – wyszeptała Ewa, przymykając oczy; spod jej powiek popłynęły łzy.

– W tym wypadku to prawda! – rzuciła twardo Iwona. – Ale właśnie dzięki temu odważę się zrobić wreszcie to, co powinnam była już dawno przeprowadzić!

– O czym ty mówisz?! – Ewa otworzyła szeroko oczy.

– My z Zygmuntem nie powinniśmy w ogóle zostawać małżeństwem. – Iwona zacisnęła usta.

– Wy?! Taka idealna jak dla mnie para? – Ewa podskoczyła na leżaku, jej oczy rozszerzyły się.

– No właśnie. Dobrze to ujęłaś. Jak dla ciebie... Ja całe nasze wspólne życie grałam, a on musiał się dostosować. Dziewiętnaście lat. Nieczysto zagrałam wobec niego...

Ewa znowu poderwała się na leżaku, aż niebezpiecznie zachrzęścił.

– Iwona! Coś ty chyba bredzisz! Czy to udar?

Spojrzała na słońce i rozłożyła olbrzymi parasol nad leżakami.

– Nie, czuję się doskonale. Jesteśmy już z Zygmuntem po rozmowie. Chcę dać mu wolność. Ładnie brzmi, prawda? A w istocie bardziej chcę tej wolności dla siebie. Decyzję już podjęłam.

– Napij się wody. Chyba jednak coś ci... – Ewa zakręciła palcem koło skroni.

– Ile my się lat znamy, Ewka? – Iwona spojrzała melancholijnie na przyjaciółkę. – Minęło dwadzieścia siedem lat – odparła sama sobie; Ewa potwierdziła skinieniem głowy. – Jesteśmy blisko pięćdziesiątki... – Mrugnęła – ...więc o pewnych sprawach możemy sobie mówić wprost, bez owijania w bawełnę.

– Masz rację. Chociaż gdyby nie ten cały bajzel w środku... – Ewa wskazała palcem na swój tułów – ...tyle lat bym sobie nie dała – parsknęła, ale zaraz posmutniała.

– Wiesz, że to ciekawe. Już dawno tak o swoim wieku nie pomyślałam. Przecież ja także nie czuję się na tyle lat... – Iwona spojrzała na swoje opalone ciało, wzruszając ramionami z lekkim uśmiechem.

Roześmiały się głośno.

– Jak dobrze, że jesteś przy mnie. – Ewa wyciągnęła ramię w kierunku Iwony; ta mrugnęła i złapała jej dłoń.

– Siądźmy wygodniej, bo długa będzie opowieść, której nie znasz, a którą za chwilę cię uraczę – po chwili ciszy powiedziała Iwona i wyciągnęła się na leżaku; Ewa uczyniła podobnie. – Pamiętasz całą naszą znajomość? – zwróciła się do przyjaciółki.

– Może nie wszystko, ale większość zdarzeń... tak.

Iwona dostrzegła w słowach Ewy niepewność, a w wyrazie twarzy mieszaninę ciekawości, a nawet zaniepokojenia.

– Jakbym o czymś zapomniała, to mnie uzupełniaj... – rzuciła, przybierając pogodniejszy wyraz twarzy i pomagając sobie gestem; Ewa skinęła głową, choć jej mina wskazywała na pewną dezorientację.

Wprawdzie Iwona opowieść tę miała przygotowaną od wielu lat, teraz dla zademonstrowania namysłu zmarszczyła czoło i podrapała się po nim. Nabrała powietrza.

– Skończyłyśmy studia w połowie lat dziewięćdziesiątych poprzedniego wieku, a zaraz po nich pojechałyśmy wspólnie, w ramach studiów doktoranckich, do Sztokholmu – przerwała na moment; Ewa skinęła głową. – Obie, wyjeżdżając tam, zostawiłyśmy tutaj swoich narzeczonych... – Spojrzała przenikliwie w oczy Iwony, ta znowu skinęła głową. – Kochałam Zygmunta. To była moja uczelniana miłość. Jednakże... niespodziewanie dla siebie... – zwolniła tempo wypowiadanych słów i na chwilę zawiesiła głos – ...zakochałam się podczas półrocznego tam pobytu w młodym Angliku, Arthurze...

Spojrzała z lekkim uśmiechem na Ewę, której oczy zrobiły się duże jak spodki.

– Zakochałaś się?! – Ewa zasłoniła dłonią usta; na jej twarzy rysowało się bezgraniczne zdziwienie. – Czy ty opowiadasz jakiś film... albo książkę?

– Nie! Swoją historię, która wówczas chyba umknęła twojej uwadze... – Iwona lekko wzruszyła ramionami. – Mam przerwać?

– W życiu! Ja piórkuję! – Ewa poderwała się, uśmiechając się niepewnie.

– Siądź spokojnie. – Iwona machnęła dłonią, przybierając pozę obojętności. – To było i *se ne vrati* – westchnęła jednak głęboko.

– Poczekaj... Czy ty wciąż do niego coś czujesz? – Ewa tak świdrowała Iwonę wzrokiem, że ta zaskoczona pytaniem przymknęła oczy. – Nie musisz mi odpowiadać, wszystko po tobie widać... – powiedziała z naciskiem, aż oczy Iwony otwarły się szeroko. – To jest wręcz nieprawdopodobne! Tyle lat! – Kręciła głową Ewa. – No dobrze, opowiadaj! No już! – Zachęciła Iwonę gestem.

Ta znowu zmarszczyła czoło. Zaskoczyła ją reakcja przyjaciółki oraz to, że tamta przejęła inicjatywę.

– Nie wiem, czy ty go w ogóle kojarzysz... – Iwona zawiesiła wzrok na Ewie. – Chodził w odróżnieniu od pozostałych facetów, którzy byli tam z nami, w sztruksowych spodniach, a kiedy było chłodno, w kolorowych swetrach albo w marynarce w kratę. Na wyjścia zewnętrzne wkładał sztruksową kurtkę i narzucał fantazyjnie szal w kratę. Aha! Nosił w zimne dni kraciastą czapkę z zielonym pomponem.

– No nie, tyle szczegółów pamiętasz... – Ewa uśmiechnęła się, kręcąc głową. – Coś kojarzę... Miał trochę piegów i lekko falowane włosy?

– Tak, to ten – potwierdziła Iwona.

– Taki kujon, prawda? Tak sobie zawsze o nim myślałam. – Ewa wcisnęła głowę w ramiona i uśmiechnęła się.

– Bo ja wiem, czy kujon? Bardzo poważnie podchodził do nauki, tak jak ja, ale miał lepsze podstawy niż pozostali w grupie. Nie wchodząc w dalsze szczegóły, powtórzę... zakochałam się w nim.

Ewa kolejny raz poderwała się na leżaku, a ten znowu niebezpiecznie zachrzęścił.

– Siedź spokojnie, bo przestanę opowiadać. – Zachichotała Iwona. – Ta miłość była głębsza niż do Zygmunta; nie potrafiłam jej się przeciwstawić. Urzekał mnie wszystkim...

Nie wiedzieć czemu przewróciła oczami, ale zaraz opanowała się i spojrzała badawczo na Ewę, podnosząc palec.

– Ty wtedy wypuszczałaś się gdzieś z taką Kryśką z warszawskiego uniwersytetu, więc nie byłaś w stanie dostrzec, co ja robię w tym samym czasie. – Spojrzała przeciągle na Ewę; ta na chwilę spuściła wzrok. – Co miesiąc wpadałyśmy do Gdyni na kilka dni, pamiętasz? – Obie pokiwały głowami. – Kiedy wróciłyśmy już na stałe do kraju, wkrótce źle się poczułam. Lekarz, do którego się udałam, stwierdził ciążę... – przerwała na moment, nie patrząc na Ewę. – Byłam przerażona. Przecież z Arthurem również sypiałam!

Znów umilkła i przymknęła oczy; po chwili poczuła na ramieniu dłoń Ewy, więc otworzyła je gwałtownie. Takiej czułości w jej wzroku nigdy dotąd nie widziała. Złapała ją za rękę i uśmiechnęła się do niej.

– W tajemnicy przed Zygmuntem, wówczas przecież jeszcze narzeczonym, wykonałam badania DNA. No, nie dziw się! Przecież czasami zostawałam u niego, rodzice to tolerowali, więc miałam dostęp do jego szczoteczki do zębów, szklanki, której używał... no wiesz... – Spoglądały przez chwilę po sobie. – Ojcem dziecka okazał się... właśnie on – dodała i zamilkła.

Mierzyły się wzrokiem. Iwona przypatrywała się reakcjom Ewy. Wyraz jej twarzy zmieniał się nieustannie;

to uśmiech, to zdziwienie... i czułość. Tak, tej było najwięcej. Objęły się i milczały.

– Sama wówczas nie wiedziałam, czy to dobrze, czy źle, ale przede wszystkim nie chciałam skandalu ani też usuwania ciąży. – Iwona przerwała ciszę i wróciła do opowieści. – Wzięliśmy więc przyspieszony ślub, choć moje serce... wyrywało się do Arthura – dokończyła cicho; złapały się za dłonie. – Teraz wiem, że tym skrzywdziłam nie tylko siebie, ale i Zygmunta...

– Biednaś była, Iwonko... – wyszeptała Ewa. – I jesteś... Boże...

Iwona kolejny raz przymknęła oczy. Przez głowę przelatywały jej obrazy sprzed lat. Nerwy, spojrzenia mamy... Czuła, że ona się czegoś domyśla, ale nie chciała i nie mogła z nią o tym rozmawiać. Próbowała grać obojętną.

Poczuła pieczenie pod powiekami. Pierwszy raz rozmawiała z kimś o swoich trudnych przeżyciach sprzed prawie dwudziestu lat. Sama była zaskoczona, że w ogóle komukolwiek odważyła się o tym opowiedzieć, a najbardziej tym, że powiernicą jest właśnie Ewa. Ta Ewa, z którą na studiach się przyjaźniła, potem przez wiele lat nie mogła zaakceptować, czasami jej nienawidziła, a która od niedawna stała jej się nieoczekiwanie bliska. Teraz miała w niej znowu przyjaciółkę, której mogła wreszcie wszystko powiedzieć. Otwarła mokre oczy i spojrzała na nią.

– Żeby spróbować zapomnieć o nim, o całej tej sprawie, rzuciłam się w wir prac związanych z dokończeniem pracy doktorskiej. Miesiąc przed porodem obroniłam się z wyróżnieniem. Nigdy już nie wróciła moja początkowa miłość do Zygmunta... Bo zanim wyjechałam do Sztokholmu, przecież to jego kochałam. Nie tak mocno jak później Arthura, ale kochałam.

– Jak ty to wszystko przeżyłaś, zniosłaś? Ja bym na pewno nie potrafiła... A ty...? Za taką cenę.

– A dziecko? – Teraz Iwona spojrzała z czułością na przyjaciółkę. – Mimo wszystko, chociaż Zygmunt bardzo się starał, często wspominałam, myślałam i marzyłam o Arthurze. Przez jakiś czas pisaliśmy do siebie listy; od niego przychodziły na poste restante – uśmiechnęła się melancholijnie.

– Poważnie? – Ewa z niedowierzania pokręciła głową.

– Zachowałam je sobie... Może ci kiedyś pokażę?

– Chciałabym. – Ewa złożyła dłonie i przytuliła je do policzka.

– To któregoś dnia wyskoczę po nie – rzuciła, uśmiechając się Iwona.

– Ale jak to? To przecież bardzo osobiste listy!

– Byle komu ich nie pokażę, tylko najlepszej przyjaciółce.

– Teraz tak mówisz... ale gdyby nie mój stan, pewnie byś tak nie powiedziała. Po prostu chcesz mi zrobić przyjemność.

– Wiesz, co to jest alternatywna historia? No... – dodała Iwona, gdy dostrzegła niepewne kiwnięcie głową Ewy. – Może ta nasza przyjaźń tak czy siak miała się ujawnić?

– Że też ja zabijałam w sobie wszystkie twoje odruchy sympatii, które mimo wszystko mi okazywałaś. Przez kilka ostatnich nocy przypominałam je sobie... – załkała Ewa.

Iwona objęła ją. Gładziła po włosach.

– Musisz mi coś obiecać. Dosyć mazania się, mantyczenia po nocach, wspominania dawnych spraw. Spróbujmy zająć się czymś bardziej pożytecznym.

Złapała ją za ramiona i spojrzała w zapłakane oczy.

– Ostatnia rzecz ze wspominek to te listy, dobrze? Chętnie bym je poznała, już się cieszę. – Ewa próbowała się uśmiechnąć. – I powiem jeszcze, jak to z kolei u mnie było po powrocie ze Sztokholmu. Nie dałam rady zamknąć doktoratu, jakoś nie miałam woli, zresztą niewiele sobie z tego robiłam. Dlatego, idąc twoim śladem, też wzięłam ślub, lecz zrobiłam to bardziej z zazdrości, że tobie się wszystko udaje. Chciałam mieć choć jeden taki sukces, jakich ty miałaś moc. Tak wówczas to wszystko oceniałam – powiedziała beznamiętnie Ewa i pokręciła głową. – Nie wiedziałam tego, co dzisiaj o tobie wiem, ale i tak patrzyłam wówczas na życie inaczej niż ty. Firma Heńka gwałtownie się rozwijała, a ja chciałam korzystać z tego, co mi życie niespodziewanie dało... – zamilkła i utkwiła spojrzenie gdzieś w dali.

– Pamiętasz...? – włączyła się Iwona. – Po roku wyciągnęłaś mnie z uczelni, zatrudniłam się u was, bo Heniek pilnie potrzebował ludzi z tytułem naukowym; zostałam szefową laboratorium, a niedługo potem dołączył Zygmunt, zajmując się współpracą z rynkiem i pijarem.

– Tak, pamiętam, a ja potem byłam z tego powodu zła na siebie. – Ewa spojrzała w oczy Iwony. – Mówię szczerze. Staliście się oboje w jakiś sposób ważni, zazdrościłam wam, więc postanowiłam także i ja podjąć pracę, choć nie musiałam. Nudziłam się jednak sama w domu, no i miałam nadzieję, że może staniemy się znów przyjaciółkami. – Próbowała się uśmiechnąć.

– Ja też tak myślałam, bo to ty mnie odszukałaś... Masz duże zdolności perswazyjne, użyłaś wówczas trafnych argumentów, choć wydawało mi się, że już na lata związałam się z uniwerkiem.

– Kiedy Heniek, którego naciskałam, utworzył dla mnie stanowisko kierowniczki sekretariatu i jednocześnie szefowej kadr, zaczęłam jeszcze bardziej zazdrościć tobie i Zygmuntowi, że wasze opinie są dla Heńka kluczowe do podejmowania strategicznych decyzji związanych z produkcją i reklamą produktów. Zazdrościłam ci, że masz męża na każde skinienie, a ja na ogół zostawałam sama, kiedy Heniek wojażował po kraju i Europie. A przede wszystkim zazdrościłam wam uroczego synka. – Ewa przymknęła oczy; spod jej powiek wypłynęły łzy. – Spiskowałam przeciwko wam, napuszczałam Heńka, ale ten zawsze obracał moje słowa w żart. Myślałam wówczas: albo jest taki mądry, albo nie wyłapuje moich ukrytych insynuacji. Dzisiaj wiem, że to pierwsze, choć i tak łobuz był z niego wielki. A przecież ja także od dawna wcale nie byłam świętą… – zakończyła cicho i zamilkła. – To wszystko bardzo chciałam ci już kiedyś powiedzieć. Dzisiaj wreszcie mi ulżyło, tylko nie wiem, czy mi… wybaczysz?

Spojrzała mokrymi od łez oczami na Iwonę.

– Wybaczyłam ci wszystko natychmiast, kiedy tylko przeczytałam ten dokument ze szpitala. Ja też po studiach nie miałam już nigdy przyjaciółki. Koleżanki, owszem, ale ty i tak byłaś najbliżej, choć to skutecznie wypierałam – uśmiechnęła się. – Cieszę się z naszej przyjaźni, chociaż obwiniam też siebie, że zmarnowałyśmy tyle lat…

Rozdział 14

Kolejne dni mijały Iwonie i Ewie na wspomnieniach ze studiów. Korzystając z utrzymującej się pięknej pogody, Iwona co jakiś czas wskakiwała do basenu, żeby chwilę popływać, a potem wracała na leżak i znowu rozmawiały o dawnych czasach. Pilnowała tylko, żeby to były rozmowy przywołujące pogodne zdarzenia... Wieczorami zaś oglądały księżyc przez teleskop, który Henryk zamontował na ich tarasie.

Po ponad tygodniu Iwona postanowiła wybrać się wreszcie do domu po listy, które obiecała przeczytać Ewie; ta jej o tym przypomniała któregoś dnia po śniadaniu.

Gdy przekręciła klucz w zamku, z wnętrza mieszkania doszły ją dziwne szmery. Nacisnęła klamkę, ale drzwi nie chciały się ani trochę poruszyć.

– A co tam się dzieje? – wykrzyknęła lekko poirytowana.

– Spokojnie, Iwetko! – Usłyszała roześmiany głos syna. – Zaraz się odsunę!

Po chwili drzwi się otwarły i jej oczom ukazał się Patryk z białymi kropkami od farby na twarzy, mający na głowie nakrycie zrobione z gazety, zupełnie jak jej tata, gdy zabierał się do podobnych prac.

– Co ty tutaj wyprawiasz? – Iwona stanęła zdumiona na środku przedpokoju. – Drabina, ty malujesz, ale widzę, że chyba masz zamiar też tapetować? – Szybko omiotła wzrokiem pomieszczenie, dostrzegając kubełki z farbą, tapety oraz pędzle i wałki. – Dobrze, że rozłożyłeś na podłodze folię.

– Przecież malowałem i tapetowałem domek na działce z dziadkiem, więc przedpokój mi niestraszny. Nauczyłem się tam wszystkiego, a nigdy dotąd nie miałem czasu... – Rozłożył komicznie ramiona.

– No tak. Dobrze, że chociaż ty masz smykałkę, bo ojciec w tym kierunku... nic a nic. – Machnęła ręką.

– Chciałaś, żeby prawie prezes firmy malował czy tapetował? Powiedział mi o swoim awansie, ale też o chorobie babci, i że na jakiś czas musi u niej zamieszkać... – Patryk spojrzał badawczo na matkę; Iwona pokiwała głową.

Zamoczył mały pędzelek w farbie emulsyjnej, wszedł na drabinę i kilka razy dotknął jakichś miejsc na suficie.

– Zagipsowałem te rysy, które udało mi się kiedyś zrobić kijkami od nart, pamiętasz? Teraz ciągną dużo farby.

Kropka białej emulsyjnej farby spadła Iwonie na policzek.

– Uważaj trochę! – Pogroziła mu palcem.

– Bo pętasz się, Iwetko, po placu budowy. – Rozbawiony syn stanął obok matki i dotknął pędzelkiem jej drugiego policzka. – O! Teraz jest symetrycznie! – Zaśmiał się.

– Łobuzie... – Pogroziła mu palcem. – Dojrzałeś, cieszę się.

Cmoknęła go w policzek, nie bacząc na kropki farby.

– Wewnątrz pawlacza już pomalowałem – rzekł, wskazując ręką, a wzrok Iwony powędrował za jego ramieniem.

– A gdzie są...?

– Spokojnie, Iwetko... – Syn nie pozwolił Iwonie dokończyć pytania. – Swoje stare buty i książki spakowałem i zniosłem do piwnicy. Wasze klamoty popakowałem też w foliowe worki i oczekują przejrzenia na balkonie.

– A nie widziałeś tam może...?

– Zawiniątka z kokardką? Leżało wciśnięte w twoje stare kozaczki, na samym końcu pawlacza, i kiedy je wyciągnąłem, wypadło z nich na podłogę.

– I co z nim zrobiłeś?

– Najpierw przeczytałem jeden list... szybko poleciałem po piwo, a potem czytałem i czytałem, no i w nocy nie mogłem zasnąć.

– Żartujesz! – Iwonę zamurowało.

– Oczywiście, Iwetko! Przecież wiesz, że ja piwa nie piję!

– Ale czytałeś?

– Jestem zbyt leniwy, ale też niestety dobrze wychowany, co jest waszą rodzicielską winą. Nie swojej korespondencji nie czytam. Zobaczyłem tylko, że na wierzchu był list nadany z Londynu przez jakiegoś Arthura – Patryk zaakcentował literę h i uśmiechnął się.

– I co nimi zrobiłeś?

– Podniosłem i wrzuciłem...

– Do śmietnika...?!

– Słuchaj, Iwetko, trochę uważniej i nie przerywaj. Powiedziałem wrzu-ci-łem...

– Ale co to znaczy *wrzuciłem*? Gdzie? – Iwona, prawie podskakując, znowu weszła mu w słowo.

– Spokojnie... wrzuciłem... pod... twoją... poduszkę... – wycedził ze śmiechem i rozłożył ramiona. – Miałem je wrzucić pod poduszkę taty?

– No, to byś mi narobił!

– Myślałaś, że jestem jakiś głupek?

Iwona objęła syna.

– Uważaj! – wrzasnął Patryk. – Będziesz w kropki!

– Kichać kropki! – Iwona machnęła dłonią. – Nie uwierzysz mi... Wiesz, że ja właśnie po nie przyjechałam?

– Co ty nie powiesz.

– Masz coś chłodnego do picia?

– Maślankę. Zapraszam cię do kuchni.

– Pójdę tylko po te listy. – Iwona ruszyła do swojego pokoju.

Kiedy po chwili trafiła do kuchni, na stole czekał kartonik mrągowskiej maślanki, obok dwa ceramiczne kubki, a na talerzyku ulubione wafelki syna, pryncypałki. Zachichotała.

– Fajny posiłek – pochwaliła.

– Na kolację zrobię sobie omlet albo jajecznicę. Teraz tylko tyle, żeby dociągnąć do wieczora. Śniadanie zjadłem dobre.

Iwona rozsupłała kokardkę na czerwonej wstążce, którą związane były listy. Wskazała na przód pierwszej z kopert.

– Dostawałam listy na poste restante. – Położyła palec poniżej swojego nazwiska wypisanego na kopercie.

– Byłaś szpiegiem? Jak Mata Hari?

Iwona zaśmiała się, ale po chwili jej twarz oblekła się melancholią.

– To była wtedy moja miłość – powiedziała, lekko rumieniąc się, ale z uśmiechem na twarzy, i odwróciła kopertę.

– Arthur Morton – przeczytał Patryk. – A co na to tata? – Oparł się łokciami o stół.

– Oczywiście, że nie wiedział, nie wie dotąd, ale mu powiem. Lada dzień – spoważniała.

– A dlaczego do tej pory tak się nie stało? – drążył syn.

– Każdy ma jakieś tajemnice. Ty miałeś tę komunijną, z Dominiką, a ja mam tę. Przyszedł czas, żeby ta sprawa przestała być tajemnicą. Nie dam ci oczywiście ich czytać... – wskazała na plik kopert – ...ale mogę ci opowiedzieć, co i jak się stało. Jesteś ciekaw?

Patryk zdjął z głowy czapkę z gazety i odłożył ją na stojący obok taboret. Podrapał się po głowie, jakby się namyślał. Wreszcie roześmiał się.

– No jasne, że chcę. Gadaj! – zachichotał i zagryzł pryncypałkiem.

– Zanim wyszłam za mąż za twojego ojca, moją studencką miłość, zakochałam się także w Arthurze. Poznaliśmy się w Sztokholmie, w czasie półrocznego tam pobytu, podczas studiów doktoranckich. Trafił mi się taki wyjazd i nie było wyjścia... musiałam się także zakochać. Taki był scenariusz!

– Studiów doktoranckich?

– Mhm... Jesteś mądrala i masz fajne poczucie humoru.

Iwona położyła rękę na dłoni syna.

– Po kimś to mam, mamo. – Patryk uśmiechnął się promiennie. – Zdradź mi jeszcze jedną tajemnicę... – Spojrzał mocno w jej oczy, z ledwie dostrzegalną nutką niepokoju.

– Co chcesz wiedzieć, synku?

– Czy jeśli teraz do nich wracasz, to znaczy, że będzie dalszy ciąg? – Postukał palcem po widniejącym na kopercie imieniu Arthur.

– Nie... – Pokręciła głową. – Chyba nie – poprawiła się po chwili.

– Nigdy nie mów nigdy?

– Mądrala jesteś.

– To już mówiłaś.

– Te same fale... – Pogładziła go policzku. – Chcę je pokazać Ewie. Zaprzyjaźniłyśmy się wreszcie, a przyjaźń od serca ma swoje prawa.

– Przecież przyjaźnicie się od dawna. – Patryk potrząsnął głową.

– Wszyscy myśleli, że tak jest, ale tak nie było. Choć dzisiaj jesteśmy naprawdę przyjaciółkami... – Iwona spojrzała w okno. – Ewa jest bardzo ciężko chora. A wiesz, ona chciałaby cię poznać. – Przeniosła wzrok na syna.

– Skończę przedpokój i się umówimy, dobrze?

– Dobrze, synku.

– A mogę pojawić się u nich z Dominiką?

– Nie śmiałam prosić... Ach, jak się Ewa ucieszy.

– A masz jej jakieś zdjęcie?

– Po co niby ci jej zdjęcie?

– Ja pewnie bym się obszedł, ale Dominika będzie mi wierciła dziurę w brzuchu... No, nie patrz tak, zaraz ci powiem, tylko pokaż to zdjęcie.

Iwona po kilku chwilach pokazała synowi katalog zdjęć w komórce. Ten szybko je przewinął, zatrzymał się na jednym z nich.

– Tutaj ładnie wygląda. Prześlij mi je.

– Drugiego dnia jej zrobiłam... Dzisiaj jest już trochę gorzej. – Iwona spojrzała smutno na syna.

– Dominika zajmuje się hobbystycznie florystyką i ma rzadką umiejętność dobierania bukietów do konkretnej osoby. Na ogół się nie myli. Przyjdziemy z ładnym bukiecikiem. Pojutrze lub popojutrze.

– Mądry jesteś, synku...

– A powiedz mi, jak to się stało, że tata tych listów nie znalazł?

– Przecież on sięgał do pawlacza wyłącznie po kartoniki z bombkami i to zawsze pod moją kontrolą. – Zachichotała Iwona. – Moje szpargały czy jakieś klamotki w kartonikach z dzieciństwa nigdy by go nie zainteresowały, zresztą sam wiesz, że poza pracą niewiele go zajmuje.

– Tak... tak... ale za to w tym okazał się naprawdę dobry. Jestem z niego dumny, no, z tego awansu! Nie każdy musi umieć malować czy tapetować, prawda? – Patryk spojrzał badawczo na matkę; skinęła głową. – Aha! Zdałem egzaminy! Idę na informatykę na polibudę.

– Co ty mówisz! Od tego trzeba było zacząć!

– Przecież to, że gdzieś się dostanę, było pewne. To był pierwszy z listy moich egzaminów i na pozostałe już nie poszedłem. Wczoraj były wyniki.

– A gdyby się nie udało?

– Ale czułem, że poszło mi bardzo dobrze. Wynikało tak z giełdy po egzaminach. I już!

Rozdział 15

Iwona nieustannie starała się wynajdywać jakieś interesujące tematy rozmów, żeby odciągnąć Ewę od rozmyślania o chorobie i o tym, co się nieuchronnie zbliżało. We wtorek przy kolacji, po obejrzeniu prognozy pogody, niby mimochodem rzuciła, że teraz nad Mauszem, czy w ogóle na Kaszubach, jest pięknie.

– Byłam w większości interesujących miejsc w Europie, odwiedziłam Stany Zjednoczone, Meksyk, Japonię, południową Afrykę, a na Kaszubach byłam tylko raz, na wycieczce w liceum, w Muzeum Hymnu... – odniosła się do słów Iwony nieco smutnym głosem Ewa.

– Byłaś w Będominie...? Patrz! A ja tyle lat jeżdżę na Kaszuby, a dotąd tam nie trafiłam.

– Pocieszasz mnie, ale ja mówię poważnie. Chciałabym zwiedzić Kaszuby.

– No, to w czym problem? – Henryk rozłożył ręce. – Chcesz... i jedziemy!

– Poważnie? – spytała, nie dowierzając.

– Choćby i jutro! – zapewnił ochoczo Henryk.

– W takim razie dzisiaj nie pijesz! – Roześmiała się Iwona. – Będzie dla nas więcej. – Mrugnęła do Ewy; ta parsknęła.

– Ale... że jutro? – spytała Ewa i spojrzała na męża, a potem na Iwonę; dojrzała skinięcia głowami. – Tylko sama nie wiem, co bym chciała zobaczyć.

– Heniu, atlas samochodowy masz? – Iwona wycelowała w niego palec.

– Pewnie gdzieś mam, ale nieaktualny.

– Przynieś i zaraz po kolacji ja coś zaproponuję, ty dołożysz, a potem zaprogramujesz nawigację w aucie.

– O! I to mi się podoba! – Ewa klasnęła w dłonie. – Pojadę jutro na Kaszuby. A ta najwyższa góra też będzie?

– Będzie – potwierdziła Iwona.

– Kartuzy i Kościerzyna też?

– Może damy radę. – Iwona spojrzała na Henryka; ten tylko machnął dłonią.

– A Puck albo Hel?

– Na Hel bym się teraz raczej nie zapuszczał, bo wyjazd z Gdyni na północ jest zablokowany i możemy utknąć. Tam trzeba by się wybrać innego dnia, niezależnie od wizyt w innych miejscach.

– Jak będę miała siłę, to za kilka dni moglibyśmy pojechać jeszcze raz?

– Ewunia, no co ty. Na pewno pojedziemy jeszcze co najmniej kilka razy, jeśli ci się spodoba.

– Przecież to jest jasne. Byleby tylko paliwo było! – Słowa Iwony uzupełnił Henryk i zarżał.

– Lubiłam, jak on się kiedyś tak śmiał. – Ewa spojrzała na Iwonę i się uśmiechnęła. – Nawet nie wiecie, jaką mi zrobiliście dzisiaj radość.

– Zapomniałam zdradzić wam jeszcze jeden pomysł, mam nadzieję, że wam się spodoba. – Iwona spojrzała nagle na Ewę, a potem przeniosła wzrok na Henryka. – Mogę wam pokazać mojego syna z dziewczyną, chcecie?

– Masz ich fotki? – Ewa zwróciła się w jej stronę.

– Fotki też, ale mogę pokazać wam na żywo.

– Jak to na żywo? – Zmarszczyła czoło Ewa.

– Jestem jego matką? Jestem. Mogę go o coś poprosić? Mogę. Mogę nawet mu wydać polecenie! – zachichotała Iwona. – Ale tak na poważnie, chciałabym się nim pochwalić. Dostał się wczoraj na studia.

– A gdzie byś chciała się nim chwalić...? Bo tak w ogóle, to jasne, że chcę... – Ewa spojrzała pytająco na Henryka; ten skinął głową.

– Czy nie byłby to kłopot, gdybym zaprosiła ich tutaj?

– Tak byłoby najlepiej – zapaliła się Ewa. – Henryk by po nich pojechał.

– On drogę zna, bo kiedyś jadąc dokądś z Zygmuntem, czekał chwileczkę pod waszym domem w samochodzie.

– Ale to nie wypada, żeby tak jechał czy szedł pieszo... tym bardziej że ma przyjść z dziewczyną.

– Ewcia, chyba żartujesz. Dla młodych każda chwila, żeby być tylko we dwójkę, to najlepsza rzecz. Pamiętacie, jak to kiedyś było? – Iwona spojrzała filuternie na Ewę, a potem na Henryka.

– No jasne! – Henryk podniósł dłoń Ewy i przycisnął ją do ust; ta pogładziła go drugą dłonią po policzku.

– No, to mamy już ustalone – ucieszyła się Iwona. – Kupią jeszcze świeże ciastka w Delicji i przyjadą na podwieczorek.

– Mówiłeś, że jutro masz z Zygmuntem ważną naradę, czy tak? – Ewa zmieniła temat i spojrzała na Henryka. – Czy coś by stało na przeszkodzie, żebyś go jutro wziął do nas na obiad?

– Czy to jest dobry pomysł? – spytał Henryk i na moment przeniósł wzrok na Iwonę.

– Jeszcze jakoś względnie się czuję i jakoś wyglądam. Za jakiś czas mogę nie zdążyć, proszę... – Ewa omiotła proszącym wzrokiem Iwonę i Henryka.

– Może lepiej na podwieczorek...? – zawahała się Iwona. – Obiady teraz jada z matką, do której się przeprowadził.

– Ach tak. – Ewa przymknęła na chwilę oczy. – To co, zaprosisz go na jutro? – zwróciła się po chwili do męża.

– Przyjedzie, na pewno – odparł z przekonaniem Henryk.

– Pozwolicie mi chyba porozmawiać z nim na osobności... – Ewa spojrzała kolejno na Iwonę i Henryka; oboje skinęli głowami. – To my jutro od rana mamy czytanie listów, czy tak? – Ewa nieoczekiwanie zmieniła temat.

– Jakie listy mamy jutro czytać? Akurat jutro nie mogę – pośpieszył z wyjaśnieniem Henryk.

– My mamy czytanie listów. – Ewa pokazała na Iwonę i siebie. – Tobie, chłopaku, nic do tego.

– To chociaż zdradźcie, co to za listy... co mnie ominie?

– Przecież powiedziałam, że tobie nic do tego. – Zachichotała Ewa.

– Zrobiłaś się zołzowata. – Uśmiechnięty Henryk pogroził jej palcem, Ewa w rewanżu też mu pogroziła. Mąż znowu podniósł jej dłoń do ust. – Przecież wiesz, że mój dowcip zawsze był nietęgi – rzekł z zawstydzoną miną.

– Ależ wy jesteście fajni! – Iwona roześmiała się.

Po kolacji oboje z Henrykiem pochylili się nad mapą i zaczęli wybierać miejsca na kaszubską wycieczkę.

Ewa oglądając film, zerkała na nich z uśmiechem. Kiedy ustalili także, że wyjadą w czwartek skoro świt, Patryk zaś z dziewczyną przyjdą na podwieczorek w piątek, klasnęła.

– Tym sposobem cały tydzień mam w zasadzie zaplanowany... – ucieszyła się, ale nagle posmutniała. – Mam jeszcze jedno marzenie – dopowiedziała ciszej i spojrzała na Iwonę.

– Co tylko chcesz.

– Widziałam twoich rodziców tylko na obronie twojej pracy doktorskiej. Chciałabym jeszcze choć raz z nimi porozmawiać.

– Myślę, że to też da się zrobić, chociaż oni siedzą teraz nad Mauszem.

– A moglibyśmy tam do nich pojechać?

– Wiesz, że to jest dobry pomysł? Możemy tam pojechać któregoś dnia, wybrać się na spacer brzegiem jeziora, zrobić po nim przejażdżkę łodzią, potem spędzić wieczór przy ognisku, przenocować...

– Naprawdę, to wszystko moglibyśmy zrobić?

– Oczywiście! Heniek! Czy na przykład w najbliższy poniedziałek macie coś ważnego w firmie? – Iwona spojrzała na niego pytająco.

– A kto by coś planował na poniedziałek! – Kolejny raz tego wieczoru Henryk zarżał, wywołując szeroki uśmiech żony. – A jeśli nawet ktoś coś zaplanował, to mam bardzo odpowiedzialnego wiceprezesa, który ze wszystkim da sobie radę.

– To w takim razie zaanonsuję nas wstępnie u rodziców na niedzielę, a w poniedziałek wrócimy z powrotem.

– Ależ jestem szczęśliwa... – Oczy Ewy wypełniły się łzami; Iwona jej pogroziła. – No dobrze, już przestaję – uśmiechnęła się przez łzy. – Wiesz, Heńku, kiedy dzisiaj po obiedzie poszłam się zdrzemnąć, naszły mnie pewne myśli co do firmy.

– O takich sprawach myślisz, zamiast odpoczywać? – zdziwił się jej mąż.

– W ten sposób odrywam się od głupich rozważań...

– No już dobrze, przepraszam – przerwał jej Henryk. – A o czym tak przemyśliwałaś? – Spojrzał teraz na żonę z zainteresowaniem.

– Czy zastanawiałeś się kiedyś nad zagadnieniem większego związania pracowników z firmą?

– Nie rozumiem...

– Przecież oglądaliśmy niedawno razem film *Pretty Women*, prawda? – Ewa przechyliła głowę, uśmiechając się pociesznie.

– Mam hotel zbudować? – Heniek zrobił karpia i zachichotał.

– Nie, ale można wobec pracowników i ich rodzin stosować takie rozwiązania, które będą owocne dla obu stron. – Twarz Ewy i jej głos stały się nagle poważne.

– To znaczy?

– Kiedy, na przykład, planujesz zatrudniać nowych pracowników, w pierwszym rzędzie powinieneś myśleć o członkach rodzin obecnie zatrudnionych. Oczywista sprawa, tych, którzy by sobie wspólną pracę w jednej firmie z innymi członkami rodzin wyobrażali. Kiedyś w ogóle funkcjonował model, że całe rodziny wstawały rano i szły do jednej fabryki...

– Chyba przywołujesz treść jakiejś prastarej lektury z czasów naszych rodziców.

– Śmiejesz się, a ja idę po prostu o krok dalej niż Richard Gere.

– Kto taki? – Henryk znowu zarżał.

Rozbawiona Ewa podskoczyła na sofie; Heniek wychylił się z fotela, żeby przybić z nią piątkę. Iwona od dawna nie widziała ich tak rozweselonych, bawiących się rozmową.

– Ej tam! Mówię na skróty. – Ewa uśmiechnęła się całą buzią. – Nie drocz się, bo na pewno mnie zrozumiałeś... Jeśli więcej osób żyje sprawami firmy poza nią, znaczy się, nawet w domu, to chyba lepiej. Tak mi się przynajmniej wydaje.

– Jasne, rozumiem. Że też nigdy na to nie wpadłem.

– Teraz się nabijasz czy mówisz poważnie?

– A dlaczego takiego pomysłu nigdy nie postawiłaś na naradzie zarządu? – Iwona spojrzała na Ewę ze zdziwieniem.

– Bo zawsze miałam ważniejsze sprawy do obmyślenia, choć dopiero dzisiaj jestem pewna, że to były akurat idiotyzmy. – Ewa posmutniała. – Kiedy wyście tak się mądrowali, dyskutowali o produktach, o jakichś nowych strategiach dla firmy, ja kombinowałam, dokąd by wyjechać. Urwać się znowu z Gdyni.

Zapadła cisza. Ewa poważnym wzrokiem spoglądała na przemian na Henryka i Iwonę; oboje wyglądali na zmieszanych.

– Przecież wiecie, że tak było. Nie udawajcie nagle zdziwionych!

Henryk podrapał się po łysiejącej głowie; po chwili jego twarz rozjaśnił uśmiech. Przesiadł się na sofę obok żony i ją objął.

– Ewuniu! Do głowy by mi nie przyszło, że mogłaś mieć takie myśli – rzucił i zrobił pocieszną minę.

– Gdybym się zorientował, tobym ci prysnął w oczy zimną wodą ze szklaneczki! – zawołał wesoło.

– A ja bym poprawiła kawą...! Albo ja najpierw kawą, a ty byś ją spłukał wodą.

Salon Henryków wypełnił się szalonym śmiechem. A gdy wreszcie śmiech przycichnął, Ewa znowu spoważniała.

– Jesteście kochani... Szkoda, że kiedyś nieustannie fruwałam gdzieś najpierw myślami, a potem realnie, po świecie. Zupełnie bez sensu – powiedziała z nostalgią w głosie. – Ale o ludziach, Henryku, myśl, pamiętaj – dodała niespodzianie i podniosła palec. – Załatw dla nich jakieś ulgi czy karty do obiektów sportowych, rekreacyjnych albo choćby do multikina, organizuj wspólne wycieczki, imprezy, byle nie popijawy, wszystko, co ich zwiąże ze sobą, a nie zepsuje. To są dobre rozwiązania. Jestem pewna.

– Tak, masz rację. Jutro z samego rana porozmawiam o tym z Zygmuntem. – Henryk dotknął pieszczotliwie palcami jej twarzy, a potem schylił się i ucałował dłoń żony.

Rozdział 16

No, już jedź, jedź... – Ewa delikatnie popychała Henryka w kierunku drzwi.

– Jeszcze tylko zabiorę papiery, które wczoraj przyniosłem. – Zrobił unik i podszedł do kredensu. – Nawet ich nie czytałem. Jak ja będę dzisiaj przed Zygmuntem wyglądał. – Mrugnął do Iwony.

– Pościemniasz trochę, może się nie zorientuje... – Zachichotała Iwona; Ewa przyłączyła się.

– Teraz masz już wszystko, więc w końcu idź. – Ewa znowu lekko go popchnęła; Heniek ruszył, obejrzał się przy drzwiach i pomachał.

– Co tak go dzisiaj wypędzałaś? – spytała Iwona, gdy zostały same.

– Zapomniałaś? Mamy czytanie listów... – Ewa zmrużyła oczy.

– No tak, to poczekaj chwilkę! Zaraz je przyniosę.

Iwona ruszyła na górę.

Za kilka chwil siedziały już na leżakach koło basenu. Iwona podała Ewie pierwszy list.

– Nie będę go przecież sama czytała. – Ewa zrobiła odmowny gest dłonią.

– Ale jak to? Przecież chciałaś.

– Może z początku i tak, ale lepiej będzie, jak ty mi przeczytasz fragmenty, które uznasz za stosowne.

– Sięgnę w takim razie do tych przełomowych. Porobiłam sobie na kopertach znaki z gwiazdek.

Rozłożyła listy w wachlarz.

– Przecież one wszystkie mają gwiazdki.

– Tak, ale są gwiazdki większe, mniejsze, a także zdarzają się koperty, które mają więcej niż jedną gwiazdkę. To są szczególnie istotne listy.

– Czyli rozumiem, że czytałaś list i każdorazowo stawiałaś na nim określoną gwiazdkę, czy tak?

– Nabijasz się... Taka mądra to ja nie byłam. Czytałam każdy list wiele razy i tuliłam do serca... – Iwona zamknęła oczy. – Gwiazdki postawiłam wiele lat później, kiedy któregoś lata zostałam sama w domu, a Zygmunt wyjechał z Patrykiem do dziadków. To było ostatnie lato przed jego pójściem do szkoły.

– No dobrze, czytaj wreszcie. Już nie mogę się doczekać. – Ewa ułożyła się na boku i uśmiechnęła.

Iwona wybrała jeden z listów i otworzyła kopertę. Rozpostarła kartkę.

– Spójrz choćby na charakter jego pisma.

Podała na chwilę list Ewie.

Ta spoglądała na zapisaną kartkę w milczeniu, kręcąc głową. Po chwili przeniosła wzrok na Iwonę.

– Piękne pismo. Jakbym widziała jakieś stare średniowieczne kroniki albo... pisma królewskie. – Wciągnęła głowę w ramiona, jak to czynią małe dziewczynki, gdy się czemuś dziwią lub wstydzą.

– Z tą królewskością... wiesz, że podobnie sobie kiedyś pomyślałam, kiedy przypadkiem spojrzałam na jego notatki. Każdy z nas prowadzi je na ogół tak, byle je później odczytać, a on robił je bardzo starannie. Pisał szybko, a zarazem ładnie, ale w listach jeszcze bardziej się przykładał. Posłuchaj, co napisał w pierwszym liście w odpowiedzi na mój, kiedy przeżywałam ciężkie chwile po rozstaniu z nim. O ciąży jeszcze wówczas nie wiedziałam. – Iwona westchnęła głęboko.

Kochana Iwono! Obudziłem się o poranku, a Ciebie przy mnie nie było. Twoje miejsce było puste, poduszka nietknięta. Dlaczego tak się stało? Przecież obiecywaliśmy sobie, że się nie rozstaniemy, że będzie nas budziło słońce, a księżyc tulił do snu. Powrót na Wyspy był dla mnie koszmarem i choć w ostatnich dniach słońce w Londynie świeci wyjątkowo, to dla mnie wszystko wokół jest szarobure. Mam nadzieję, że napiszesz pilnie, jak to z nami będzie, kiedy będziemy mogli się spotkać...? W każdym przedmiocie, jaki biorę w ręce albo tylko mijam, widzę Twoją piękną twarz, śmiejące się nieustannie oczy, słyszę Twój głos. Rozglądam się wokół, szukam Ciebie i dopiero wtedy okazuje się, że to były tylko zwidy.

– Ależ on się pięknie wyrażał! – Ewa aż usiadła z wrażenia. – Nikt nigdy nic tak ładnego do mnie nie napisał ani nie słyszałam, żeby ktoś dostawał listy pisane takim językiem. Wiesz... chyba tylko na lekcjach polskiego, kiedy czytaliśmy wiersze miłosne Petrarki pisane do Laury albo listy Cyrana de Bergerac do kuzynki czy odę wygłoszoną przez niego pod jej oknem.

– Wiesz, Ewcia, że ja cię z tej strony nie znałam...? – zdziwiła się, patrząc na nią z niedowierzaniem Iwona.

– Miałam cudowną polonistkę, uwielbiałam jej lekcje. Była też moją wychowawczynią. Kiedyś przeżywałam dołek i przez kilka dni nie chodziłam do szkoły... – machnęła dłonią – ...i ona nie zawahała się odwiedzić mnie w domu. Przyszła do południa. Miałam szczęście, że akurat mama poszła po zakupy na rynek w Chyloni.

– Dziwne, taka wizyta nauczycielki, co?

– Kiedyś ci jeszcze o niej opowiem... Kochałam ją wówczas bardziej niż mamę...

Ewa słowo „mama" powiedziała bardzo cicho i zasłoniła dłonią oczy.

– Ewunia, przestań...

– Ech... przepraszam. Wróćmy do twoich listów... znaczy Arthura... – Otarła łzę.

– Arthur był zadziwiający... Kiedy rozmawialiśmy o biologii, biotechnologii, wyrażał się precyzyjnie, naukowo, dużo wtrąceń robił po łacinie, zresztą nienagannie w tym języku mówił, nie to co ja. Natomiast kiedy byliśmy na spacerze lub gdy czytałam jego listy, przenosiłam się w miniony świat, epokę romantyzmu.

– A co on teraz robi? – Ewa rzuciła na Iwonę badawcze spojrzenie. – Przecież skoro już wówczas był tak dobry, został w tej branży, to teraz...

– No jasne, że kiedyś przeglądałam internet w poszukiwaniu jego nazwiska. Został profesorem biotechnologii na uniwersytecie w Londynie, opublikował sporo prac, ale mnie od wielu lat interesowały rozwiązania praktyczne, a jego wśród ich autorów nie było.

– To dlatego nie chciałaś kiedyś pojechać na konferencję do Anglii...?

– Dokładnie tak. Chciałam mieć go w sercu, marzyć o nim... jak o księciu, który przyjedzie kiedyś na białym koniu pod moją wieżę. Przecież to nieszkodliwe marzenie...

Iwona wzruszyła ramionami i uśmiechnęła się blado.

– Albo jak Richard Gere po Julię Roberts autem! – wrzasnęła znienacka Ewa; spojrzały po sobie i histerycznie się obie roześmiały.

Gdy zapadła cisza, Ewa wpatrzyła się w Iwonę; ta uciekła na chwilę wzrokiem.

– Ty go wciąż kochasz... nie zaprzeczaj. – Ewa pokiwała głową. – Chyba jesteś jakimś fenomenem albo...

– Gdybyś go poznała tak jak ja, tobyś przestała się dziwić. Przeczytam ci, co napisał, kiedy przyznałam się, że jestem w ciąży. – Iwona znowu głęboko westchnęła i na moment przymknęła oczy. – Ale poczekaj, najpierw jeszcze jedno... Kiedy czasami czytałam, słuchałam o przyjaciółkach od serca, nie za bardzo wierzyłam, że można obcej osobie opowiadać swoje najskrytsze myśli, zdradzać tajemnice... ale dzisiaj to mnie nie dziwi i cieszę się, że jesteśmy razem.

Wyciągnęła dłoń w kierunku Ewy.

– Tak, to także było moje marzenie, chociaż żal, że będzie trwało tak krótko.

Iwona przesiadła się na leżak Ewy, objęły się w milczeniu.

– No dobrze. Przeczytaj mi ten fragment, ale niech to będzie już ostatni. – Ewa niespodzianie oprzytomniała.

– Przecież miałam ci przeczytać wiele listów – zdziwiła się Iwona.

– Wolę sobie wyobrażać waszą miłość, niż wkraczać w waszą intymność, słuchając, jak on do ciebie pięknie mówił. Ja w głębi duszy też jestem, a raczej byłam kiedyś romantyczką, tyle że w pewnym momencie życia niepotrzebnie przeszłam na zołzizm. Obu stylów nie da się pogodzić. – Rozłożyła dłonie Ewa. – W ostatnich dniach, dzięki tobie, przypominam sobie, że tamten styl jest lepszy, prawdziwszy... – Znowu się przytuliły. – A teraz czytaj już!

Poderwała się, wypychając przyjaciółkę ze swojego leżaka.

Iwona wertowała koperty, wreszcie wybrała jedną z nich i pokazała Ewie. Była na niej czerwona gwiazdka w kółku. Ewa skinęła głową ze zrozumieniem.

– To był najkrótszy jego list, po którym płakałam wiele nocy...

Iwona wyciągnęła z koperty kartkę i nabrała głęboko powietrza.

Najdroższa Iwono! Nie odrzucaj mnie. To, co poprzednio napisałem, jest prawdą. Moje serce jest pojemne. Pomieści Ciebie i Twoje dziecko – syna. Bardzo pragnę, aby to był także mój syn. Jakich słów, argumentów mam jeszcze użyć, aby Cię przekonać, że moja miłość do Ciebie to nie efemeryda? Widocznie nie poznałaś mnie jeszcze na tyle dobrze, że powątpiewasz w moje słowa. Przysiąc mogę na co tylko zechcesz, że dla Ciebie jestem w stanie zrobić wszystko. W każdej chwili mogę przyjechać do Polski, błagać o to Ciebie na kolanach, zagwarantować Wam dostatnie i bezpieczne życie. O takiej kobiecie jak Ty marzyłem jako nastolatek, młody mężczyzna i to mi się nieoczekiwanie trafiło. Nie potrafię, nie mogę z Ciebie zrezygnować. Nie możesz mi zabronić Ciebie kochać.

Wydaje mi się, że powątpiewasz w to, co napisałem Ci o moich rodzicach. Napiszę w takim razie jeszcze wyraźniej, jak to wyglądało. Początkowo byli przeciw, bardzo przeciw. Zasłaniali się tradycją rodzinną, a nawet względami obyczajowymi, ale widząc moją determinację, wreszcie ustąpili. Bardzo im się spodobałaś – pokazałem im przecież twoje zdjęcia. Chcą Cię przyjąć do domu jako swoją córkę, choć przypuszczają, że czeka ich z tego powodu towarzyski ostracyzm. Nie boją się już jednak tego, bo znają mnie i za wiele dla nich znaczę. Tak mi powiedzieli. Są całkowicie po mojej stronie.

A ja...? Nie mogę spać, pracować, a wszystko mogłoby się zmienić, gdyby padło z Twoich ust tylko jedno słowo. Spróbuj, odważ się tak jak ja opowiedzieć swoim rodzicom całą prawdę. Myślę, że zrozumieją. Coś takiego mogło i Im się kiedyś zdarzyć. Miłość przecież nie wybiera. Często decyduje impuls, chwila zapomnienia, a nam się to szczęśliwie zdarzyło.

Proszę, błagam Cię.
Twój na zawsze Arthur

Iwona odłożyła kartkę; jej niewidzący wzrok powędrował gdzieś ponad drzewa.

Ewie broda zatrzęsła się. Z trudem hamowała wzruszenie. Teraz ona przesiadła się na leżak Iwony i objęła ją z całej siły.

– Dlaczego to życie ułożone jest tak okrutnie? – wyszeptała z przejęciem. – U kobiety, w takiej sytuacji jak twoja, jeśli zbłądzi, pomyli się, zapomni, zostaje ślad miłosnego czynu. To niesprawiedliwe, że mężczyzna zawsze może być z kobietą bez żadnych konsekwencji. Z kobietami jest inaczej i jeśli się zdarzy coś takiego, to ona je ponosi. Tylko ona. – Położyła dłonie na policzkach Iwony. – Trudno było ci, przyjaciółko, postąpić inaczej. Nawet ja, zołza, uczyniłabym podobnie.

– Dziękuję ci – wyszeptała Iwona.

– Teraz masz rozwiązane ręce, może więc go odszukaj, pokaż mu się, jesteś jeszcze młoda. – Ewa uśmiechnęła się. – Jeśli ty o nim nie zapomniałaś, a on cię tak wówczas kochał, to może na nic nie jest za późno.

– Trudno mi to sobie wyobrazić. Skończył przecież pięćdziesiąt lat, pewnie dawno się ożenił, ma dzieci...

– Poczekaj, mówiłaś, że nic o nim nie wiesz.

– Nie wiem, Ewuniu, ale nie będę go też szukała. Bałabym się, że mogę się w tym zatracić, że spotka mnie rozczarowanie, a to byłoby gorsze niż stan, w którym żyję tyle lat. Do niego przywykłam, wystarczają mi marzenia. Zajmę się teraz pracą naukową, prowadzeniem wykładów, będę wspomagała z całych sił syna.

– A gdyby ten twój książę pojawił się nieoczekiwanie pod wieżą, w której się zamknęłaś?

– To wtedy... – Iwona przewróciła oczami – ...chybabym do niego zbiegła, nie czekając, aż on się wdrapie na górę.

– Kocham cię, Iwonko.

– Ja ciebie też, moja przyjaciółko.

Rozdział 17

Zygmunt wszedł niepewnym krokiem do salonu Henryków. Był bardzo spięty. W dłoniach trzymał dwa bukiety kwiatów; Henryk stąpał za nim z kartonikiem z cukierni, który tamten również przywiózł. Zygmunt wręczył najpierw czerwone róże Ewie, następnie zaś wielokolorowe gerbery Iwonie. Z każdą zamienił po kilka słów; kobiety przyglądały się sobie cały czas z uwagą. Zrobiło się cicho. Henryk wykonał dziwny ruch kartonikiem, rzucając przy tym kilka żartobliwych słów, i miny całej trójki stały się nieco weselsze.

– Zamówiłem rano bezowy torcik w Delicji, bo przypomniałem sobie, że przed laty to był hit. Na ciastach nie znam się zupełnie – powiedział Zygmunt i zrobił przepraszającą minę.

Ewa odłożyła swój bukiet na kredens, przejęła od męża kartonik, rozpakowała go i wyłożyła torcik na paterę. Uśmiechnęła się do Iwony.

– Pamiętam spotkanie kawowo-integracyjne krótko po zatrudnieniu was w firmie. – Ewa ogarnęła spojrzeniem

Iwonę i Zygmunta. – Przynieśliście wówczas torcik bezowy i tak się nim zajadaliśmy, żeśmy wydziobali go do ostatniego okruszka. Była fajna zabawa – uśmiechnęła się szeroko.

– Tyle że tamten miał kleksy kremowo-kawowe i leśne owoce, a ten jest z truskawkami, ale też wygląda apetycznie. Już mi cieknie ślinka… – Iwona omiotła torcik wzrokiem i oblizała językiem wargi, wywołując rozbawienie pozostałych – …ale może najpierw włożę kwiaty do wazonów.

Atmosfera zrobiła się lżejsza. Ewa z uśmiechem wodziła wzrokiem za Iwoną krzątającą się po jej salonie w poszukiwaniu odpowiednich wazonów, potem odprowadziła ją spojrzeniem, kiedy wyszła, aby napełnić je wodą.

– Wybrałabym te same wazony i postawiłabym je identycznie. Dziękuję – powiedziała, gdy Iwona zakończyła cały spektakl.

– Usiądę koło ciebie. – Iwona spojrzała najpierw na stojącego Zygmunta, a potem na Ewę; ta skinęła głową. Obeszła fotel, na którym ostatnio lubiła siadać, i zajęła miejsce na sofie obok przyjaciółki; Zygmunt siadł na zwolnionym przez nią fotelu.

Henryk spojrzał na żonę, a następnie skierował oczy na moment na barek; zrozumieli się. Po chwili cztery małe kieliszki stały na stoliku napełnione likierem kokosowym.

– Żeby nam się torcik bezowy lepiej wślizgnął – powiedział, unosząc swój kieliszek.

– Wtedy także piliśmy malibu… – westchnęła Ewa; Iwona poklepała ją po dłoni.

– Jak to jest, że człowiek przechowuje albo obrazy, które się pięknie kojarzą, albo te najgorsze – rzuciła Iwona, krojąc torcik na trójkąciki.

– Wiem, co miałam na myśli, prosząc, aby nas... mnie odwiedził Zygmunt, ale pozostańmy przy wspominaniu tych pierwszych... – Ewa spojrzała w oczy Iwony; ta wykonała delikatny ruch powiekami.

– Zauważ, Zygmuncie, jakie te nasze damy są tajemnicze – odezwał się po kilku chwilach Henryk, chrupiąc bezowe ciasto. – I one się zrozumiały... – Wzruszył ramionami.

– Tak, kobiety są często nieprzewidywalne, a ich myśli nieodgadnione – zgodził się Zygmunt. – Zbyt często tego nie doceniałem lub wręcz lekceważyłem, co skończyło się dla mnie... – zawiesił głos, gdyż dojrzał w oczach Ewy iskierkę alarmu.

– Przyjacielu! Widzę, że się do nich dostroiłeś. – Heniek podniósł na niego wzrok znad swojego talerzyka. – Ale dokończ tę myśl, bo to ciekawe.

Usadowił się wygodniej w fotelu.

Wzrok Ewy i Zygmunta znowu się spotkał.

– Kończyło się... różnie. Takiego słowa poprzednio mi zabrakło – powiedział Zygmunt wolno; Ewa przymknęła oczy. – Matka natura pozbawiła mnie pewnej wrażliwości, jeśli idzie o kontakty damsko-męskie. Kiedyś nie zauważałem tego, potem lekceważyłem, a kiedy wreszcie zacząłem to rozumieć, zrobiło się za późno.

– Chyba muszę wypić jeszcze jeden kieliszeczek, to może zacznę cię rozumieć. – Heniek pogroził na wesoło Zygmuntowi i sięgnął po butelkę. – Tak sobie myślę, że mnie także stać na wygłoszenie jakiejś filozoficznej myśli, choć wiecie przecież... – potoczył wzrokiem wokół stolika – ...że jestem raczej z grubsza ciosany. Jeszcze bardziej od ciebie. – Zatrzymał wzrok na swoim zastępcy; obaj się uśmiechnęli. – Niby mam dobry wzrok i niezły węch, tak uważam, a jednak czegoś nie dojrzałem i nie poczułem. – Spojrzał na żonę przeciągle; usta Ewy przyjęły kształt podkówki.

– E, tam! – zawołała Iwona, siląc się na wesołość. – Podzielmy się, Ewuniu, ostatnim kawałkiem torcika, bo oni tym gadaniem chcą uśpić naszą czujność. Pamiętasz, że Heniek też wówczas rzucił jakiś problem, myśmy się nim zajęły, a on, mało brakowało, zjadłby go sam. Czaił się – zachichotały obie.

Po chwili zajadały w rozbawieniu ostatni kawałek torcika, a potem jak niegdyś „wydziobywały" jego okruszki z talerzyków. Rozmowa zeszła na zaplanowaną wycieczkę na Kaszuby.

– Szkoda, że jutro mam ważną naradę, bo może też bym z wami pojechał – rzucił Zygmunt markotnie, kiedy wysłuchał szczegółowych planów. – Ale chyba nie dacie rady jutro wszystkiego tego zaliczyć?

– No nie! Jutro część, a potem pojedziemy kolejny raz, a jak trzeba będzie, to jeszcze – obiecał Henryk.

Około osiemnastej Zygmunt uniósł się z fotela.

– Na mnie już czas... Muszę jeszcze zrobić trochę zakupów. – Przebiegł wzrokiem wokół stolika. – Mama nie daje rady.

– A właśnie, nie mówiłeś, jak się mama teraz czuje? – spytała Iwona.

Zygmunt spojrzał na nią z wdzięcznością.

– Dziękuję, przestrzega leków, czuje się ze mną bezpieczniejsza, więc wszystko idzie ku dobremu...

– To chwała Bogu, przekaż pozdrowienia.

– Ja cię odprowadzę. – Poderwał się Henryk.

Ewa i Iwona popatrzyły sobie głęboko w oczy; Iwona skinęła lekko powiekami.

– Chwileczkę, to do mnie przyjechał Zygmunt, mnie odwiedził. Więc ja go odprowadzę. – Ewa złapała go pod łokieć. – Wy siedźcie, a ja zaraz wrócę. – Machnęła do Iwony i Henryka.

Nie było jej kilka minut. Iwona z Henrykiem uprzątnęli stolik po podwieczorku. Kiedy Ewa pojawiła się z powrotem w salonie, Iwona zauważyła, że ma mokre oczy. Kiedy wieczorem mówiły sobie dobranoc, Ewa przytrzymała Iwonę za rękę.

– Nie chciałam się zgodzić, żeby on coś powiedział głośno. Przynajmniej dzisiaj. Henryk by tego nie zniósł, a mnie teraz chodzi też o ludzi, o firmę. – Wtuliła się w Iwonę.

– Czy myślisz, że będzie dobrze, jeśli to zostanie...

– Poczekaj, czy ty mi wybaczyłaś? Iwona, powiedz wprost... – Ewa wyprostowała się i spojrzała jej w oczy.

Zapadła cisza. Obie oddychały głęboko. Iwona wreszcie odetchnęła.

– Nie będziemy już nigdy o tym mówiły – wyszeptała. – To było...

– Wiem, odrażające...

Obie kobiety miały w oczach łzy.

Znowu zapadło milczenie. Ewa nie spuszczała wzroku z Iwony. Ta znowu głęboko westchnęła.

– Skoro uważasz, że lepiej to tak zostawić, to cóż ja...? Gdyby nie to, że sama przyczyniłam się do takiego stanu naszego małżeństwa, bo ono od dawna jest tylko na papierze, pewnie bym cię...

– Zabiła? Nie musiałabym się tak męczyć – załkała Ewa.

– Cicho, głupia... – Iwona przycisnęła mocno Ewę. – Skopałabym cię po prostu... po dupsku! – Parsknęła histerycznym śmiechem; Ewa przyłączyła się przez łzy.

– Cóż to, opowiadacie sobie kawały? – krzyknął Henryk z salonu. – Może się przyłączę?

– Nie, nie! – odkrzyknęła Ewa. – To był już ostatni dzisiaj dowcip. Idziemy spać! Pa!

– Dobranoc! – rozległo się z dołu wołanie Henryka.

– Śpij dobrze, Iwonko... – Ewa pocałowała przyjaciółkę w policzek.

– Ty też. – Iwona oddała jej pocałunek.

Rozdział 18

Wczesne śniadanie, a potem chwila, by się przebrać na drogę. Iwona była oczarowana ubiorem Ewy, gdy ta pojawiła się w holu. Długa, biała letnia sukienka wykończona koronkami, białe sandałki, biały słomkowy kapelusz z dużym rondem i drobne złote dodatki. Mały krzyżyk na łańcuszku i kolczyki w kształcie słoników rozpoznała od razu. To były prezenty od niej sprzed lat. Nigdy dotąd nie widziała, by Ewa je nosiła.

– Zawsze mi się podobały, najbardziej ze wszystkich, jakie mam, ale nie chciałam ci zrobić przyjemności, dowartościować cię – powiedziała Ewa ze szczerością, na jaką było ją stać od niedawna, i o mały włos by się rozpłakała.

– Tak nie chcę! – Iwona tupnęła obcasem i się roześmiała. – Bardzo się cieszę, że akurat dzisiaj je włożyłaś... – Pogładziła ją po policzku.

Dopiero teraz spostrzegła, że Ewa nałożyła sobie na wychudłą i bledziutką twarz trochę brązu i pomalowała usta oraz paznokcie w jednakowym koralowym odcieniu. Wyglądała jak prawdziwa dama.

– Podobna jesteś do damy z obrazów dawnych mistrzów – powtórzyła głośno myśl; wzięła ją pod pachę i ruszyły wolno schodami w dół.

Henryk na widok żony oniemiał.

– Czy nasz ASX[3] będzie ciebie godzien, o pani? – Złożył komicznie ręce.

– Dobrze, że dałeś się namówić na skórzane siedzenia, bo inaczej byłoby dzisiaj trudno.

Wskazała ręką za okno, gdzie od rana szalało słońce.

Gdy ruszyli w drogę, Henryk uruchomił płytę z przebojami z przełomu lat osiemdziesiątych i dziewięćdziesiątych. Zabrzmiała piosenka *Never Ending Story* w wykonaniu Limahla. Iwona i Ewa spojrzały po sobie i zaczęły nucić do wtóru.

– Dziękuję. – Po chwili Ewa dotknęła delikatnie dłoni Henryka trzymającej kierownicę; uśmiechnęli się do siebie.

Potem był zespół A-ha, piosenka *Hungry Eyes* z filmu *Dirty Dancing* i utwór *I Want to Break Free* zespołu Queen. Ewa i Iwona cały czas kołysały się rytmicznie i podśpiewywały.

Pierwszy przystanek Henryk zrobił w Żukowie.

– Tutaj? Przecież Żukowa nie było w twoim planie? – spytała Ewa.

– Wczoraj na dobranoc przejrzałem sobie raz jeszcze przewodnik po Kaszubach i doszedłem do wniosku, że piętnaście minut nas nie zbawi – wyjaśnił Henryk. – Warto na chwilę wejść do kościoła norbertanek.

---

[3] Model samochodu marki Mitsubishi.

Ewa spojrzała na niego zaskoczona.

– A pamiętasz, że w Rzymie byliśmy w Bazylice Świętego Piotra, a w Paryżu w katedrze Notre Dame...?

– Porównujesz Żukowo z Rzymem i Paryżem? – zażartowała Ewa.

– A czy wiesz, że ten kościół pamięta czternasty, a nawet trzynasty wiek? – Iwona włączyła się do rozmowy.

– No nie mów... – Ewa uniosła brwi. – Tutaj?

– Kaszuby zjeździłam dosyć gruntownie z rodzicami – wyjaśniła Iwona. – W wielu miejscach byłam wprost zdumiona tym, jakie mamy skarby. Wiesz, Ewcia, byłam na kilku wycieczkach we Francji, Włoszech czy Hiszpanii, i moim zdaniem, naprawdę nie mamy się czego wstydzić.

– Mówisz? Słuchałam was wczoraj i przedwczoraj, ale bardziej zajmowało mnie, jak zniosę wyjazd, niż starałam się zrozumieć, o jakich miejscach mówicie.

Iwona i Henryk popatrzyli na siebie.

– Przepraszam was... Taka jestem zagubiona, osłabiona, ale chcę... tak, chcę zobaczyć, co jest w środku. – Wyciągnęła rękę przed siebie i ruszyła w kierunku świątyni.

Heniek i Iwona podążyli za nią. Po chwili Ewa zatrzymała się i wsunęła mężowi rękę pod pachę.

– Tak będę się czuła bezpieczniej – rzuciła przymilnie.

– Tu kiedyś był duży klasztor, a mury pamiętają książąt pomorskich z trzynastego wieku. – Henryk wskazał głową. – W tym budynku po lewej była kiedyś stajnia, a dzisiaj mieści się tu plebania.

– Dużo wiesz – pochwaliła Ewa.

– Internet, przewodnik... – uśmiechnął się i przytulił ją do siebie.

Iwonę wzruszył ten widok. Zwolniła nieco. Przypatrywała się przyjaciółce stąpającej ostrożnie po brukowej kostce. Dostrzegała, że te blisko dwa tygodnie, które minęły, odkąd dowiedziała się o jej chorobie i zamieszkała u nich, mocno ją osłabiły. Dzisiaj wyglądała prześlicznie, turyści oglądali się za nią, podziwiając szczególnie pięknie się komponujące suknię i kapelusz. Iwona westchnęła cicho; coraz wyraźniej było widać, jak bardzo Ewa wyszczuplała, jak szybko się męczyła przy chodzeniu i coraz ciężej oddychała.

– Nie pędźcie tak! – zawołała za nimi.

– Heniu, gdzie tak się spieszysz? Spójrz, Iwonka nie nadąża. – Ewa obejrzała się; zwolnili nieco kroku.

– Gdyby Prusacy nie zlikwidowali klasztoru w dziewiętnastym wieku, to wszystko ładniej by tu dziś wyglądało. – Iwona uzupełniła wcześniejsze słowa Henryka, gdy się zrównali. – W całym zaborze tak postępowali z polskimi klasztorami. Ta ich podła germanizacja... – Machnęła gniewnie ręką.

– Ja ich zawsze nie cierpiałam... Niemców zresztą też, bo oni i Prusacy to jedna nacja – rzuciła Ewa bez większych emocji.

– Ale przecież lubiłaś wpadać do Berlina na zakupy – zdziwił się Henryk.

– To zupełnie inna sprawa. Wykupywałam im towary, objadałam ich...

– A w rezultacie oni się z tego cieszyli. – Pokręcił głową Henryk.

– Tak tylko gadali... – Ewa machnęła ręką i zachichotała.

– Cicho, jesteśmy w kościele – szepnęła Iwona.

– To gotyk, tak? – odszepnęła Ewa; Iwona skinęła głową. – Poznałam. Wolę jednak, jak są zachowane ceglane mury...

Szli wolnym krokiem w kierunku prezbiterium.

– Ołtarz główny, który jest na wprost, pochodzi z siedemnastego wieku – powiedział cicho Henryk.

– Piękny – zachwyciła się Ewa.

– Obrazy w ołtarzu są autorstwa Hermana Hana...

– Tego Hana, z Gdańska...?

– Tak. U góry *Trójca Święta*, a ten większy poniżej to *Madonna wśród Aniołów*.

– Usiądę chwilę i popatrzę – szepnęła Ewa; Iwona i Henryk przysiedli obok.

Wodziła wzrokiem po ołtarzu; Iwona zerknęła na jej twarz. Dojrzała w jej oczach nieskrywany zachwyt. Pierwszy raz od bardzo dawna coś takiego u niej zobaczyła.

– Jakie to wszystko misterne, złocone, jak cudownie ozdobione są kolumny, ile tam postaci, a to, na dole...

– Tabernakulum... – podpowiedziała jej Iwona.

– No właśnie, zapomniałam nazwy... cudowne. To chyba jest z okresu... – zmarszczyła się – ...chyba baroku, co? – Spojrzała na męża.

– Tak właśnie wyczytałem w przewodniku – potwierdził uśmiechnięty.

Zwiedzanie świątyni zajęło im kilkanaście minut. Kiedy przed wyjściem Iwona uklękła w ostatniej ławce, Ewa spojrzała na nią i uczyniła podobnie. Henryk zatrzymał się obok nich i pochylił głowę. Gdy już wychodzili, Ewa ukradkiem ucałowała krzyżyk na łańcuszku.

– Dałaś mi go na nasz ślub, bo ci się niechcący wygadałam, że krzyżyk od Pierwszej Komunii Świętej gdzieś mi zginął – szepnęła cicho do Iwony; ich wzrok się spotkał. – Taka jestem dzisiaj szczęśliwa. Cieszę się, Heniu, że tu przyjechaliśmy – zwróciła się do męża i znowu wsunęła mu rękę pod pachę.

– Czy półtorej godziny wytrzymasz teraz bez odpoczynku?

– Myślę, że tak, ale...

– Będzie więcej jazdy niż chodzenia, ale tyle nam to zajmie.

– Wytrzymam. Wracając do Niemców... – Ewa nieoczekiwanie zmieniła temat. – Wyglądacie oboje na zdziwionych... – spojrzała na Iwonę i Henryka – ...a nie skończyliśmy przecież wcześniej tematu...

Potrząsnęła głową, aż niebezpiecznie zachybotał jej olbrzymi kapelusz.

– Przed maturą byłam z klasą na wycieczce w Stutthofie...

– My też tam wtedy byliśmy. – Iwona weszła jej w słowo.

– Bo na maturze miały być tematy związane z obozami zagłady i holocaustem – uzupełniła Ewa; Iwona przytaknęła. – Bardzo przeżyłam tę wycieczkę, zwłaszcza że dziadek naszego kolegi został w tamtym obozie rozstrzelany. To, co Niemcy robili w Stutthofie przez cały okres wojny, to był koszmar. Byłam tak przejęta opowiadaniem przewodnika, że doskonale przygotowałam się na maturę do tematu dotyczącego tych spraw. Wyrzuciłam wówczas w swojej pracy całą ówczesną nienawiść do nich. Potem, niestety, o tym zapomniałam i nawet, co mi Heniek wypomniał, lubiłam jeździć do Berlina.

– Ale to z mojej strony nie było złośliwe.

– Nie o to chodzi. Kiedy tak chodziliśmy po świątyni norbertanek, przemyślałam sobie niektóre sprawy dotyczące rozpętanej przez Niemców wojny oraz dokonywanej przez nich zagłady, w pierwszej kolejności Polaków, a potem ludzi pozostałych narodowości, w tym Żydów.

– Ewka, proszę cię! To miała być wycieczka rekreacyjna... – Henryk z wrażenia zatrzymał się; cała trójka spoglądała po sobie. – Wsiadajmy do auta, bo zaraz zaczniesz krzyczeć o Niemcach i zrobi się zbiegowisko.

– Przypominam sobie dokładnie, co mówiono nam ponad dwadzieścia pięć lat temu. Obóz w Stutthofie powstał w celu likwidacji polskich elit, kaszubskich. Tak było, a nie inaczej. A teraz niektórzy czasami mówią co innego! – podkreśliła głośniej.

Jacyś przechodnie odwrócili się za nimi.

– Widzisz. Już niektórzy się tym interesują... – Henryk wykonał delikatny ruch palcem.

– A to nie jest prawda?

– Prawda... tylko żartowałem.

Po chwili siedzieli w samochodzie. Henryk puścił muzykę. Ewa chwilę milczała, jakby zbierała się, żeby coś jeszcze dodać do wcześniejszych słów, lecz gdy zabrzmiały dźwięki piosenki Sinéad O'Connor, *Nothing Compares 2 U*, rozpromieniła się i spojrzała na męża.

– Pamiętam... – Heniek z uśmiechem pokiwał głową; złapali się za dłonie, a po chwili jak na komendę zwrócili głowy w kierunku Iwony.

– Przy tym utworze... – zaczęli prawie równocześnie i roześmiali się w głos. – To był pierwszy utwór, przy którym tańczyliśmy, poznaliśmy się – dokończyła Ewa.

– To było na dyskotece w dziewięćdziesiątym drugim w Łajbie, w Sopocie – uzupełnił Henryk.

– Zawsze lubiłam Sinéad, a tę piosenkę do dzisiaj lubię. W Łajbie byłam tylko trzy razy, bo dym z papierosów mnie tam wykańczał. – Iwona udała duszenie w gardle.

– To teraz dokąd? – Ewa spojrzała na męża.

– Najpierw Kartuzy... ale do nich mamy tylko kilkanaście minut.

Rzeczywiście, po kilku kolejnych piosenkach, dowcipie opowiedzianym przez Henryka i kilku salwach śmiechu, ASX wtoczył się na kartuski rynek.

– Proponuję krótką przerwę na lody pod parasolem... – Henryk wskazał na narożnik rynku – ...a potem ruszymy w kierunku Wieżycy, żeby tutaj raz jeszcze przyjechać w powrotnej drodze.

– Znowu na lody? – zdziwiła się Ewa, patrząc na przyniesiony przez kelnerkę pucharek.

– Nie, będziemy wracać inną trasą, wyjedziemy z miasta i zatrzymamy się koło Raju Maryi... – wyciągnął rękę przed siebie – ...żeby zobaczyć park, kościół i stare zabudowania klasztoru kartuzów.

– Kiedyś o tym klasztorze i kartuzach coś czytałam. – Ewa zanurzyła łyżeczkę w pucharku. – A to daleko?

– Stąd, w linii prostej, mamy do kompleksu trzysta metrów. Późnym popołudniem będziemy trochę zmęczeni jazdą po Szwajcarii Kaszubskiej, więc wszyscy chętnie przysiądziemy na chwilę w cieniu drzew, przed ostatnim skokiem do Gdyni – uśmiechnął się.

Iwona postanowiła opowiedzieć historię niegdyś ewangelickiego kościoła stojącego po drugiej stronie rynku oraz dawnych mieszkańców Kartuz, którzy opuścili to miasto, gdy nastała tutaj Polska[4].

---

[4] Od chwili wkroczenia do Kartuz polskiego wojska 8 lutego 1920 roku do roku 1923 miasto opuściło wielu Niemców, stanowiących wcześniej elitę finansową i edukacyjną powiatu.

– Domyślam się, że takich przypadków jak ten na Kaszubach było więcej. – Ewa szukała potwierdzenia u Iwony; ta skinęła głową.

– Kaszubi, czy w ogóle Polacy, cierpieli tutaj przez setki lat, byli rugowani z roli, następowała kasacja klasztorów, germanizacja przybierała często bardzo ostre formy, stąd można sobie wyobrazić, że i Niemcy, którzy opuszczali te tereny, szczęśliwi nie byli.

– I dlatego tak się później mścili podczas drugiej wojny. Część z nich przed wojną tutaj została, więc listy inteligencji polskiej, działaczy, księży były gotowe na pierwszego września trzydziestego dziewiątego roku. Ułatwiło to aresztowania i egzekucje... Jednak jak się człowiek czegoś dobrze nauczy, to zapamięta na całe życie – podsumowała z melancholią Ewa.

– Czy wy, dziewczyny, musicie się dzisiaj katować takimi tematami? – Henryk nerwowo poruszył się na krześle. – Skupcie się na lodach i pięknie Kaszub.

– Masz rację. – Ewa poklepała go po dłoni. – Chciałam wam tylko pokazać, że wcale taka głupia czy pusta nie byłam. – W jej oczach pojawiły się łzy. – Szkoda, że taka byłam...

Henryk chwycił jej rękę w swoje dłonie.

– Ja nie byłem lepszy... – zaczął cicho – ...ale wciąż cię kocham i nie wstydzę się tego powiedzieć głośno.

Podniósł jej dłoń do ust. Twarz Ewy rozpromieniła się, a jemu podejrzanie zadrżała broda.

– Jesteście cudowni! – Iwona wzruszyła się oglądaną sceną. – U mnie i Zygmunta też było nietęgo... – Wskazała najpierw palcem na siebie, a potem machnęła nim w kierunku drugiej strony rynku, za którym daleko leżała Gdynia. – Każde z nas ma o czym teraz myśleć...

Zawiesiła wzrok ponad dachami kartuskiego rynku.

– Hej, lody się roztapiają! – rozległ się po chwili przytłumiony okrzyk Henryka. – Wracajcie do stolika, dziewczyny. – Mrugnął. – Obiecajcie, że to była ostatnia dzisiaj taka łzawa retrospekcja, dobrze?

Iwona i Ewa spojrzały po sobie i uśmiechnęły się.

– Pyszne lody. – Ewa oblizała łyżeczkę. – Tu jest alkohol? – spytała, mierząc Henryka wzrokiem.

– Poprosiłem, aby wlano wam po łyżeczce adwokata na poprawę humoru. Ja nie mogę, bo prowadzę! – Rozłożył energicznie ramiona; kleks loda ze śmietaną wyzwolił się z trzymanej przez niego łyżeczki, wylatując w powietrze, a po chwili z cichym pacnięciem wylądował na chodniku. Gołębie tylko na to czekały; kilka pojawiło się natychmiast.

– Jak na placu Świętego Marka w Wenecji – ucieszyła się Ewa.

– Albo jak na rynku w Krakowie – dodała Iwona.

– Ale tylko nasze kartuskie lubią lody – roześmiał się Henryk.

A potem była wolna jazda po Szwajcarii Kaszubskiej. Często się zatrzymywali, bo Ewa wydawała z siebie ochy i achy.

– Jakie piękne malwy! – To tuż za lasem kartuskim.

Henryk zatrzymał się, zawrócił i wjechał w boczną drogę, gdzie rosły na obrzeżach dorodne pąsowe malwy. Ewa chodziła wzdłuż nich radośnie. Gdy ruszyli dalej, Henryk zaczął opowiadać legendę o założeniu wsi Ręboszewo przez średniowiecznego rycerza Rębosza.

– Do dzisiaj w tej wsi bije wciąż źródełko nazwane Zdrojem Rębosza, które mieszkańcy niedawno odnowili własnym sumptem – zakończył.

Ewa tak się wciągnęła w tę historię, że Henryk musiał zaraz za znakiem oznaczającym początek wsi zwolnić, a przy zdroju zatrzymać się, by mogła go pooglądać. Kolejny przystanek zrobił już niedługo, na Złotej Górze.

– Ależ tu piękny widok! – zachwyciła się Ewa, kiedy wysiedli z auta na parkingu.

Henryk i Iwona, uzupełniając się, opowiedzieli o widocznym w dole Kółku Raduńskim[5] składającym się z wielu jezior, o stojącym po drugiej stronie szosy monumentalnym pomniku poświęconym Bohaterom Ruchu Oporu Pomorza Gdańskiego oraz historię krzyża[6] ustawionego tuż przy rozstaju dróg.

– Jak można było zrobić coś takiego ludziom wierzącym... I to tuż przed samą Wielkanocą? A w ogóle ukarano tego wandala?

– Tego, niestety, nie wiem... – Iwona rozłożyła ramiona.

Przeszli wolno przez szosę, zatrzymali się obok pomnika i dotarli na platformę widokową.

– Widzisz w oddali wzgórze z wieżą? – Iwona wskazała ramieniem.

– Domyślam się, że to Wieżyca. Będziemy tam, prawda? – Ewa przeniosła pytający wzrok na męża.

– Za chwilę pojedziemy właśnie w jej kierunku, tylko... o czymś zapomniałem. – Heniek podrapał się po czole. – Możecie mieć tam ze mną kłopot.

– Dlaczego? – zareagowała zdziwieniem Ewa.

---

[5] Na Kółko Raduńskie składa się dwadzieścia pięć zbiorników wodnych, w tym rzeka Radunia. Trasa turystyczna wodniaków wiedzie przez dziesięć jezior i ma długość około 40 km.

[6] Krzyż został postawiony na Złotej Górze w 2000 roku i miał być dla Kaszubów tym, czym dla górali jest krzyż na Giewoncie. W Wielki Piątek roku 2008 został ścięty przez wandala, ale mieszkańcy odbudowali go w maju tego samego roku.

– Niedawno, gdy byłem biznesowo w Abu Zabi, stwierdziłem, że mam nie tylko klaustrofobię, ale także lęk wysokości.

Rozłożył ramiona; Iwona spojrzała na niego badawczo, ale uspokoiła się, dostrzegając jego dyskretny gest dłonią.

– I co z tego wynika? – Ewa zmarszczyła czoło.

– Najlepszy widok na Szwajcarię Kaszubską jest właśnie z najwyższej platformy wieży, a mnie nie uda się wejść tak wysoko... – Henryk zrobił przepraszającą minę – ...to wykluczone. Na pierwszą platformę może bym i dał radę się wdrapać, ale nie chcę wam robić wstydu przed ludźmi.

– Szkoda, że tam nie ma windy... No tak, ale ty i tak się boisz. – Ewa machnęła dłonią. – Chyba jednak można samochodem podjechać pod samą wieżę, co?

– Niestety nie. Od parkingu trzeba się trochę napocić, żeby tam dotrzeć – odparł Henryk zmartwionym głosem. – Ale mam inną propozycję! – rzucił niespodzianie.

Ewa i Iwona spojrzały na niego z zaciekawieniem.

– Po niedzieli możemy zrobić jeszcze jedną wycieczkę, tym razem na Kaszuby Północne: Puck, Hel, Władysławowo i zboczyć na chwilę do Gniewina, gdzie też jest wieża widokowa o wysokości czterdziestu czterech metrów, za to w środku ma windę! – zawołał triumfalnie.

– Ale ty się przecież boisz... – Ewa spojrzała na niego podejrzliwie; Henryk zamrugał.

– Jeśli będziesz mnie trzymała za rękę, to nie będę się bał – przyrzekł, podnosząc dwa palce. – Stamtąd widać morze, statki, pozostałości po budowanej elektrowni atomowej w Żarnowcu, farmę osiemnastu wiatraków i zbiornik elektrowni szczytowo-pompowej – uzupełnił.

Ewa westchnęła i oparła się rękoma o balustradę. Jej wzrok poszybował w stronę leżących u ich stóp jezior, na Wzgórza Szymbarskie, których ozdobą była Wieżyca, i ponownie westchnęła.

– Chciałabym... – zwróciła się do Henryka. – Obiecuję, że jeśli pojedziemy tam, to cały czas będę cię trzymała za rękę. – Pocałowała go w policzek, nieco uchylając szerokie rondo kapelusza. – To odpuśćmy w takim razie wieżę na Wieżycy... – wskazała w jej kierunku – ...zresztą kapelusz by mi przeszkadzał przy wchodzeniu, a suknia bez kapelusza... – Wzruszyła ramionami i zachichotała.

Iwona stanęła tuż obok Ewy i wskazując ręką, zaczęła opowiadać jej o poszczególnych widocznych w dole jeziorach.

Henryk zajął się aparatem fotograficznym; odszedł od kobiet i pstrykał fotki im oraz podziwianej przez nie niepowtarzalnej panoramie.

– Jeśli skończyłyście napawać się widokami, to możemy ruszyć Drogą Kaszubską w dół, żeby obejrzeć najdłuższą deskę świata i dom na głowie, a potem coś zjemy albo przynajmniej czegoś się napijemy – zaproponował, wróciwszy po kilku minutach, i oblizał językiem wyschnięte wargi.

– Daj mi na chwilę aparat, niech i ja was uwiecznię – powiedziała Iwona, wyciągając rękę.

– To teraz już możemy jechać – uznała Ewa, gdy przyjaciółka wykonała kilka zdjęć, i pierwsza ruszyła wolno w kierunku parkingu. – A skąd nazwa tej drogi? – spytała, gdy zasiedli w samochodzie i ruszyli w dół, w stronę jezior, Wieżycy i leżącego u jej stóp Szymbarka.

– Bo jest na Kaszubach i prowadzi przez najbardziej chyba malownicze tereny regionu. – Henryk odwrócił się w stronę żony i mrugnął. – Teraz przejedziemy jedną jej częścią, a kiedy będziemy wracać, poznamy drugą część. Cała Droga Kaszubska liczy nieco ponad trzydzieści kilometrów i przebiega, tak jak tutaj, wzdłuż wielu jezior.

– A ja kiedyś koniecznie chciałam zobaczyć, jak się jedzie drogą wzdłuż Jeziora Genewskiego albo Garda czy Loch Ness. Ależ głupia ja...

– Nie mów tak, Ewka... To były również moje marzenia. – Złapał na moment jej dłoń; ich wzrok się spotkał. – Przeżyliśmy tam piękne chwile – dodał.

Ewa spojrzała na niego z wdzięcznością.

– Chodziło mi o to, że powinnam była zacząć od Kaszub – westchnęła, spoglądając na lustro wody Brodna Wielkiego.

Iwona wertowała przewodnik po Kaszubach, wyczytując co chwila ciekawostki o mijanych wsiach i jeziorach.

– Znajdujemy się w Brodnicy Dolnej, która leży na przesmyku pomiędzy dwoma jeziorami; po lewej wciąż Brodno...

– Wielkie... – wtrąciła z uśmiechem Ewa.

– Tak, a po prawej Jezioro Ostrzyckie. Latem pływa po nim stateczek białej foty „Stolëm"... O! Akurat płynie! – Wskazała palcem.

– Ładnie tutaj... jak gdzieś w Europie... – rzuciła Ewa smętnie. – I po co ja tak kiedyś ganiałam?

– Oj, Ewunia. Tamtych wycieczek, na których byliśmy w pierwszych latach małżeństwa, nie żałuj... – Heniek pogładził ją przelotnie po dłoni.

– Tamtych nie żałuję, tylko tych późniejszych moich wypraw.

– Co zobaczyłaś, tego już nie odzobaczysz – zachichotała Iwona; Ewa odwróciła się, spoglądając na nią pytająco.

– Chodziło mi o to, że zobaczyłaś wiele cudnych rzeczy gdzieś tam... – Iwona wykonała ruch ramieniem – ...a teraz przyszła kolej na naszą Szwajcarię – dodała. – Heniek ma rację, nie żałuj... a teraz podziwiaj. Uwaga, zaraz Ostrzyce...

Wskazała głową na znak drogowy, do którego się zbliżali.

– Przez to jezioro przepływa Radunia, zobacz, ile tutaj jest hotelików, pensjonatów, restauracji, kawiarni. Są też korty tenisowe, pole do minigolfa, park linowy... Coraz więcej ludzi przyjeżdża teraz po latach zastoju. Lepiej im trochę.

– Dużo jest dzieci. To dobrze. – Ewa uśmiechnęła się, spoglądając na liczne rodziny spacerujące albo też zajadające się lodami pod parasolami kawiarenek.

Henryk zwolnił, gdy mijali kąpielisko, molo, pole namiotowe. Oczy Ewy śmiały się.

– Mają tutaj jak w niebie.

– Mówisz, masz – wyszczerzył się Henryk, wskazując na mijany znak drogowy z nazwą miejscowości Niebo.

– Ale super!

– Tutaj jest wiele innych ciekawych nazw. Obserwujcie uważnie.

Po lewej stronie mieli las, a po prawej błyskające w słońcu turkusowe wody jeziora. Urokliwą zatokę, po której sunęło kilka jachtów z łopoczącymi żaglami, łodzie wiosłowe, rowery wodne, kajaki. Kobiety zapatrzyły się na nie.

Ewa westchnęła.

Henryk zwrócił na chwilę oczy w jej stronę.

– Czy może...?

Ewa nie dała mu dokończyć pytania. Pokręciła głową.

– Pomyślałam, że tutaj chyba cudownie pachnie... – Wskazała dłonią las; Henryk zwolnił i opuścił do końca szyby.

Ciepłe leśne powietrze, pachnące szyszkami i igliwiem, wpadło do wnętrza. Ewa rozjaśniła się.

– Tak to sobie wyobrażałam. Może byśmy zatrzymali się gdzieś w lesie? – Spojrzała pytająco na męża.

– Iwonko, ty znasz lepiej te miejsca, gdzie byś zaproponowała?

– Będziemy niedługo w pobliżu wieży widokowej na Wieżycy. Może na chwilę staniemy na parkingu i przejdziemy się spacerkiem do lasu? Co wy na to?

– Dobry pomysł – ucieszyła się Ewa. – Czy moglibyśmy stamtąd pojechać gdzieś na małą kawę?

– Wytrzymasz jeszcze pół godziny?

– No jasne!

– Zrobimy sobie przerwę w Szymbarku, nabierzemy sił, a potem chwilę pozwiedzamy tamtejsze cuda.

– Kolano...? Fajna nazwa miejscowości – zaśmiała się Ewa, wskazując drogowskaz.

Mijali ładnie utrzymane domostwa, pensjonaciki, pokonując liczne zakręty uroczej kaszubskiej szosy.

– O! – zawołała po kilku chwilach Ewa. – A teraz jesteśmy w Piekle! – Wskazała znak z nazwą miejscowości.

– Mówiłem? – Henryk zarżał, wywołując śmiech obu kobiet. – Dobrze, że to piekło jest niewielkie i przyjazne – zażartował. – Teraz będzie trochę jak na Podhalu.

Rzeczywiście, kręta droga zaczęła się piąć coraz bardziej w górę, pojawiły się wyższe drzewa.

– Myślałam, że tutaj też będą rosły sosny, a tu niespodzianka... – Ewa wskazała na liściaste drzewa porastające górę.

– To jest las bukowy. Najstarsze drzewa mają nawet po sto siedemdziesiąt lat. – Iwona zamknęła przewodnik, w którym wyszukiwała od czasu do czasu ciekawostki. – Pierwszą wieżę widokową na szczycie Wieżycy wybudowali jeszcze Prusacy, w końcu dziewiętnastego wieku. Była z polnych kamieni. Potem stanęła tutaj w sześćdziesiątym siódmym roku poprzedniego wieku wieża przeciwpożarowa, ale runęła podczas wichury na początku lat dziewięćdziesiątych. Obecna wieża została zbudowana dwadzieścia lat temu, w dziewięćdziesiątym siódmym roku.

Po kilku minutach jazdy drogą podobną do górskiej serpentyny zatrzymali się na parkingu; stał tam autobus i kilka samochodów.

– Przeczytałam w międzyczasie, że jest tutaj ciekawa ścieżka edukacyjna, więc proponuję przejść się nią chociaż kawałek – rzuciła Iwona. – Są tam miejsca, gdzie można na chwilę przycupnąć – dodała; Ewa spojrzała na nią z wdzięcznością. – Myślę, że tam się zaczyna.

Wskazała sporej wielkości tablicę stojącą niedaleko wśród drzew.

Nieco ponad pół godziny podziwiania cudów kaszubskiej przyrody minęło szybko. Ewa dopytywała o rośliny, o których czytała na kolejnych tablicach, a Iwona starała się znaleźć coś o nich albo w pamięci, albo w przewodniku, korzystała też momentami z internetu w komórce.

– Fajnie tu w cieniu, ale szkoda, że nie ma zapachu szyszek sosnowych i igliwia. Uwielbiam go... – Ewa rozglądała się z dezaprobatą po wysokich koronach buków.

– Chyba starczy już tego spaceru; jedźmy dalej – poprosiła.

– Nie wiem jak wy, ale ja mam już ochotę na kawę. – Henryk przeciągnął się rozkosznie.

Za kilka minut byli już w lokalu w Szymbarku.

– Jakby co można tu nawet zjeść coś obiadowo... – rzucił po wejściu do lokalu o ładnym regionalnym wystroju.

Wybrali stolik przy oknie z widokiem na lasy i Wieżycę.

– Jest dopiero wpół do dwunastej... O tej porze nie potrafiłabym chyba zjeść nic obiadowego, ale ciasto jak najbardziej – rzuciła Ewa, spojrzawszy na stojący w rogu sali zegar.

– Może być szarlotka? – Iwona podniosła oczy znad menu.

– Tak, właśnie coś takiego swojskiego, bez kremu... i kawa latte. – Ewa zatrzepotała pociesznie rzęsami.

– A ty co, bo ja tak samo? – Iwona spojrzała na Henryka.

– Jak wszyscy zamawiają szarlotkę i latte, to i babcia też. – Wykrzywił się komicznie. – Tylko nie rozpędzaj się... – popatrzył na Iwonę, która zdziwiła się nieco po jego słowach – ...możesz tylko zamawiać, a płacę ja! – uzupełnił i zachichotał.

Po chwili przy ich stoliku pojawiła się kelnerka w regionalnym stroju i z miłym uśmiechem przyjęła zamówienie; odchodząc, ładnie kołysała niebieską spódnicą. Cała trójka odprowadziła ją wzrokiem.

– Możesz tylko zamawiać, a płacę ja – niespodzianie odezwała się Ewa i spoglądając na Iwonę, wskazała na męża. – Tak mi zawsze mówił, od kiedy się poznaliśmy.

Gdyby nie on, tobym spędziła jeszcze wiele lat w chatynce rodziców na „Pekinie"[7].

Po tych słowach spojrzała z niespotykaną od dawna czułością na męża; Iwona przenosiła wzrok z jednego na drugie i uśmiechała się, czując ciepło w sercu.

Niespodziewający się takich słów Henryk zaniemówił i spoważniał. Po chwili nachylił się do dłoni Ewy i ucałował.

– Czy wiesz, że on nazywał miejsce, gdzie mieszkaliśmy, Leszczynową Górką? – Ewa zwróciła się po chwili do Iwony.

– Ale ślicznie... – Iwona przewróciła oczami. – Są Leszczynki i jest górka... Mój dziadek, jak przyjechał do Gdyni w tysiąc dziewięćset dwudziestym siódmym, też mieszkał na „Pekinie" chyba ze dwa lata.

– Nie mówiłaś mi tego nigdy! – Ewa była prawdziwie zaskoczona.

– Nie było okazji. – Iwona rozłożyła dłonie. – Od dziadka słyszałam, że prawdziwi budowniczowie Gdyni tak właśnie, w większości, na początku swojego pobytu w mieście mieszkali. Na ówczesnych bieda-osiedlach: „Pekinie", „Budapeszcie", „Meksyku", „Starej Warszawie" czy „Drewnianej Warszawie", ciągle przybywało mieszkańców, więc konstruowanie domów z niczego, takich jakby na chwilę, trwało nieustannie. Większość z nich doczekała jednak późnych lat po drugiej wojnie. I jeszcze dzisiaj można resztki takiego budownictwa spotkać... Projektanci portu i miasta przyjeżdżali

[7] „Pekin", dzielnica Gdyni, powstała w latach dwudziestych XX wieku z prowizorycznie skonstruowanych baraków, jak brazylijskie fawele czy afrykańskie slumsy, na styku Leszczynek i Grabówka. Osiedlali się w nich ludzie masowo napływający do miasta z różnych części Polski. Dzisiaj jest to Wzgórze Orlicz-Dreszera, z coraz ładniejszą, nowoczesną zabudową.

z Warszawy oraz innych dużych miast Polski, i stać ich było, żeby wynajmować czy kupować mieszkania w budujących się domach w centrum, ale reszta koczowała początkowo na peryferiach. To jest historia tego miasta, moim zdaniem i piękna, i romantyczna – zakończyła z emfazą Iwona.

Kobiety spoglądały po sobie. Twarz Ewy coraz bardziej rozjaśniała się uśmiechem.

– Czy to dlatego, że mieszkałaś... tam... – Iwona wykonała ramieniem ruch w nieokreślonym kierunku – ...nie chciałaś mnie nigdy zaprosić do siebie ani przychodzić do mnie, poza tym jednym razem? – spytała wreszcie, chwytając dłoń Ewy.

– Tak... wstydziłam się tej zasyfionej drogi do naszego domku, mojego skromnego stolika we wspólnym pokoju. Ty miałaś taki cudny pokoik. Tylko dla siebie... – Ewa przymknęła oczy.

Iwona pokręciła głową; w milczeniu spoglądały po sobie.

– Twój tata przecież poważnie rozbudował wasz przedwojenny domek postawiony przez dziadka, opowiadał mi o tym sporo. – Henryk położył rękę na dłoni żony. – Ciągle w nim coś ulepszał, starał się wam dogodzić. Kiedyś chciałem dać mu trochę pieniędzy, bo marzył o pokryciu domu blachodachówką, sądził, że tam w przyszłości zamieszka, jak się ożeni, twój brat. – Patrzyli sobie z Ewą w oczy. – Zdecydowanie odmówił. Był bardzo dumny, za co go zawsze podziwiałem. Na pożyczkę też się nie zgodził, mówiąc mi, że nie będzie miał z czego oddać. Mimo wszystko liczyłem na to, że jakoś go wreszcie przekonam, ale zdarzył się ten wylew...

– Nie mówiłeś mi nigdy... – Ewie oczy rozszerzyły się ze zdziwienia.

– Zawsze o takich sprawach rozmawialiśmy w tajemnicy przed tobą i mamą.

Ewa odwróciła głowę w kierunku okna i widocznej przez nie Wieżycy. Zamyśliła się.

– Mama po pogrzebie wypomniała mi, że jego zdrowie zaczęło się pogarszać już wcześniej, kiedy zaczął brać dodatkową pracę, żebym tylko mogła studiować – powiedziała po chwili cicho; jej broda zadrżała, a w oczach pojawiły się łzy. – Wykrzyczała mi także, że spełniał wszystkie moje zachcianki. Ale sama wcale nie była święta... Kiedy brat wrócił z wojska w rok po pogrzebie taty, miała już nowego mężczyznę, a potem wyjechała z nim do Niemiec. Nawet nie chciała się ze mną pożegnać... Brat został w naszym domku, ożenił się, czasami dawałam mu trochę pieniędzy... – Spojrzała przepraszająco na Henryka.

– Trzeba mi było powiedzieć. Zamierzam spotkać się z Januszem w najbliższych dniach...

– Dziękuję, ale uważaj, on jest coraz bardziej podobny do taty. – Ewa pogładziła męża po dłoni.

Iwona przysłuchiwała się wymianie zdań pomiędzy Ewą i Heńkiem, dochodząc do wniosku, że zupełnie ich dotąd nie znała. Potrafili ze sobą rozmawiać ładnie i czule, tyle tylko, że gdzieś, kiedyś zgubili do tych rozmów klucz.

– Dawno temu, po obejrzeniu jakiegoś filmu, rozmawiałam z tatą o układach rodzice–dzieci – zaczęła Iwona po krótkim namyśle. – Ja siliłam się na skomplikowane teorie, on natomiast opowiedział mi historię z własnego życia. Jego mama, znaczy moja babcia, uważała, że rolą rodziców jest zapewnić dzieciom możliwie najlepszy start, a potem mieć nadzieję, że dzieci się odwdzięczą. Po prostu. Powiedziała im o tym rok przed wojną, kiedy najstarszy brat skończył osiemnaście lat. A przecież to była kobieta bez szkół, biedna, lecz zaradna. Przyjechała do Gdyni z trójką dzieci sama, bo mąż wyjechał gdzieś za pracą i nie wrócił. Harowała jak wół, żeby oni mogli się uczyć. Żadna praca nie była jej straszna. Kiedy on i jego siostra założyli swoje rodziny, pomagali jej, jak tylko mogli. Matka przecież nie miała żadnej emerytury czy renty. Siostra urodziła dwie córki, ale zaraz po wojnie owdowiała. Wróciła do matki, a potem pływała na „Batorym" jako stewardesa. Tato bywał u matki, kiedy tylko mógł, wspomagał ją w wychowywaniu dziewczynek siostry. Potem one wyszły za mąż. Dopiero wówczas tato zaczął pływać w „Dalmorze", bo uznał, że trzeba pomyśleć o przyszłości. On i siostra byli więcej dni w roku na morzu niż w Gdyni. Gdy babcia dostała wylewu, tato zrezygnował z intratnego rejsu trawlerem przetwórnią na łowisko do Peru; siostra nie popłynęła chyba ze dwa rejsy „Batorym". Decyzje podjęli natychmiast. Potem czuwali razem przy jej łóżku do ostatniej chwili. I tato wciąż nie był pewny, czy wystarczająco jej się odwdzięczył, odpłacił, choć podjęta przez niego decyzja o rezygnacji z rejsu oznaczała utratę półrocznego zarobku.

Zapadła cisza. Henryk pokręcił głową, rozłożył ręce, które po chwili bezwładnie opadły na stół ze stukotem.

– Obiecałyście, że nie będziecie dzisiaj już nic mówiły na smutno. Proszę was jeszcze raz o to – powiedział cicho i złożył dłonie.

– Chyba tej obietnicy nie dam rady dotrzymać... – Ewa pokręciła głową. – Czuję, że coraz lepiej potrafię mówić spokojnie o wielu sprawach z mojego życia. Obiecuję za to mocniej się pilnować, żeby już nie płakać, bo mam wreszcie przyjaciółkę, która chce mnie wysłuchać... – spojrzała na Iwonę, a po chwili przeniosła wzrok na Henryka –

i... przyjaciela. – Henryk z wrażenia przymknął oczy. – Nie macie więc wyjścia, musicie mnie wysłuchiwać, bo to jest taka moja spowiedź na raty.

Na jej twarzy pojawił się nieoczekiwanie delikatny uśmiech. Położyła swoje wychudłe ręce na ich dłoniach.

Kelnerka w regionalnym stroju zatrzymała się obok ich stolika z tacą. Dosłyszała ostatnie słowa i nie wiedziała, jak się zachować. Pierwsza zreflektowała się Iwona. Spojrzała na nią i mrugnęła.

– Opowiadałam przyjaciołom film o wywoływaniu duchów... i musiałam im zaprezentować, jak to wyglądało. Gdyby było ciemno i paliły się tutaj świece, to kto wie, czy stół by się nie poruszył.

Oczy kelnerki stały się wielkie jak talerze. Postawiła tacę na stole i szybkim krokiem odeszła.

– Ale ty jesteś modelka! – Ewa otwarła szeroko oczy, jednak po chwili szeroko się uśmiechnęła.

– Skąd ci się to wzięło? – Henryk starał się cicho zaśmiać, ale wyszedł z tego jak zawsze głośny rechot; Iwona i Ewa roześmiały się również w głos.

Kelnerka szeptała coś do koleżanki stojącej za kontuarem; obie przyglądały im się podejrzliwie.

– Przeproszę potem kelnerkę i dam jej dobry napiwek – wyszeptał Henryk.

Po niecałej godzinie wchodzili już na teren CEPR[8]. Przywitała ich statua Świętowita Kaszubskiego, potem obejrzeli „dom do góry nogami", najdłuższą deskę świata, replikę dworu z miejscowości Salino, chatę kaszubską przeniesioną tutaj z Wilanowa, z okolic Przodkowa. Ewa szybko się męczyła, trzeba było co jakiś czas

[8] CEPR – Centrum Edukacji i Promocji Regionu (Kaszub) w Szymbarku.

odpoczywać. Heniek i Iwona wymieniali między sobą porozumiewawcze spojrzenia.

– Wiesz, Ewuniu, chyba już zobaczyliśmy to, co najbardziej warte tutaj obejrzenia, a ponieważ na dzisiaj mamy jeszcze w planie wiele miejsc, to będziemy się powoli stąd ewakuować – odważył się wreszcie powiedzieć Henryk po którymś odpoczynku.

– Masz rację – dodała Iwona. – Zresztą powoli robię się głodna.

– A gdzie zaplanowałeś obiad? – Ewa zwróciła się do męża, rozmasowując nieznacznie nogi, ale po wyrazie jej twarzy widać było, że sporo wysiłku kosztuje ją chodzenie.

– Myślałem o Wdzydzach... – rzucił okiem do notatnika – ale w rezerwie mam Chmielno i tak właśnie zrobimy. Mamy czternastą dziesięć... – spojrzał na zegarek – ...dzień nie jest z gumy, więc teraz zrobimy wolny objazd przez inną część Kaszub, żeby na obiad zajechać kilkanaście minut po piętnastej. Zadzwonię tylko do knajpki...

Odszedł na bok, a Iwona z Ewą zaczęły zajmować miejsca w samochodzie.

Po chwili był z powrotem i uśmiechał się od ucha do ucha.

– Udało się! Na obiad będzie szczupaczek, około dwunastej odebrali od rybaka, dzisiaj rano złowiony.

Ewa klasnęła w dłonie.

– Jak rozmawialiście o tym, gdzie możemy pojechać, ja sobie głośno o tym pomyślałam. Usłyszałeś?

– Mam niezły słuch... Będzie coś jeszcze, ale to już niespodzianka. – Zaciągnął wirtualny ekler na ustach. – Nie, nie zdradzę. – Pokręcił głową, widząc wzrok Ewy; ta machnęła dłonią, ale uśmiechnęła się. – Dawaj znać,

Iwonko, kiedy zwolnić, i staraj się powiedzieć nam coś o tych cudach, które będziemy mijali.

– Dobrze, tylko mów z wyprzedzeniem, jakie będą miejscowości – odparła.

– To jeszcze dajcie mi kilka chwil, żebym wpisał trasę do nawigacji.

Po kilku minutach ruszył i zaraz padła z jego ust pierwsza nazwa.

– Gołubie... – Zerknął do tyłu na Iwonę, a potem na siedzącą obok Ewę.

Iwona przewracała kartki przewodnika.

– Mam... To wieś letniskowa, jak większość tych wokół. – Wykonała ruch ramieniem. – Leży nad Jeziorem Dąbrowskim, blisko jest Jezioro Patulskie na szlaku Kółka Raduńskiego. Hmm... – przewróciła kartkę – ... upodobali sobie tę wieś harcerze, ale najciekawszą rzeczą w Gołubiu jest prywatny ogród botaniczny, założony już w trzydziestym piątym roku[9].

Jechali wolno przez wieś. Henryk zwolnił. Dojeżdżając do kościoła, pokazał w prawo.

– Tablica informuje, że tam prowadzi do niego droga.

– Też zauważyłam – uśmiechnęła się Ewa.

– Teraz będzie droga przez las – poinformował Henryk. – Przed nami Stężyca – rzucił w kierunku Iwony.

Iwona szybko przewracała kartki.

– To stara wieś, bo już w piętnastym wieku wiele znaczyła. W zasadzie składała się z dwóch wsi: Stężycy Szlacheckiej i Stężycy Królewskiej, których granicę stanowiła rzeka Radunia. Są tu dwa jeziora: Stężyckie i Raduńskie Górne, oba wchodzące w skład Kółka

[9] Ogród Botaniczny w Gołubiu może pochwalić się kolekcją roślin liczącą ok. 3500 gatunków i odmian, w tym 140 gatunków prawnie chronionych.

Raduńskiego. Z zabytków najciekawsze są dwa kościoły: parafialny pod wezwaniem Świętej Katarzyny Aleksandryjskiej i kościół ewangelicki z dziewiętnastego wieku. Sama parafia pochodzi z trzynastego wieku, obecny kościół, z czerwonej cegły, został zbudowany na początku osiemnastego wieku, ale wcześniej stały w tym samym miejscu trzy drewniane kościoły.

– Ale mi dobrze... – westchnęła Ewa. – Oboje przygotowujecie mnie na to, co za chwilę zobaczę, a ja to sobie wyobrażam i... czekam. – Spojrzała na Henryka, a potem przeniosła wzrok na Iwonę.

– Sama jestem ciekawa, jak Stężyca wygląda. Czasami o niej słyszałam w Radiu Plus, które Zygmunt włączał, kiedy razem jechaliśmy... – Iwona machnęła ręką i wzruszyła ramionami. – Mam to już za sobą – dodała i odwróciła się do okna.

Henryk spojrzał na nią w lusterku wstecznym i zerknął pytająco na Ewę, która także lekko machnęła dłonią; widząc to, zmarszczył brwi.

– Ładny las – rzucił, żeby tylko coś powiedzieć.

– Ładny – potwierdziła Ewa.

– A oto i Stężyca – odezwała się z tylnego siedzenia Iwona. – Zwolnij, Heniek! Tam po prawej stronie to jest chyba ten dawny ewangelicki kościół, ale teren wokół niego i on sam wyglądają na zaniedbane.

– Dlaczego? – Ewa opuściła szybę; Henryk zahamował.

– Można tylko dywagować... Pewnie nie ma tu teraz ewangelików, odeszli wraz z przyjściem do Stężycy Polski, a pozostałym mieszkańcom brak jakoś serca, żeby zadbać o ten kościół jak o zabytek. Jestem tym poniekąd rozczarowana – zakończyła Iwona.

– Czyli z tutejszymi ewangelikami stało się tak samo, jak z tymi z Kartuz, czy tak? – dopytała ją Ewa.

– Raczej tak, ich niegdysiejszy kościół na rynku w Kartuzach został przejęty przez parafię katolicką, ale tutaj katolicy mieli swoją zasłużoną i zabytkową świątynię, więc tamtego kościoła nie potrzebowali już anektować. Tak czy owak, nie pochwalam tego, że nie dba się o to miejsce. Możesz jechać dalej. – Klepnęła Henryka lekko w ramię.

Wkrótce zaparkowali pod kościołem Świętej Katarzyny.

– Ładny – rzuciła Ewa, otwierając drzwi samochodu.

– Ładny, ale niestety zamknięty. – Henryk wskazał na podobnych jak oni turystów, którym nie udało się otworzyć drzwi kościoła.

– Trudno, jedźmy dalej – zdecydowała Iwona.

Po chwili jechali szosą, mając z jednej strony pola dojrzewających zbóż, a z drugiej – ziemniaków.

– Przed nami Klukowa Huta – oznajmił Henryk.

Iwona schwyciła przewodnik; Ewa odwróciła się w jej kierunku, jakby nie mogła doczekać się informacji o tej miejscowości.

– Włączyłem znowu płytę, bo poprzednio tak się dobrze bawiłyście. Za cicho? – Henryk omiótł wzrokiem kobiety.

Z głośników doszedł śpiew Whitney Houston, Iwona i Ewa spojrzały po sobie. To była piosenka *I Will Always Love You*.

– Może byś przełączył na coś innego. – Pierwsza zreflektowała się Iwona.

– Dlaczego? – Heniek spojrzał w tylne lusterko.

– Nie, zostaw, proszę. – Ewa położyła rękę na dłoni Henryka spoczywającej na kierownicy. – Jej słowa są bardzo prawdziwe, choć moje odejście nie będzie takie zwykłe.

Zamilkli. W milczeniu wsłuchiwali się w tekst piosenki. Ewa przymknęła oczy i w pewnym momencie na bieżąco zaczęła tłumaczyć słowa, które wyśpiewywała Whitney:

Gorzko-słodkie wspomnienia
To wszystko, co wezmę z sobą,
Więc do widzenia, proszę, nie płacz,
Oboje wiemy, że nie jestem tym, czego ci trzeba.

A ja zawsze będę cię kochać,
Zawsze będę cię kochać.

Mam nadzieję, że życie dobrze cię wynagrodzi
I mam nadzieję, że dostaniesz wszystko, o czym marzyłeś
Życzę ci zabawy i szczęścia,
Ale przede wszystkim życzę ci miłości[10].

Henryk wyłączył odtwarzacz i zatrzymał samochód. Ukrył twarz w dłoniach. Ewa zwróciła się w jego stronę i oparła mu głowę na ramieniu.

– Pierwszy raz słuchałam tych słów ze zrozumieniem – powiedziała cicho. – One są takie prawdziwe.

– To wszystko moja wina – zaszlochał Henryk, uderzając pięścią w kierownicę.

Teraz Iwona zakryła twarz dłońmi. Do głowy by jej nie przyszło, że słowa piosenki mogą aż tak poruszyć, wywołać takie emocje. Nie wiedziała zupełnie, jak zareagować.

---

[10] Tłumaczenie za: www.tekstowo.pl/piosenka, whitney_houston, i_will_always _love_you.html

– Nie sprzeczajmy się, kto jest bardziej winien. – Usłyszała ciche, ale spokojnym tonem wypowiedziane słowa Ewy; opuściła dłonie i spojrzała na nich.

Henryk uspokajał się. Objął Ewę ramieniem.

– Nie jest łatwo być twardym – powiedział cicho.

– Wiem coś o tym… ale damy radę – odparła mu Ewa.

– Tak się cieszę, że oboje jesteście ze mną. – Usiadła wygodniej na siedzeniu i spojrzała kolejno na męża i przyjaciółkę. – Coś muszę ze sobą zrobić, żebyście ze mną nie oszaleli – uśmiechnęła się blado; Henryk i Ewa spojrzeli po sobie. – Już wiem… – podniosła dłoń na wysokość głowy i przekręciła niewidzialny przełącznik – …już nie będę używać tego kanału z tłumaczeniami, ale muzykę, Heniu, włącz. – Mrugnęła. – Ten film był piękny… pamiętacie? Spłakałam się na nim. Wiele babek płakało w kinie. A Kevin Costner był boski! – zawołała i przewróciła oczami. – No, ruszajmy, bo zgłodniałam.

Henryk patrzył na nią zdezorientowanym wzrokiem.

– Naprawdę chce mi się jeść. – Poklepała go lekko po ramieniu. – Uwierz mi. Ruszaj, Heniu!

Henryk potrząsnął głową, przekręcił kluczyk, samochód ruszył.

– To będzie wreszcie coś o Klukowej Hucie? Bo tamte zabudowania to już chyba ta wieś, prawda? – Ewa spojrzała na Iwonę.

– Tak… tak… – Iwona zaczęła nerwowo przerzucać kartki przewodnika. – Hmm… jeszcze tego nie napisali tutaj, ale powiem wam, co kiedyś się tu znajdzie. – Popukała wyprostowanym palcem po książce i mrugnęła. – Przez miejscowość tę często przejeżdżała od początku lat osiemdziesiątych dwudziestego wieku do… potem ustali się odpowiednią datę… – zawiesiła głos i znowu mrugnęła –

...Iwona taka a taka z rodzicami i synem Patrykiem, na działkę letniskową nad jezioro Mausz – zachichotała.

– Dopisz tam, że ja tędy też raz jechałam – pisnęła Ewa i zrobiła minę.

– Pod jednym warunkiem! – Iwona podniosła palec w górę.

– Wchodzę w to w ciemno – zachichotała Ewa.

– Że zgodzisz się pojechać ze mną w niedzielę nad Mausz, do moich rodziców... Oczywiście, pojedziecie obydwoje! – dodała, widząc spojrzenie Henryka w lusterku wstecznym. – Rozmawiałam z nimi i rodzice bardzo chcą was zobaczyć i ugościć. Mama od dawna tego chciała, ale nigdy się nie składało... – Rozłożyła dłonie.

Wzrok Iwony i Ewy spotkał się; patrzyły na siebie, nie spuszczając oczu.

– To pojedziemy, Heńku, nad Mausz? – Ewa przechyliła się i zajrzała mężowi w oczy.

– A to stąd daleko? – Zerknął na Iwonę.

– Od najbliższego skrzyżowania... – wskazała przed siebie palcem – ...do nas jedzie się w lewo. To tylko jakieś dwadzieścia kilometrów. Wybierzemy się na spacer po jeziorze, posiedzimy wieczorem przy ognisku, pośpiewamy, przenocujecie, a wrócimy do Gdyni w poniedziałek wieczorem, może tak być? – spytała, patrząc kolejno na oboje.

Ewa przyłożyła dłonie do policzków.

– Bardzo bym chciała...

– Ale będziemy robić rodzicom problemy...? – Henryk podrapał się po głowie.

– Jakie problemy! Oni z przyjemnością prześpią się na tarasie – zachichotała Iwona.

– Żartujesz! – Ewa zrobiła oczy.
– To mam im przekazać, że przyjedziemy?
– Ale poczekaj, rodzice, na tarasie...? – Henryk znowu podrapał się po głowie.
– To ty nie wiedziałeś, że oni tam mają dwa domki? – Ewa spojrzała na męża.
– Nie jest to może apartament jak na Costa del Sol, ale nie będzie problemu – uśmiechnęła się Iwona i machnęła ręką.
– A byłaś tam, na Costa?
– Nie, ale raz już chciałam. – Iwona zachichotała, a po chwili Ewa przyłączyła się do niej. – Na noc dostaniecie wiaderko... – zapowiedziała, śmiejąc się.
– Wiaderko? A po co?
– A jak się zechce siusiu, to co? Bo grubsze sprawy trzeba załatwić przed spaniem... – Iwona pogroziła palcem.
– Ja tak mam – zarżała Ewa.
– Ależ wy jesteście modelki... – Henryk potrząsnął głową.
– Nic, co ludzkie... – zaczęła Iwona – ...nie jest nam obce! – dokończyły chórem z Ewą, zaśmiewając się do łez.
Henryk pomachał dłonią koło oczu.
– Ale fajnie... Zaraz będzie Borucino... – spojrzał w tylne lusterko – ...a tam co jest ciekawego?
– Tam byłyśmy kiedyś z Ewką podczas studiów, na zajęciach z hydrologii.
– Poważnie? W Borucinie? Nie pamiętam. – Ewa wydęła usta.
– Przypomnisz sobie... Heniek zwolni koło stacji limnologicznej.
Jakoż za kilka minut na prośbę Iwony Heniek przyhamował samochód. Toczyli się wolniutko, aż ich oczom

ukazał się piętrowy budynek stacji Uniwersytetu Gdańskiego.

Obie wodziły po nim wzrokiem.

– Teraz sobie przypominam – uśmiechnięta Ewa pokiwała głową. – Niewiele się tutaj zmieniło. Wieczorem było ognisko, a potem doktor pozwolił na małą dyskotekę.

– A naukowo co pamiętasz? – Iwona dotknęła głowy.

– Mierzyliśmy temperaturę wody... i coś tam jeszcze. – Ewa wzruszyła ramionami. – To było chyba na drugim albo trzecim roku studiów, a wtedy jeszcze traktowałam studia zabawowo. Zakuć, zaliczyć i zapomnieć, ale i tak myślałam głównie o zabawieniu się. Przecież w tamtym czasie naprawdę rzadko zdarzało mi się opuścić moją Leszczynową Górkę – westchnęła.

– A ja wtedy wypadłam z szalupy do wody. Chłopakom się spodobało, bo nie miałam stanika – zachichotała Iwona.

– Aa, to dlatego mówili o tobie miss mokrego podkoszulka i chcieli zrobić przy ognisku konkurs dla wszystkich dziewczyn. Niektóre nawet ukradkiem zdjęły już staniczki... ja też! – Ewa roześmiała się w głos.

– To prawda, ale ja przecież byłam panienką z dobrego domu i stało mi się to przypadkiem. – Iwona usiadła sztywno, złożyła buzię w ciup, a ręce w małdrzyk[11].

– Wy naprawdę jesteście modelki! – Henryk zarechotał.

– Przesmyk, po którym jedziemy, leżący pomiędzy tymi jeziorami: Raduńskim Górnym i Raduńskim Dolnym... – Iwona wskazała raz w prawo, raz w lewo –

[11] Staropolskie powiedzenie, które Henryk Sienkiewicz umieścił w *Panu Wołodyjowskim*, gdy Basia Jeziorkowska przyjęła pozór grzecznej panienki, siadając skromnie na stołku, po tym jak przypadkowo zobaczył ją młody pan Nowowiejski zeskakującą z drabiny.

...zwany jest Bramą Kaszubską. Stanowi ona zakończenie leśnego wąwozu ciągnącego się od samych Kartuz.

– Ładna nazwa. Wiecie...? Dopiero teraz przestaję się dziwić, że ta część Kaszub nazywana jest Szwajcarią Kaszubską – powiedział Henryk, zerkając na Iwonę w lusterku wstecznym.

– Poczekaj jeszcze, aż ruszymy za Ręboszewem w kierunku Chmielna. – Iwona podniosła palec. – Tam też się napatrzycie. Zaraz mamy Brodnicę Górną... – Uniosła przewodnik do oczu i przebiegła wzrokiem po tekście. – Czegoś i ja się teraz dowiedziałam. – Wtuliła głowę w ramiona, robiąc przy tym zdziwioną minę. – To jest stara wioska rycerska, a potem szlachecka, która przez kilka wieków stanowiła własność dwóch znanych kaszubskich rodów: Lniskich i Ustarbowskich[12].

– Znajdziesz coś o tych rodach, kiedy już będziemy w domu? – spytała Ewa i na moment zwróciła się w stronę Iwony; ta skinęła głową. – Widzę po minie, że zdziwiła cię ta prośba... Ale moja rodzina mieszka w Gdyni już od dwudziestego ósmego roku, więc czuję się prawie Kaszubką.

– No tak... nie pomyślałam.

Henryk przejechał wolno przez wieś, a za kilka chwil znaleźli się już na Złotej Górze.

– To stąd patrzyłam dzisiaj pierwszy raz na Kaszuby... – Twarz Ewy rozjaśniła się uśmiechem.

– Tutaj, na Złotej Górze, odbywa się doroczny festyn zwany „Truskawkobraniem", na który zjeżdża się zewsząd nawet ponad czterdzieści tysięcy uczestników.

---

[12] Za https://wikipedia.org/wiki/Brodnica_Gorna

Rano zapomniałam wam o tym powiedzieć – zaczęła Iwona. – Parking, wszystkie drogi dojazdowe, pobliskie łąki wypełnione są samochodami, autobusami, no i tłumem ludzi. – Pokazywała na łąki po obu stronach szosy. – Pełno jest tu wówczas najróżniejszych straganów; do kupienia są różne odmiany truskawek, bo to w zasadzie kończy kaszubski sezon truskawkowy, stąd ta nazwa festynu. Można kupić także różne potrzebne i niepotrzebne sprzęty, gadżety i pamiątki, dobrze zjeść, a w amfiteatrze... – wskazała w kierunku mijanego akurat pomnika – ...obejrzeć wiele występów artystów z regionu, a czasami nawet gwiazd krajowych.

Gdy minęli pomnik, Ewa odwróciła się i pomachała dłonią.

– Przecież w niedzielę znowu będziemy tutaj! – zauważyła Iwona, robiąc minę.

– Zapomniałam... – Ewa uśmiechnęła się.

– Zaraz Ręboszewo i zjeżdżamy w lewo – zakomunikował Henryk.

Gdy we wsi skręcili za mostkiem w kierunku na Chmielno, Iwona wskazała na wzgórze wznoszące się po prawej stronie szosy.

– To jest Góra Sobótka, a na jej stoku stoi zajazd, który nazywa się Modra Sobótka[13]. Klimatyczna restauracja z pyszną, co ja tam mówię, z doskonałą kuchnią. Jedząc, można spoglądać na jezioro.

– To dlaczego nie jemy tutaj obiadu? – spytała Ewa, rzucając spojrzenie na męża.

---

[13] Restauracja w zajeździe Modra Sobótka, została uhonorowana nagrodą „Perła Kaszub 2017" oraz uznana za najlepszą restaurację regionalną roku 2017 w województwie pomorskim.

– Tak właśnie planowałem, ale dzisiaj po południu mają jakąś zamkniętą imprezę, więc wybraliśmy wspólnie z Iwonką Chmielno. Zobaczysz, nie będziesz zawiedziona.

Jechali wzdłuż jeziora; Iwona znowu wskazała na prawo.

– Z wiatraka, który stoi na szczycie Sobótki, jest cudny widok na jezioro, które nazywa się Wielkie Brodno.

– Tutaj jest co najmniej tak ładnie, jak przy trasie na Wieżycę – zachwyciła się Ewa.

– Bo to jest ta druga część Drogi Kaszubskiej, o której poprzednio mówiłam.

Ewa i Henryk podziwiali krajobrazy, a Iwona od czasu do czasu rzucała nazwę kolejnego jeziora albo miejscowości. Co chwila któreś z nich wzdychało z podziwu. Nawet się nie obejrzeli, kiedy przed oczami wyrosła tablica z nazwą Chmielno.

Checz u Kaszebe, którą Iwona z Henrykiem wybrali na zjedzenie obiadu, okazała się kaszubską chatą o szachulcowej elewacji, ze stylizowanym dachem pokrytym strzechą. Wewnątrz grube belki stropowe, ściany także o konstrukcji szachulcowej, miejscami wypełnione ceglanym murem, stoły wykonane z grubych bali i takież ławy. Siedzieli przy oknie, zajadając się świeżym szczupakiem i podziwiając jezioro. Po obiedzie wypili jeszcze po małej kawie i byli gotowi do dalszej podróży. Wówczas przy stoliku pojawiła się nieoczekiwanie kelnerka, przynosząc jakieś zawiniątko.

– A cóż to takiego? – Henryk podniósł na nią oczy.

– Zamawiał pan coś telefonicznie, nieprawdaż?

– Och, zupełnie zapomniałem!

– Od tego my jesteśmy tutaj, żeby o takich sprawach pamiętać. Zapłacił już pan w rachunku za obiad – dodała, widząc, że wyciąga portfel, dygnęła i odpłynęła na zaplecze.

– A cóż to takiego? – powtórzyła Ewa, wpatrując się w leżące na stole zawiniątko.

– Wędzona sielawa. Palce lizać.

– Nad Mauszem też można kupić... – Iwona przewróciła oczami.

– Nigdy jeszcze nie jadłam. – Ewa sięgnęła po zawiniątko i uchyliła nieco pergamin, w który zawinięte były ryby. – Ależ zapach...

Po chwili oglądali znowu z samochodu piękny pejzaż wokół Jeziora Białego. Potem po przejechaniu kilku kilometrów szosą w kierunku Kartuz Henryk nieoczekiwanie skręcił w prawo, zjeżdżając w wąską drogę.

– To nie jedziemy do Kartuz? – zdziwiła się Ewa.

– Jedziemy, ale uległem Iwonie, żeby koniecznie pokazać ci jeszcze dziwną budowlę w pobliskich Łapalicach. Ona ci wszystko opowie o tym... zamku – uśmiechnął się tajemniczo i pokazał kciukiem do tyłu.

– Zamku...? A z którego on wieku? – Ewa obróciła się w kierunku przyjaciółki.

– Z dwudziestego...

– Nie, ja się pytam poważnie.

– A ja ci najpoważniej odpowiadam. W latach osiemdziesiątych pewien marzyciel z Gdańska zapragnął sobie zbudować zamek czy też pałac, jak niektórzy mówią...

Popłynęła opowieść o planach, które przyświecały marzycielowi, o ich realizacji. Uzyskał pozwolenie na budowę domu o powierzchni stu siedemdziesięciu metrów kwadratowych wraz z pracownią rzeźby, a wybudował olbrzymie zamczysko o powierzchni ponad pięciu tysięcy metrów kwadratowych. Ma on dwanaście wież, tyle ilu jest apostołów, pięćdziesiąt dwa pokoje oraz trzysta sześćdziesiąt pięć okien. Otoczony został murem obronnym o wysokości trzech metrów. Wewnątrz zamku miała być także olbrzymia sala balowa, a na zewnątrz basen.

– Ale co będzie z nim dalej? – zadała pytanie zszokowana Ewa po kilku minutach oglądania placu budowy przez szpary w ogrodzeniu.

– Któż to wie... – Rozłożyła ręce Iwona.

Rozmowa o zamku w Łapalicach i pomysłodawcy jego budowy trwała w samochodzie aż do chwili, kiedy zatrzymali się przed zabudowaniami klasztoru w Kartuzach.

– To jest właśnie Raj Maryi. – Iwona zatoczyła ręką łuk, obejmujący kościół, zabudowania wokół niego, duży park i cmentarz.

Zasiedli na ławce w parku, w cieniu wysokich drzew. Iwona również i tutaj pełniła funkcję przewodnika. Opowiedziała historię zakonu kartuzów, budowniczych tutejszego klasztoru i kościoła, a potem wieloletnich ich właścicieli.

– Jacyż oni byli roztropni! Ciekawe to wszystko... A ja sobie kiedyś wbiłam w głowę, że prawdziwie ciekawe miejsca są tylko za granicą. Ależ byłam głupia... – Ewa przymknęła oczy.

– Chcesz wejść do środka? – Iwona wyczekała chwilę, a potem wskazała na kościół; Ewa skinęła głową.

Po kilkunastu minutach zwiedzania wnętrza, ochach i achach Ewy, którymi przerywała opowiadanie Iwony o zabytkowym wyposażeniu świątyni, Ewa usiadła niespodziewanie w ławce, a po chwili przyklękła, opuściła głowę i przysłoniła twarz rękoma. Iwona i Henryk spojrzeli po sobie z niepokojem w oczach. Po kilku minutach spędzonych w tej pozycji Ewa przeżegnała się i wstała. Jej twarz, ku ich zdziwieniu, była spokojna i lekko uśmiechnięta.

– Coś sobie przypomniałam ze starych czasów i jakoś się pomodliłam. Lżej mi trochę, ale jestem... wybaczcie, strasznie zmęczona... – Wsunęła dłoń pod ramię Henryka i głęboko westchnęła... – Możemy wracać do domu.

Rozdział 19

Iwona obawiała się trochę wizyty u Ewy swojego syna z dziewczyną, ale została mile zaskoczona już przy powitaniu.

– Och, moje ulubione frezje! – powiedziała radośnie Ewa i złożyła ręce, kiedy Patryk wręczył jej bukiecik. – Ktoś coś podpowiedział? – Prześwidrowała go oczami, a potem przeniosła wzrok na rozradowaną Iwonę, dziękującą właśnie Dominice za bukiecik polnych kwiatów.

– Szczerze...? – spytała zaskoczona Iwona. – Wiele razy widziałam, że cieszyłaś się w pracy z anturium, więc jeśli już, to coś takiego bym im podpowiedziała.

– Pani Ewo, to Dominika ma takie zdolności, że na podstawie fotki potrafi dobrać bukiecik odpowiedni dla obdarowywanej osoby. – Patryk postanowił krótko wyjaśnić sprawę; Ewa zrobiła oczy.

– Nie wykluczam, że pani lubi także goździki, ale miniaturki... – uzupełniła jego słowa Dominika – ...przynajmniej moim zdaniem, bardzo do pani pasują. – Pochyliła na bok głowę, przypatrując się Ewie uważnie.

– To nieprawdopodobne! Na pewno nigdy i nikomu tego nie opowiadałam! Jesteś kochana, niesamowita. – Uścisnęła Dominikę. – Ale nie rozumiem, jak na podstawie fotki albo obejrzenia twarzy w realu możesz dokonać takiego wyboru... Siądźmy może – zaprosiła gestem. – Wiecie... – spojrzała wokół – ...obok mojego rodzinnego domu zawsze rosły miniaturki goździków. Wysiewała ich nasiona babcia, potem mama, ja też miałam okazję przy nich coś robić, bo czasami przemarzły w gruncie albo nie wiadomo dlaczego zginęły. Mają cudowny zapach. Przepraszam, że cię zagadałam, a ty pewnie chcesz coś powiedzieć... – Dotknęła lekko dłoni Dominiki.

– Przypatruję się uważnie twarzy na zdjęciu, spojrzeniu i na tej podstawie wyobrażam sobie, jakie kwiaty może lubić dana osoba. Mniej ważny jest kolor włosów, choć w pani przypadku ich kasztanowy odcień trochę mnie rozpraszał. Śliczny jest, ale mnie rozpraszał. – Dominika uśmiechnęła się przepraszająco.

– A gdybym ci powiedziała, że w naturze byłam właściwie bardzo jasną szatynką czy też ciemną blondynką...?

Dominika pochyliła głowę jak uprzednio i zmrużyła oczy.

– W takim przypadku nie miałabym żadnych wątpliwości, żeby postawić na miniaturowe goździki – odparła po chwili. – Ale w kwiaciarni i tak ich nie było. – Roześmiała się perliście. – Nawet gdyby zmieniła pani barwę szminki, cień na powiekach albo dobrała inną biżuterię, to spojrzenie i wyraz twarzy by się nie zmieniły, a one wskazują jednoznacznie na goździki.

– Jestem pod wrażeniem...

Ewa opadła na oparcie sofy. Jej wzrok przenosił się teraz z twarzy Iwony na twarz Patryka i z powrotem. Zauważyła to Iwona i uśmiechnęła się.

– Wiem, co sobie myślisz. – Machnęła dłonią.

– Heniek, pomóż mi. – Ewa spojrzała na męża; ten raptownie się poderwał.

– W czym pomóc, przynieść... kawa? – wyrzucił z siebie.

– Nie, to nie o to chodzi, choć za chwilę tak. – Ewa pokręciła głową. – Przyjrzyj się tylko Patrykowi... i oceń, do kogo jest bardziej podobny, do matki czy ojca?

Henryk, tak jak przed chwilą jego żona, przenosił wzrok z Iwony na jej syna i z powrotem, a potem wzruszył ramionami.

– Oczy matki, ale tylko same oczy. Do Zygmunta nie widzę podobieństwa, no, chyba że chodzi o... – Zachichotał.

– Ty zbereźniku. – Pogroziła mu Ewa.

– Eee tam. O tym... braku podobieństwa... – Patryk wzruszył ramionami – ...wiem od dawna i bardzo często musiałem wymyślać jakieś teorie, ale kiedy zacząłem ten świat jakoś bardziej ogarniać, atakowałem tych, co mieli odwagę się spytać albo na coś takiego zwrócić uwagę.

– Co ty mówisz! – Iwona prawie podskoczyła. – Atakowałeś?

– Użyłem może złego słowa, ale mówiłem krótko, że ktoś bredzi albo wykazuje złą wolę, i na ogół wystarczało.

– Ale to, synu, nieco grubiańskie...

– Iwetko! Jest tyle pytań, jakie można człowiekowi zadać, więc ci, co startowali z takim pytaniem, mieli co chcieli – zakończył, rozkładając ręce.

– A nie wpadło ci nigdy do głowy, by odpowiedzieć, że to jest zgodne z teorią zapatrzenia? – rzuciła z obojętną miną Dominika.

Oczy wszystkich powędrowały na dziewczynę. Henryk ponownie się poderwał i podniósł oczy w górę.

– Wy tu sobie chwilę podywagujcie, a ja zajmę się przyniesieniem czegoś do picia. Kawa, herbata... czy coś innego? – Przebiegł wzrokiem po twarzach.

– Ja ci pomogę... – Uniosła się Iwona.

– Dam radę. Porozmawiajcie sobie.

– My z Iwonką na pewno kawę, a młodzież? – Ewa uśmiechnęła się zachęcająco do Dominiki i Patryka.

– Ja coś innego – zachichotała Dominika.

– Ja podobnie – wyrzucił z siebie rozbawiony Patryk.

Salon zatrząsł się od śmiechu.

– Czy mam sam kombinować? – Henryk wyszczerzył się wesoło.

– Może lepiej nie... – Mrugnęła Dominika. – Poproszę herbatę miętową, a jak nie ma, to po prostu zwykłą niegazowaną wodę.

– I już? – Henryk podrapał się po czole.

– I już. Będzie akurat. – Patryk dołożył mrugnięcie.

Rozśmieszony Henryk pokiwał głową i ruszył do kuchni.

– O co chodzi z tą teorią zapatrzenia? – Ewa konfidencjonalnym szeptem spytała Dominikę.

Dziewczyna obejrzała się za siebie i nachyliła nad stołem; głowy wszystkich też pochyliły się nad nim.

– Kobieta może się zapatrzyć na jakiegoś mężczyznę i potem znajduje to swoje odzwierciedlenie... – wskazała na swój brzuch – ...w rozwijającym się płodzie, a w przyszłości w dziecku i dorosłym już człowieku.

Iwona i Ewa spojrzały po sobie; Patryk uśmiechnął się.

– A co to za teoria, czyja? – Ewa i Iwona, jedna przez drugą, zapytały Dominikę.

– Czy może ja jestem podobny do Arthura? – Patryk rzucił w powietrze i uśmiechnął się rozkosznie; oczy Iwony i Ewy stały się wielkie jak talerze.

– A kto to jest Arthur? Jakiś aktor? – Dominika spojrzała na Iwonę przez szparki w oczach.

Iwona zacisnęła powieki, choć w istocie zachciało jej się śmiać. Potrząsnęła dłońmi nad głową.

– Jak się tobie, synu, przyjrzeć dokładnie, to jakieś podobieństwo do Arthura jest...

Na jej twarzy odmalowało się zdziwienie własnymi słowami, pomieszane z rozbawieniem.

– Ależ tak! – Ewa podniosła palec i kilkakrotnie nim poruszyła. – Teraz przypomniałam sobie jego twarz! Kształt nosa, układ brwi, trochę delikatnych piegów na nosie i lekko sfalowane włosy, które widzę u Patryka, przypominają mi Arthura. Na pewno się nie mylę! – Klasnęła.

Dominika, przechylając głowę na boki, przypatrywała się Patrykowi.

– Znam jednego Arthura[14], aktora, który grał w serialu *Allo, Allo!* i zabawnie mówił na powitanie Dziń dybry... – zachichotała – ...ale do niego raczej nie jesteś podobny – rzuciła nieco prowokacyjnie i spojrzała na matkę Patryka.

– No cóż... czyli idąc, Patryku, za twoim przykładem, powinnam zacząć ci mówić per Arthur, tak jak ty zacząłeś mi kiedyś mówić Iwetko... – Iwona mrugnęła do syna.

---

[14] Arthur Bostrom – brytyjski aktor, grający w serialu *Allo. Allo!* rolę oficera Crabtree, kaleczącego język francuski.

– Arthur to był mój kolega ze studiów doktoranckich – zwróciła się do Dominiki.

– Aha! – Ta wydała z siebie cichy okrzyk, ale nie wyglądała, jakby to jej cokolwiek wyjaśniło.

– Ciekawa jest ta teoria zapatrzenia, którą podałaś. Skąd ją wzięłaś?

Patryk objął ramieniem Dominikę, zaglądając jej w oczy.

– Kiedyś moja babcia opowiedziała historię sprzed wojny, w której chodziło o brak podobieństwa dziecka do rodziców. Już wówczas nazywało się to zapatrzeniem i bywało czasami powodem niemiłych sytuacji rodzinnych. Tak wynikało z babcinej opowieści. Przypomniało mi się nagle to opowiadanie i dodałam tylko słowo teoria, bo chciałam, żeby poważniej zabrzmiało – odparła rozbawiona.

– Ale niemniej coś w tym jest – powiedziała z przekonaniem Ewa.

– Nie da się ukryć. – Głęboko westchnęła Iwona i raz jeszcze uważnie spojrzała na syna.

Zrobiło się nagle cicho; rozbawienie na moment przycichło.

– Co tutaj zrobiło się tak poważnie?

Do salonu wkroczył Henryk z tacą; spoglądał wokół.

– Tylko na chwilę zostawić was samych. – Mrugnął do Dominiki. – Zastanawiałem się, na jakie ty wybierasz się studia, bo zainteresowania, jak dostrzegłem, masz wszechstronne... Chyba nie jak Patryk na informatykę?

– Dostałam się na dziennikarstwo.

– O! To będziesz mogła swoje błyskotliwe pomysły zachwalać publicystycznie.

– W liceum przez dwa lata redagowałam gazetkę szkolną, a w przyszłości chciałabym się zająć publicystyką związaną, ogólnie rzecz biorąc, z kulturą, czyli literaturą, filmem, teatrem, muzyką, chociaż wiem, że niełatwo tam się przebić.

– A nie myślałaś trochę o poszerzeniu swoich zainteresowań, choćby o zdrowie? Myślę o medycynie alternatywnej, naturalnej, zdrowym odżywianiu, bezpiecznych lekach, ziołolecznictwie. Masz także szczególny atut, wyjątkową zdolność związaną z florystyką, że tak to nazwę.

Henryk rozstawiał przyniesioną z kuchni podwieczorkową zastawę i co chwila spoglądał na Dominikę.

– Ciekawe jest to, co pan powiedział, tak jakby czytał pan w moich myślach. Widzę, że pan też ma pewne zdolności...

Henryk spojrzał na Ewę; ta delikatnie pokiwała głową.

– A kosmetyki naturalne, ekologiczne, interesuje cię coś takiego? – spytała Ewa, cedząc wolno słowa.

Dominika zamyśliła się.

– Mam z tym pewien problem, bo kosmetyków mało jeszcze używam, ale na przykład chwaliłam sobie ubiegłego roku aktywator opalania Ziai, a potem kupiłam ich pastę do zębów, taką w białej tubce. Wiem, że w Sopocie jest jeszcze jedna firma produkująca kosmetyki, ale to jeszcze przede mną.

Po ostatnich słowach Dominiki oczy wszystkich siedzących w salonie spoczęły na niej.

– Nie mówiłeś Dominice, gdzie ja pracuję? – Iwona spytała syna.

– Mamo, mamy tyle innych tematów – odparł i spojrzał na Dominikę; ta położyła rękę na jego dłoni i uśmiechnęła się słodko.

– Henryku, wydawało mi się, że niedawno rozmawialiście z Zygmuntem o kimś, kto mógłby pełnić funkcję rzecznika prasowego firmy, żeby go trochę odciążyć. – Ewa zwróciła się do męża.

– O tej samej sprawie przed chwilą pomyślałem.

Dominika zmarszczyła czoło i spoglądała ze zdziwieniem wokół.

– Bo widzisz, dziecko, mąż jest właścicielem tej drugiej sopockiej firmy, o której wspomniałaś...

– Mam luźny pomysł, propozycję dla ciebie. – Henryk przyjął nieco poważniejszą minę. – Odpowiedź nie musi być dzisiaj. Czy mogłabyś sobie wyobrazić pracę w firmie produkującej, jak już słyszałaś, kosmetyki naturalne i jednoczesne studiowanie?

– Chyba się przesłyszałam... – Dominika pomachała dłońmi przy twarzy. – Pójdziemy chyba dzisiaj na bardzo długi spacer, bo muszę ochłonąć... – Spojrzała Patrykowi w oczy. – Zastanowię się, oczywiście, poradzę rodziców, oni też będą w szoku.

Ewa, Iwona i Henryk spoglądali po sobie, uśmiechając się.

– Chciałam cię, Patryku, poznać, bo nie było dotąd okazji, ale że przyjdziesz do nas z takim klejnotem, tego się nie spodziewałam. Pilnuj jej, bo taki skarb w przyrodzie trafia się rzadko.

– Pilnujemy się wzajemnie już dwanaście lat – powiedziała cicho dziewczyna i przytuliła się do Patryka.

– Daliście mi dzisiaj spory zastrzyk siły. Poczułam się lepiej. – Ewa objęła Dominikę. – Dziękuję, że przyszliście. A może macie ochotę popływać? – Wskazała w kierunku otwartych drzwi i widocznego za nimi basenu.

– Tyle pokus na jeden dzień... Gdyby nie brak kostiumu, to może bym skorzystała? – Dominika pomachała znowu dłońmi koło twarzy.

– Mamy kilka nowych kostiumów w zapasie... – rzuciła Ewa, spoglądając na Iwonę; ta skinęła głową. – Dominika się spokojnie w nie wpasuje.

Rozdział 20

Na niedzielną wyprawę Ewa wybrała bladożółtą sukienkę i słomkowy kapelusz.

– Myślałam, że włożysz dżinsy jak ja... – Iwona klepnęła się po biodrze.

– Zdajesz sobie sprawę, jak ja bym w nich wyglądała? Na letnisku włożę luźne dresy... – Wskazała na trzymaną torbę. – Jeszcze niedawno wylewałam się z nich, a teraz same zsuwają się ze mnie, tak samo jak dżinsy. – Posmutniała.

– Od bagaży to ja jestem. – Iwona zdecydowanym ruchem schwyciła torbę wbrew oporowi Ewy.

W czasie jazdy Henryk, tak jak poprzednio, znowu puszczał muzykę z dawnych lat. Ewa początkowo była dziwnie spięta, jednak w okolicach Przodkowa rozluźniła się.

– Wczoraj dwa razy drzemałam, ale za każdym razem przed zaśnięciem wspominałam twoje dzieci. – Odwróciła się na chwilę w kierunku Iwony; ta najpierw zrobiła oczy, ale po chwili uśmiechnęła się.

– Bardzo lubię Dominikę, choć krótko ją znam. Jest taka... łagodna i do tego bezkolizyjna. Patryk stał się przy niej bardziej opiekuńczy.

– Będziesz miała wspaniałą synową.

– Przecież oni mają dopiero po dziewiętnaście lat!

– Są za to bardzo dojrzali, choć momentami też dziecinni. – Ewa uśmiechnęła się.

– Mam nadzieję, że Dominika zgodzi się u nas pracować – wtrącił się Henryk. – Jak myślisz, Ewuniu, jaką powinienem jej złożyć propozycję? – Zerknął na nią.

– Oczywiście... bardzo dobrą! – Ewa utworzyła kółeczko z kciuka i wskazującego palca.

– O pieniądze się nie martw, dostanie niezłą kwotę, chociaż myślę, że tę kwestię zostawię Zygmuntowi. – Spojrzał na Iwonę we wstecznym lusterku. – Bardziej mi chodzi o tryb pracy, o ile oczywiście się zgodzi.

– Warto to tak ustawić, aby jej się to od razu wliczało do wysługi lat pracy. Młodzi czasami nie myślą o takich drobiazgach, a to ważna sprawa w przyszłości.

– Ewka ma rację – wtrąciła się Iwona. – Myślę, że Dominika myśli poważnie o pracy u was, bo wczoraj przysłała mi esemesa z pytaniem, czy może przesłać mailowo jakieś artykuły z gazetki szkolnej.

– Ładnie powiedziałaś... o pracy u was... – Ewa znowu na moment odwróciła się w stronę przyjaciółki. – Szkoda, że już nie zdążę z nią popracować, rozmawiać, spotykać się. Mam tyle koleżanek, które bym zaskakiwała doborem bukiecików przy jakichś okazjach. O! Kartuzy! Już poznaję.

– Teraz aż do Klukowej Huty pojedziemy tą samą trasą, co w czwartek, więc na razie nie będzie niespodzianek, w sensie nowych opowieści o regionie – powiedziała Iwona.

– Czyli możemy sobie poplotkować – ucieszyła się Ewa. – Heniu, czy mógłbyś włączyć Harrisona? Niedawno obejrzałam film o nim. Gdybym wiedziała, jak się skończyło jego życie, tobym nie oglądała. Jakoś jego choroba mi umknęła; myślałam, że zmarł w wyniku ran po napadzie na jego dom. On miał raka krtani, ale później przyszły przerzuty... – dopowiedziała i machnęła ręką.

– Ewunia... – Henryk chciał ją powstrzymać, ale widząc upór w jej wzroku, zrezygnował.

– Pieniądze nie mają żadnego wpływu, jeśli takie coś człowieka dopadnie.

– Ewka, kochana... – Teraz Iwona próbowała odwieść przyjaciółkę od kontynuowania tego tematu, ale ta odwróciła się w jej kierunku i położyła palec na ustach.

– Minęły już dwa miesiące, odkąd dowiedziałam się o swoim stanie, a wy wiecie o tym dopiero od dwóch tygodni. Ja już zdążyłam się z tym oswoić, pogodzić... Co ważniejsze dla mnie, mogłam się też pogodzić z wami. Teraz wam jest trudniej. Wiem. Przepraszam. – Spojrzała kolejno na męża i Iwonę. – Nie zabraniajcie mi jednak czasami o tym mówić. U twoich rodziców nie poruszę tego tematu. Na pewno...

Wyciągnęła dłoń w kierunku Iwony; ta uścisnęła ją.

Henryk zamrugał i odchrząknął.

– Słyszę, że chce ci się pić, więc może zatrzymasz się na Złotej Górze na kilka chwil, to też się napiję wody. Nie nauczyłam się pić w czasie jazdy... Ale już włącz tę płytę George'a – poprosiła.

Za chwilę zabrzmiała tytułowa piosenka *My Sweet Lord*. Ewa słuchała z zamkniętymi oczami, delikatnie poruszając głową.

– Był nieprawdopodobnym perfekcjonistą – odezwała się, gdy kończyła się piosenka. – Nagrywał ją i nagrywał, i niektórzy już myśleli, że zrezygnuje, zwłaszcza gdy zaczęły się pojawiać w prasie nieprzychylne opinie o tekście. Że ma za bardzo religijny wydźwięk, że słowo Alleluja, czy zwroty Hare Kriszna i My Sweet Lord, nie są odpowiednie do komercyjnego utworu. Nie przeląkł się krytyki, postawił na swoim, dokończyli nagrywanie i piosenka stała się hitem nad hity. Zdawał sobie sprawę, że słuchacze, odbiorcy, nie do końca byli gotowi na taki utwór, ale od razu go pokochali. Do dzisiaj zresztą to chyba najbardziej rozpoznawalny i najczęściej grany jego utwór.

– Podziwiam cię, że tyle wiesz o tej piosence.

– Iwonko, to nie jest taka sobie piosenka. To jest właściwie hymn, deklaracja wiary George'a, on przeszedł wówczas na hinduizm i stał się gorącym wyznawcą Hare Kriszny, Najwyższego Boga tamtej religii. Często tłumaczył, że Bóg i tak jest jeden, a każdy wybierze sobie z utworu to, co najlepsze. No i wszyscy jego fani wywodzący się z najróżniejszych religii świata śpiewali razem z nim: My Sweet Lord – Mój słodki Panie.

Henryk, słysząc wymianę zdań pomiędzy Ewą a Iwoną, zatrzymał płytę, ale gdy Ewa zorientowała się, że jest za cicho, poprosiła go, żeby puścił dalej.

– Chciałem posłuchać, bo to, co mówiłaś, było bardzo ciekawe...

– Ja też pierwszy raz o tym usłyszałam – dodała Iwona. – Masz znakomitą pamięć, żeby po obejrzeniu filmu mieć tyle do powiedzenia o jednym tylko utworze.

– Szkoda, że wykorzystywałam ją na głupoty – Ewa rzuciła markotnie. – No nic, graj, Heniu! – zawołała nieoczekiwanie wesoło.

Rozległy się charakterystyczne riffy gitarowe, a potem chórki piosenki *Wah-Wah*. Ewa zaczęła w jej rytm podrygiwać, ale nagle znieruchomiała i spojrzała na męża.

– Wstrzymaj na chwilę płytę... – poprosiła – ...koniecznie muszę wam coś powiedzieć o tym utworze. Ponoć nagrywali ten niby prosty utwór przez kilka miesięcy. Miał nawet wypaść z albumu, bo George się uparł, że wszystko musi brzmieć idealnie, i wciąż nie był gotowy. Dodawał co chwila nowe instrumenty, wsłuchajcie się, ile tego tam jest – zwróciła się do Heńka i Iwony. – Wreszcie uznał, że może być. Niby taka sobie piosenka, z efektem krzyku czy płaczu, różnie to tłumaczą. No, to teraz dawaj!

Ewa znowu zaczęła podrygiwać, Iwonie też się to udzieliło, a nawet Heniek zaczął komicznie kiwać głową w rytm śpiewanych przez całą trójkę *wah-wah*. W samochodzie zrobiło się wesoło. A po pewnym czasie wtoczyli się na parking na Złotej Górze.

– Napijmy się. – Ewa roześmiała się w głos. – Po tym śpiewie to i mnie zachciało się pić. – Mrugnęła. – A tutaj tak samo pięknie jak poprzednio... – Przechylała głowę na boki, podziwiając panoramę. – A nawet dzisiaj są ładniejsze chmurki, jest bardziej fotogeniczny pejzaż. Zrób, Heniu, ze dwa ujęcia, proszę.

Po kilku minutach znowu byli w drodze. Charakterystyczny riff rozpoczął kolejny utwór *Something*. Ewa przymknęła oczy i tańczyła ramionami i głową. Do refrenu włączyli się jak poprzednio Iwona i Henryk. Znowu było wesoło.

– Ta gitara zawsze mnie rozwala – powiedziała Ewa, gdy skończył się utwór.

– Wyrwałaś mi to z ust. Też tak mam... – Iwona przymrużyła oczy.

– Pewnie nie uwierzycie, ale ja jak to słyszę, to chce mi się pofrunąć! – zawołał Henryk.

Ewę i Iwonę dosłownie przytkało.

– Masz tak? – spytała Ewa z niedowierzaniem.

– Zawsze!

– Ja też! – krzyknęła z tylnego siedzenia Iwona.

– To jest po prostu ponadczasowe – podsumowała Ewa. – Graj dalej!

Bawili się śpiewem i komentarzami Ewy wygłaszanymi przy każdej prawie kolejnej piosence.

– Teraz, Heńku, wyłącz, niech nasz przewodnik przemówi – poprosiła Ewa, gdy pojawiła się tablica z nazwą Sulęczyno. – To już blisko, tak zapamiętałam. – Odwróciła się w kierunku Iwony. Ta dotknęła ramienia Henryka.

– Mhm... Pojedź, Heńku, przez wieś.

Henryk skręcił w prawo.

– Przyjeżdżamy już coraz rzadziej tutaj na zakupy, chociaż kiedyś wyciągałam tatę prawie codziennie, kiedy spędzałam tutaj urlop. Po prawej, w głębi, wśród drzew, jest Leśny Dwór, zajazd, gdzie corocznie odbywa się słynny „Jazz w Lesie". O! Baner wisi. To już za tydzień!

– Ach, to tutaj. – Pokiwała głową Ewa.

– W czerwonym budynku po lewej jest piekarnia. Pieką pyszne bułki z serem i keczupem, mniam... w ogóle mają dobre pieczywo. Kiedyś ustawiały się tutaj długie kolejki. A jakie smaczne mają lody... Po prawej stary dom pod starą lipą. Wielka, nie? Na początku lipca roztacza nieprawdopodobny zapach i słychać istny szum owadów, które zlatują się do niej z całej okolicy, bo wiedzą, co dobre

– zachichotała. – Do tego kiosku wpadamy po gazety, a w lokalu na stoku spotyka się jazzowe towarzystwo, jeśli jest im za ciasno w Leśnym Dworze. A na słupie za skrzyżowaniem – nasz sulęczyński bocian.

– Ładnie tutaj. – Ewa kiwała z podziwu głową. – Nie dziwię się, że wciąż w kółko opowiadałaś o Mauszu.

– Jak go zobaczysz, nie będziesz chciała wracać! – wykrzyknęła Iwona; Ewa odwróciła się i spojrzała smutno.

– Przepraszam... – zorientowała się Iwona.

– Nie, nie. Opowiadaj.

– Teraz w prawo, Heńku – rzuciła Iwona; Heniek postukał palcem po nawigacji i uśmiechnął się.

– Panuję nad sytuacją.

– A co tam za woda w dole tak pędzi? – Ewa przykleiła się do szyby. Henryk zwolnił.

– To jest Rynna Sulęczyńska, a pędzi w niej Słupia. Nabiera tutaj pędu na kamienistym dnie, zupełnie jak Dunajec w swoim przełomie, bo chce jak najszybciej dotrzeć do Ustki, żeby tam ujść do morza – uśmiechnęła się Iwona.

– Pięknie powiedziałaś! – klasnęła Ewa.

– Zaczyna swój bieg gdzieś za Gowidlinem, w którym przyszła na świat Stenka.

– Ta Stenka, Danuta?

– Ta sama. I wyobraź sobie, że ona się nie wstydzi, że jest Kaszubką z Gowidlina. Mam jej biografię... Wyruszyła na swój szlak aktorski tak jakby mimochodem, sama nie do końca przekonana, czy dobrze robi, a dzisiaj zobacz.

– Lubię ją – zadeklarowała Ewa.

– Bo jest nasza, stąd! Zaraz po lewej zacznie się Mausz. Uważaj między drzewami. To czwarte co do wielkości jezioro na Kaszubach. Rynnowe, więc mamy tutaj także sielawę.

– Ach, jaka ta sielawa była pyszna. Jeszcze by się zjadło... – Ewa oblizała się.

– Tata zadzwoni do rybaka i może akurat ma, kto wie...

– Już widzę jezioro! – wykrzyknęła Ewa.

– Mój kochany Mauszyk! – Iwona podniosła oczy.

– Rzeczywiście duże jezioro, szkoda, że drzewa zasłaniają! – Ewa pomachała dłonią, jakby chciała rozsunąć je na boki.

– Zaraz za zakrętami, w dole po prawej, jest Parchowski Młyn...

– A my skręcamy na jego wysokości w lewo. – Henryk wskazał na nawigację; Iwona skinęła głową.

Spojrzenie Ewy przyciągnęła głęboka niecka, w której stał stary młyn.

– Takie trochę uroczysko, co?

– Ładnie to określiłaś.

– O! A tutaj Jaśkowy Młyn! – zawołała Ewa, gdy skręcili z szosy; przyglądała się kolonii kilkunastu małych domków letniskowych, przycupniętych po prawej pod drzewami. – One są do wynajęcia! Jakie ładne nazwy: Sosnowy Gaj, Maciejka, Pod Brzozami...

Jadący wolno samochód podskakiwał na ażurowych płytach. Ewa i Henryk spoglądali na ścianę lasu widniejącą przed nimi, a potem lustrowali domki, które pojawiły się po lewej stronie, wzdłuż jeziora.

– Dużo ich – zdziwiła się Ewa. – A przecież to dosyć daleko od Kartuz czy Kościerzyny, nie mówiąc o Trójmieście.

– Cisza, spokój, czysta woda, piękne lasy... Z roku na rok jest ich coraz więcej. Starsze są rozbudowywane, robią się coraz ładniejsze, żeby dorównać tym nowym – wyjaśniła Iwona. – Wszystkie stoją na wysokiej skarpie. Stamtąd jest ładny widok na jezioro. Słońce zachodzi za tym lasem, a rano budzi letników, wyłaniając się spoza jeziora.

– Wysokie drzewa. Las ma już trochę lat – rzucił Henryk, przyglądając się linii drzew na skarpie.

– On rósł razem z ośrodkami wczasowymi, które powstawały tutaj już od przełomu lat pięćdziesiątych i sześćdziesiątych. Po tej stronie jeziora budowały ośrodki dla swoich pracowników firmy z Gdyni, związane z połowami i przetwórstwem rybnym, jak: Dalmor, Centrala Rybna i Transocean, z kolei drugą stronę jeziora zabudowywały ośrodkami różne firmy gdańskie. Potem większość tutejszych ośrodków została sprywatyzowana, a domki wykupili w większości ci, którzy kiedyś przyjeżdżali na wczasy nad Mausz i związali się z tym miejscem emocjonalnie.

– Ale fajnie.

– Heńku! Zatrzymaj się na chwileczkę przy zjeździe w stronę jeziora, bo stamtąd będzie widać nasz kochany cypelek. O, tak, dobrze! Spójrzcie. Duża łąka, na niej kilka drzew oraz krzewów i nie pozostaje nic innego, jak tylko plażować, a od czasu do czasu zanurzyć się w chłodnej toni. Kiedyś przyprowadzał mnie tutaj tata, przychodziła z nami mama. Potem przychodziłam z Patrykiem, spędzaliśmy nad brzegiem wiele godzin, a czasami przywoził nas tata. Wykąpał się i wracał na działkę do swojej Lilli, a po kilku godzinach przyjeżdżał po nas. Może i my dzisiaj późnym popołudniem tutaj przyjedziemy, kiedy sobotnio-niedzielni plażowicze zaczną się zwijać?

– Chciałabym... chociaż na trochę. – Ewa spojrzała na męża, ten skinął głową.

Wąska droga z betonowych płyt poprowadziła w las. Po obu jej stronach stały na skarpach wśród drzew domki letniskowe.

– Teraz jest tutaj mniejszy ruch niż kiedyś, chociaż domki latem są pełne. Dawniej dwutygodniowi wczasowicze przelewali się tędy w tę i z powrotem. Szli w tę stronę, do pawiloniku z artykułami spożywczymi i gazetami, żeby kupić cokolwiek, albo trzy razy dziennie pod górę na posiłki, do murowanego domu wczasowego. W drugą stronę wędrowali na kąpielisko, które jest o tam, w dole... – Iwona wskazała ręką. – Duży zielony barak, który prześwituje między drzewami, to stara dalmorowska świetlica i stołówka zarazem, gdzie toczyło się niegdyś całe kulturalne życie ośrodka. Potem tę funkcję przejął całosezonowy murowaniec, ale tu funkcjonował jeszcze bufet. Jak przyjdziemy po łódź, pokażę wam zabytkowe freski... – zachichotała, widząc zdziwione spojrzenia Ewy i Henryka. – Namalowane zostały na ścianach wypożyczalni sprzętu i bosmanówki zarazem przez jakiegoś uzdolnionego pracownika albo wczasowicza. Mocno wyblakły, ale ciągle jeszcze widać płynący po morzu trawler-przetwórnię i rybaka z sieciami. Mamy do nich sentyment, bo przypominają dawne czasy, a wszyscy przecież lubimy wspomnienia. Dzięki nim choć na chwilę stajemy się młodsi. – Mrugnęła. – Po lewej domki, które kiedyś należały do dawnego ośrodka Centrali Rybnej, a te po prawej, na górce, do dawnego ośrodka Transoceanu.

– Jaka ładna nazwa, Zielony Dwór! – Ewa uśmiechnęła się do zielonej tablicy z białym napisem.

– Od tego miejsca zaczynają się już nasze włości – oznajmiła Iwona z uśmiechem od ucha do ucha. – Teraz wolno, Heniu, w prawo i do końca.

Jakoż za chwilę wjechali na teren działki. Już z daleka dostrzegli Dominikę i Patryka, stojących obok jednego z dwóch domków i machających energicznie ramionami.

– Ojeju! To my im zabierzemy miejsce?! – Ewa posmutniała.

– No co ty! Oni specjalnie przyjechali wczoraj, żeby choć na chwilę się z wami zobaczyć. Polubili was. Wieczorem zabierają się ze znajomymi do Gdyni.

– No, chyba że tak.

Samochód zatrzymał się w szpalerze jałowców. Ze schodków tarasu zeszli rodzice Iwony i stanęli obok młodych. Trójka przyjezdnych podeszła do nich.

– Pozwólcie, kochani, że wam przypomnę: to Ewa i Henryk – powiedziała uradowana Iwona.

– Pamiętam... Poznaliśmy się kilkanaście lat temu... – Mama Iwony uśmiechnęła się. – Córka zawsze o was mówi: moi kochani pracodawcy. Lubi i szanuje państwa.

Ewa i Iwona spojrzały po sobie.

– Prosimy na powitalną kawkę.

Pani Lilla po chwili powitalnego zamieszania wskazała na taras.

– Mamuś, jeszcze chwilkę nie zalewaj. Oprowadzę ich najpierw po działce.

Wyszli na środek trawnika. Obracali się wokół, a Iwona opowiadała.

– Tu mamy sad, trawnik pośrodku nazywamy placem zielonym, chociaż tato zawsze się śmieje i mówi o nim plac Czerwony – zachichotała. – Przed tarasem jest gazon czy też klomb, bo rodzice różnie go nazywają, a do bramy ciągnie się nasz zagajniczek sosnowy, źródło życiodajnego cienia...

Wskazała na kilkanaście sosen.

– Śliczna działeczka. – Henryk zwrócił się do ojca Iwony, który przysłuchując się słowom córki, zbliżył się do nich.

– To całe nasze życie. – Pan Stanisław zatoczył ramieniem koło. – Przez calutką jesień, zimę i przedwiośnie marzymy, żeby tutaj wreszcie przyjechać, a potem koszenie trawnika, prace przy żywopłocie i takie tam, no i oczywiście kąpiele – uśmiechnął się. – Coś się zepsuje, to się naprawia, wciąż jest coś do zrobienia. A co dwa lata malowanie domków i płotu....

– Słodziutki ten mały domeczek. – Ewa wskazała dłonią.

– On ma już mniej więcej sześćdziesiąt lat. Znaczy jego zasadnicza konstrukcja, bo teraz jest obity deskami i ocieplony, no i ma dobudowany mały tarasik. Kiedyś tylko on był tutaj i też się jakoś wczasowało – uśmiechnął się. – A jak pojawił się Patryk, zbudowaliśmy drugi domek.

– W rowie stała początkowo sławojka... – Iwona przewróciła oczami i machnęła ręką. – Chodźcie obejrzeć go w środku.

Ruszyła przodem.

– Duża wiata... – zauważył Henryk, zatrzymując się po drodze i przyglądając sporej konstrukcji na tyłach większego domku.

– Ona rośnie razem z samochodami, jakie kolejno się przytrafiają. – Pan Stanisław wskazał na garażujące pod nią mitsubishi space family. – Widzę, że łączy nas marka samochodu.

– Wiemy po prostu, co dobre. – Henryk mrugnął; obaj się roześmiali.

– Najpierw był maluch, to i wiata była malutka. Potem duży fiat i polonez, wtedy ją rozbudowałem, a teraz ten samochód. Dla niego zrobiłem tutaj porządny remont, trochę została wydłużona, by z tyłu wydzielić miejsce na nowe pomieszczenie, na ubikację i łazienkę. Oczywiście wchodzi się do niego z domku po niezbędnej przebudowie wnętrza, ale dzięki temu z kuchni zrobił się minisalonik.

– Sprytnie...

– Żona mówi, że ma tutaj większą kuchnię niż w naszym gdyńskim mieszkaniu.

Kiedy panowie weszli na tarasik mniejszego domku, wewnątrz na łóżku siedziała Ewa, a na krzesełku obok Iwona.

– Spójrz, Heńku, jak będziemy mieli wygodnie! – Ewa poklepała dłonią po pościeli. – Przed snem można posiedzieć w foteliku na tarasie, popatrzeć na księżyc, bo podobno defiluje wprost przed nim... Już mi Iwonka zdążyła wszystko opowiedzieć.

– Pełnia była ponad tydzień temu, teraz wędruje jeszcze rogalik. Za to na gwiazdy można patrzeć i patrzeć. – Tato Iwony wskazał na niebo. – Lampy, inaczej niż w mieście, nie przeszkadzają w obserwacji, choć drzewa... coraz bardziej, bo rosną i rosną. Jak zaczynaliśmy tutaj gospodarzyć, to największe z nich miały po dwa metry, a dzisiaj sięgają już piętnastu. Powoli zaczynają zasłaniać część nocnego nieba, teraz już do kąta trzydziestu stopni w elewacji, ale za to w środku lata dają cień, bez którego trudno byłoby wytrzymać upały.

Po chwili wszyscy siedzieli już przy stole na tarasie większego domku, popijając przedpołudniową kawę.

– Bardzo mi się państwa działka podoba – odezwał się Henryk. – Ładnie położona, oryginalna i pięknie utrzymana. Zadbane trawniki, ładnie przystrzyżony żywopłot i jałowce, no i oczywiście piękne kwiaty... – Spojrzał z uznaniem na panią Lillę.

– Może się państwo dziwią, że u nas tylko iglaki: świerki, sosny, jodełki i jałowce. Kiedyś rosło tu dużo samosiejek: małych brzózek, dąbków, klonów i osik, ale polikwidowaliśmy je, bo jesienią i wiosną nie było końca grabienia liści. I tak zawsze po zimie jest ich sporo, bo za płotem rosną przecież dęby, buki, no i brzozy. Wsadzamy za to wciąż nowe iglaki.

– Ciekawie prowadzi pan te dwa świerki – powiedział Henryk, wskazując ręką.

– Urosły za wysoko i zaczęły zbytnio ocieniać gazon, i coś trzeba było z nimi zrobić. Całkowite ich wycięcie nie wchodziło w rachubę, bo nie pozwoliłaby Lilla... – pan Stanisław uśmiechnął się do żony – ...więc najpierw jednego roku uformowałem pierwszy świerk na bonzai, a w kolejnym roku drugi na kulę.

– Stasiu, dajcie nam dojść do głosu – fuknęła na wesoło pani Lilla. – Jak udała się podróż? – zwróciła się do Ewy.

– Droga była prawie pusta. Iwonka mówiła, że ci, co mieli wyjechać z Trójmiasta na Kaszuby, zrobili to wczoraj, a powroty rozpoczynają się dopiero po południu.

– Tak tu właśnie jest i zawsze dostosowujemy swoje jazdy do takiego cyklu.

– Muszę powiedzieć, że smakuje mi kawa, a to nie zawsze się zdarza. Zrobiła pani dokładnie taką, jak lubię.

– Iwonka zdążyła mi szepnąć, ile mam sypnąć... – Pani Lilla zachichotała; przeniosła na moment wzrok na córkę, a potem z powrotem na Ewę. – Z jej opowiadań wiem, że w pracy spotykacie się prawie codziennie w samo południe przy kawie i gaworzycie kilkanaście minut.

Ewa spojrzała na Iwonę, uśmiechnęły się do siebie.

– Czasami musimy, niestety, odpuścić, bo jest coś ważniejszego, na przykład narada u prezesa. – Iwona pokazała kciukiem na Henryka.

– Albo czasami ja za bardzo mantyczę i Iwonka wychodzi szybciej – uzupełniła Ewa, rozkładając ręce; znowu ich wzrok się spotkał.

– Jak to w pracy – zauważył pan Stanisław.

– Ważne, że Iwonka ma przyjaciółkę, z którą może sobie porozmawiać od serca, nawet w pracy i chociaż przez chwilę... – Pani Lilla delikatnie musnęła dłoń Ewy. – Proszę się częstować drożdżówką, wczoraj pod wieczór piekłam, aż mąż narzekał, że w nocy było mu za ciepło. Domek się nagrzał.

– Poczęstuję się z przyjemnością, chociaż z jedzeniem u mnie ostatnio nie za bardzo... – Ewa zmarszczyła nos. – Dobrze, że teraz Iwonka mnie pilnuje, bo bez niej nie wiem, jak by to było... – Jej głos się lekko załamał.

– A powiedz mi, Dominiko, jak minął wczorajszy wieczór i jak ci się spało w małym domku? – Iwona postanowiła zmienić temat. – Spałaś tam przecież już drugi raz.

– Najpierw posiedzieliśmy przy ognisku z panem Stasiem, a potem jeszcze trochę sami...

– Bo dla mnie, córcia, było wczoraj za wilgotno... – pani Lilla weszła w słowo Dominice – ...a zresztą doglądałam drożdżówki.

– No właśnie, trochę przeszkadzała wilgoć, ale Patryk przyniósł kurtki, pod nogi położył pniaczki i było super... – Dominika potrząsnęła piąsteczkami. – Trochę ponuciliśmy sobie przy gitarce, trochę popatrzyliśmy na gwiazdy, wykąpałam się, no i odprowadził mnie do spania. – Pokazała głową na Patryka i zachichotała. – Posiedział jeszcze chwilę na tarasie, aż zasnęłam... – Oparła się o jego ramię.

– Jacy wy jesteście fajni – zachwyciła się Ewa, kołysząc głową.

– A co macie w planie po kawie, bo ja bym się chętnie wykąpał, dzisiaj jeszcze nie byłem? – Pan Stasio odstawił filiżankę na talerzyk i spojrzał wokół; Patryk i Dominika spojrzeli po sobie i prawie jednocześnie się poderwali.

– My możemy w każdej chwili... – rzuciła Dominika. – Skoczę tylko po kostium.

– Stasiu, nie wszyscy są tacy szybcy jak ty. – Pani Lilla nie była zadowolona z męża. – On wszystko robi, jakby się gdzieś spieszył – pożaliła się.

– Oj mamuś, nie zmienisz go. Ja też się chętnie wykąpię. – Iwona ucieszyła się z propozycji ojca. – Przy okazji załatwimy wypożyczenie łodzi, żeby po powrocie z kąpieliska wybrać się na spacer po jeziorze. Może być?

Jej wzrok przebiegł po Ewie i Henryku.

– Ze wstydem przyznam, że dawno nie kąpałem się w jeziorze... – Henryk zrobił pocieszną minę – ...znaczy w polskim jeziorze – uzupełnił, widząc zdziwiony wzrok pana Stanisława. – Tak się jakoś złożyło... dlatego dzisiaj chętnie się zanurzę w Mauszu. – Henryk zatarł dłonie po ostatnich słowach.

– A to trzeba będzie iść na cypel? – spytała Ewa, marszcząc czoło.

– Nie. Niedaleko stąd, dwieście metrów z kawałkiem, mamy swoje kąpielisko – wyjaśniła Iwona, wskazując dłonią.

– Jednak ja zostanę i posiedzę sobie tutaj w cieniu – zdecydowała Ewa.

– To ja może też... – zaczął Henryk.

– Nie, nie, nie... – weszła mu w słowo ze słodkim uśmiechem pani Lilla. – Idźcie wszyscy się wykąpać, a my we dwie zostaniemy, bo ja też nie mam dzisiaj ochoty na kąpiel.

Pani Lilla pogłaskała Ewę po dłoni; ta uśmiechnęła się z wdzięcznością.

– Wykąp się, Heniu, nabierz sił, bo potem będziesz moim galernikiem. – Ewa zachichotała. – Ja tymczasem pomogę pani Lilli ogarnąć ze stołu, a potem posiedzimy sobie i poczekamy na was.

– No i już – podsumowała pani Lilla.

Po krótkim zamieszaniu kąpielowicze ruszyli nad jezioro. Pani Lilla i Ewa stanęły przy balustradzie tarasu i pomachały im.

– Dziecko, a może się trochę położysz? Co ja mówię... – Pani Lilla zasłoniła usta. – Przepraszam za to „dziecko"... – Przyciągnęła Ewę do siebie. – Ależ pani chudziutka...

Popatrzyły sobie w oczy.

– Proszę mi mówić po imieniu, pani Lillu. Tak będzie mi lepiej... Dawno do mnie nikt tak nie mówił...

Ewie zatrząsł się podbródek.

– Dobrze, dobrze. – Pani Lilla przygarnęła ją. – To co, położysz się?

– Nie, ale za chwilę chętnie usiądę z panią tam... – Wskazała na leżaki ustawione po drzewami.

– To ty już tam idź je pilnować, a ja zaraz dołączę – zaproponowała pani Lilla.

– Nie, nie, nie. Chociaż poznoszę szklanki i talerzyki, a potem powycieram.

– No dobrze, a ja najpierw uprzątnę ciasto i te inne ze stołu.

Za chwilę pani Lilla myła naczynia, a Ewa je wycierała. Rozmawiały o lecie, o filiżankach, które tutaj wreszcie się przydają, bo w domu są inne, o nowym ręcznym młynku do mielenia kawy, który dostali niedawno od Iwonki w prezencie... Kiedy skończyły, ruszyły wolnym krokiem w stronę leżaków.

– Cierpisz, Ewuniu...? – nieoczekiwanie spytała pani Lilla, kiedy tylko na nich usiadły. Ewa zamarła w bezruchu.

– Nikt mnie dotąd tak wprost nie spytał – wyszeptała po chwili namysłu.

– Możesz nie odpowiadać, ale dostrzegłam w tobie jakąś siłę, więc...

– Wiem też, że pani nie tyle chodzi o samo cierpienie, tylko o to, co w ogóle czuję.

– Tak właśnie... Rozumiemy się. Kiedyś przeżywałam katusze w związku z chorobą siostry. Nie mogłam być przy niej, bo to daleko. Nie mogłam także wziąć dłuższego urlopu bezpłatnego, a z wypoczynkowego zostało mi tylko kilka dni. Kiedy wreszcie pojechałam do niej, takie samo pytanie, jakie tobie zadałam, niechcący mi się wypsnęło. Nie chciałam go zadać, ale ono samo wyskoczyło. To wynikło chyba z napięcia, emocji. Rozumiesz mnie?

– Tak... chyba tak.

– Dlatego dzisiaj z pewną premedytacją zadałam je tobie... Wracając jeszcze na chwilę do siostry, zdziwiłam się, kiedy odpowiedziała mi po namyśle, że moje pytanie zaskoczyło ją, ale bardziej ją męczy nadopiekuńczość i pocieszanie ze strony bliskich: że jej stan się poprawia albo że lepiej wygląda. Ona z postępu choroby zdawała sobie doskonale sprawę i granie ucieszonej wcale jej nie pomagało, czyniła tak wbrew sobie i faktom, a tylko po to, żeby nie sprawiać im przykrości.

– Ja mam dobrze... jest przy mnie pani córka, moja najlepsza przyjaciółka, chociaż nie zawsze tak było... – Ewa wyciągnęła dłoń w kierunku pani Lilli – ...i to przeważnie z mojej winy. – Zadrżał jej głos.

– Nie mów tak. Wina nigdy nie leży po jednej stronie, a o ile znam Iwonkę, na pewno już sobie to wyjaśniłyście.

Pani Lilla chwyciła jej szczupłą dłoń w swoje dłonie.

– Tak, wyjaśniłyśmy sobie, ale to było potem. Najpierw, kiedy tylko dowiedziała się o moim stanie w bardzo trudnej rozmowie, zgodziła się być ze mną... do końca... – W oczach Ewy pojawiły się łzy. – Uczyniła to w jednej chwili, bez zastanowienia, tak jakby to było dla niej oczywiste, choć myśmy ostatnio były od siebie... bardzo daleko. – Spojrzała na panią Lillę. – To najpiękniejsza, najlepsza rzecz, która mi się zdarzyła po wielu latach, że Iwona mnie nie odrzuciła, choć powody miała.

– Jesteście po prostu siebie warte – uśmiechnęła się pani Lilla.

– Czasami zastanawiam się, skąd ona bierze tę swoją siłę i pogodę ducha... I właściwie wiem; ona ma to, czego ja nie mam: kochających rodziców, syna, a ja...

Na chwilę zapadła cisza.

– A wracając do pani pytania o cierpienie. Wiem, że najgorsze chwile fizycznego bólu są jeszcze przede mną, ale liczę, że dzięki Iwonce będzie mi trochę łatwiej. Staramy się o tym nie rozmawiać, ale ją niedawno sprowokowałam. Obiecała mi nawet, że w razie czego przeniesie się do mojego pokoju... – Załamał jej się głos i przymknęła oczy; znów zamilkły na chwilę. – Ale wcale nie lżejsze od cierpienia fizycznego jest chyba cierpienie psychiczne... a właściwie było. Już je przeszłam, a od dnia, kiedy mam ją przy sobie, jest mi znacznie łatwiej. Są noce, które udaje mi się całe przespać, bo wiem, że ona jest tuż obok.

– To dobrze, że jest z tobą. Zresztą nikt by inaczej nie postąpił...

– A moja mama? Kiedyś wyjechała bez pożegnania i chyba teraz też się nie pożegnamy... – Ewa zakryła oczy dłońmi. – Iwonka obiecała, że postara się ją odszukać, bo ja nie miałam siły nawet bratu powiedzieć, co ze mną.

– Jeśli obiecała, to ją odszuka...

– A przecież też ma kłopoty w swoim związku... I to też przeze mnie.

– Nie, kochanie, to nie przez ciebie. Ona sama kiedyś podjęła decyzję o tym małżeństwie, bo nie chciała zrobić nikomu przykrości.

– To pani wiedziała...? – Ewa wyprostowała się, jej oczy zrobiły się ogromne.

– Jeśli matka obserwuje swoje dziecko uważnie, to jest w stanie wszystkiego się domyślić. – Pani Lilla spojrzała w oczy Ewie i pokiwała głową. – Wiem, że jej nie jest łatwo w związku, ale czekam, aż sama mi wszystko opowie. Proszę, nic jej nie mów, że to wiem, dobrze?

– Dobrze. To będzie nasza tajemnica. Kiedy patrzę na nią, a jesteśmy bez przerwy razem, myślę, że dojrzewa do rozwiązania tego węzła, i jestem pewna, że wszystko dobrze się ułoży.

Pani Lilla przy ostatnich słowach Ewy położyła palec na ustach.

– Sporo decyzji przed nią...

– Aaale woda! Super! – zabrzmiał od bramy głos Dominiki.

Pani Lilla i Ewa zwróciły się w jej stronę.

– Ruszyłam przodem, bo pani Iwona z Patrykiem poszli do bosmana, a panowie rozmawiają o rybach. Na razie jeszcze się na tym nie znam, więc ich zostawiłam. – Zachichotała i popędziła w stronę domku.

– Świetna dziewczyna... Nie można jej nie lubić... – Obejrzała się za nią pani Lilla.

– A do tego ma wiele różnych zdolności – uzupełniła Ewa.

Niedługo wolnym krokiem, nie przerywając rozmowy o wędkowaniu, weszli panowie.

– Widzę, Stasiu, że znalazłeś słuchacza?

– Oj, Liluś. Wie więcej ode mnie, więc dopytuję o to i owo. Szkoda, że dopiero dzisiaj się zgadaliśmy.

Ewa i Henryk spojrzeli po sobie.

– Bo wiesz, Ewka... Kiedyś, przed maturą, byłem zapalonym wędkarzem i wiele rzeczy mi się przypomniało podczas rozmowy. Może znowu wrócę do wędkowania?

– Namawiam Henryka, żebyście kiedyś przyjechali powędkować. – Pan Stasio spojrzał na Ewę. – Na przykład we wrześniu. Wtedy jest tu taki spokój.

– Tak, może we wrześniu. Może przyjedziemy... – powiedziała cicho Ewa i popatrzyła na obu mężczyzn. – Chciałabym... – Przeniosła wzrok na panią Lillę.

– Idźcie się przebrać, tylko uważajcie, bo w łazience jest Dominika.

– Już ją zwolniłam! – Z tarasu doszedł głos Dominiki, wieszającej na sznureczku swój kostium. – Droga wolna! – zaśmiała się.

– Ależ ona ożywiła tę naszą działkę. Jakbym widziała Iwonkę prawie trzydzieści lat temu.

Pani Lilla wodziła wzrokiem za żywą jak srebro Dominiką.

*

Łódź o czerwonym kadłubie i błękitnym wnętrzu sunęła wolno po spokojnej wodzie jeziora. Przed chwilą pokonała przesmyk pomiędzy Dużym a Małym Mauszem.

– Jeszcze trochę zwolnij! – Iwona rzuciła do Henryka. – Co widzisz? – spojrzała na Ewę i wskazała toń.

– Czekaj... to jest ta, no...

– Mo... czar...

– Moczarka! Tak, pamiętam. – Ewa rozpromieniła się. – Widzę jakieś małe rybki. – Wychyliła się z łodzi. – Co to za gatunek?

Henryk też spojrzał w tamtą stronę.

– Chyba okonki, bo płyną w sporej ławicy. A tam przepłynął dostojnie dość pokaźny lin albo może leszcz, widziałaś?

– Nie, ale coś jakby błysnęło w głębinie.

– W głębinie? Tu jest góra sześćdziesiąt, osiemdziesiąt centymetrów – zaśmiał się Henryk. – Ależ przezroczysta woda. Rozmawiałem z twoim tatą o rybach. Mówi, że czasami przychodzi powędkować, ale ciągle się uczy. – Henryk spojrzał na Iwonę. – Powiedział, że fajnie by było, gdybyśmy jeszcze kiedyś z Ewą przyjechali.

Ewa i Iwona spojrzały na siebie bez słowa.

– Możesz mi coś, Heniu, obiecać? – spytała Ewa; Henryk zmarszczył brwi. – Choćby mnie już... nie było... przyjedź tutaj, proszę.

Iwona podniosła dłonie do ust; zastygła w oczekiwaniu na reakcję Henryka. Ten uciekł wzrokiem na wodę.

– Przecież mógłbyś... Widziałam, że pan Stasio zapraszał cię szczerze.

– Tak naprawdę, to zapraszał nas oboje. – Henryk wykonał ruch dłonią w stronę Ewy.

Iwona przenosiła wzrok z Ewy na Henryka i z powrotem.

– Oni siedzą tutaj, jeśli jest ładna pogoda, nawet do końca września – wtrąciła.

– Więc obiecasz mi, że tutaj przyjedziesz?

– Ale przecież...

– Będę z wami... jeśli nie w łodzi, to tam... – Iwona wskazała na obłok płynący po niebie. – W ostatnie dni bardzo osłabłam i nie wiem nawet, czy zdołam pojechać do Gniewina, a tak bym chciała trzymać cię za rękę w windzie – dodała cicho.

Henryk opuścił głowę, Iwona objęła Ewę.

– Dopilnuję, żeby przyjechał – powiedziała cicho.

Ewa podniosła na nią oczy.

– To teraz możemy popłynąć na tamtą wyspę! – zawołała niespodziewanie wesołym głosem i wyciągnęła przed siebie ramię.

Henryk i Iwona spojrzeli we wskazanym kierunku.

– Niektórzy nazywali ją wyspą zakochanych. – Zachichotała nagle Iwona.

– A dlaczego się śmiejesz?

– Bo ona jest maciupka i do tego błotnista. Zakochani nie mieliby tam gdzie się kochać.

– Gdyby chcieli i naprawdę się kochali, daliby radę. – Ewa wydęła wargę, wzbudzając śmiech Iwony i Henryka.

– Tak naprawdę to kochają się tam i mieszkają łabędzie.

– Ale zanim ruszymy w jej kierunku, podpłyń, proszę, na chwilę do lilii wodnych. – Ewa wskazała dłonią.

– Moi rodzice zawsze mówią na nie nenufary, tak jak w *Nocach i dniach*. Pamiętacie romantycznego pana Toliboskiego z nenufarami? – przypomniała Iwona.

– Tak, trudno nie pamiętać. Sama nazwa zresztą jest śliczna i romantyczna. Spójrzcie, pasują kolorem do mojego kapelusza... – Ewa uniosła jedną lilię z wody i przypatrywała jej się z bliska. – Co za cud natury. – Przymknęła oczy, a po chwili powąchała kwiat. – Ależ delikatny, łagodny zapach! – wykrzyknęła. – Nie pomyślałabym. Chciałam ją zabrać, ale niech lepiej zostanie tutaj, niech żyje.

Położyła lilię delikatnie na wodzie.

Łódź siłą inercji oddalała się od nenufarów, a Ewa oglądała się za nimi z uśmiechem na twarzy.

– No, mój galerniku. Płyńmy wreszcie na wyspę! – zawołała radośnie.

Przy brzegu wyspy zachwyciła się aromatem tataraku i urodą brązowych pałek w otaczających wysepkę szuwarach. Postawiła na swoim i na chwilę stanęła na brzegu, zapadając się po kostki w błocie. Myła potem z piskiem nogi, machając nimi w wodzie. Kiedy wreszcie zasiadła na powrót w łodzi, do wyspy zaczęła się zbliżać łabędzia rodzina. Na przedzie płynęła majestatycznie matka, za nią cztery łabędziątka, pokryte jeszcze częściowo szarym puchem, a z boku wyniosły tata. Łabędzi rodzice już z daleka zaczęli syczeć w kierunku intruzów, ojciec nawet jął podskakiwać na wodzie i trzepotać skrzydłami.

– Odpływajmy, Heńku, bo będzie awantura – poprosiła szeptem Iwona.

Już z pewnej odległości obserwowali, jak członkowie łabędziej rodziny z gracją zanurzali szyje w przybrzeżnej wodzie, w miejscu, gdzie jeszcze przed chwilą cumowała ich łódź.

– Ale przygoda! – pisnęła Ewa. – Dokąd teraz? – spytała Iwonę.

– To zależy, ile sił ma Henryk.

– Sił starczy, ale robią mi się pęcherze na dłoniach.

– Bo za kurczowo trzymasz wiosło, a do tego suchą dłonią. Co za brak techniki! – zaśmiała się Iwona. – Jak chcesz, to mogę cię podmienić. Ja z rodzicami pływam i wiosłuję tutaj od ponad czterdziestu lat.

– Zawstydzasz mnie – rzekł Henryk, chowając głowę w ramiona.

– Dobra, nie kryguj się. Przesiądźmy się, teraz ja powiosłuję. Niech ci trochę odpoczną dłonie.

Zamienili się miejscami; łódź niebezpiecznie zachybotała, aż Ewa narobiła pisku. Po chwili dziób łodzi pruł fale w kierunku przybrzeżnego sitowia.

– Zawsze płynę przy brzegu, bo tam jest mniejszy wiatr i fale, a poza tym czasem coś ciekawego można dojrzeć w toni.

W zatoczce, do której szybko dotarli, łódź zwolniła.

– Tu dno się wybrzusza w niewielką górkę i o tej porze hasają wokół niej okonie. – Mrugnęła w kierunku Ewy i Henryka.

– Skąd o tym wiesz? – Ewa zrobiła wielkie oczy.

– Przecież mówiła, że prawie czterdzieści lat mauszuje. – Henryk pochylił się nad wodą i wpatrywał w toń. – Miała rację, Spójrz, Ewuniu, po swojej stronie, jakie sztuki tam polują – wyszeptał.

Teraz Ewa nachyliła się nad wodą.

– To jest niesamowite... Jakbym była w zoo albo w oceanarium. Wszystko widać. Ganiają wśród moczarek. Poznaję je po pasach na bokach – powiedziała, prostując się, i spojrzała na Iwonę.

– Na lewo od wyspy jest jeszcze większa podwodna górka... – Ewa i Henryk spojrzeli w tamtym kierunku – ... tam polują szczupaki, chociaż tu też się zapędzają. Kiedyś zabrał mnie kolega taty i złapał mi się tutaj czterdziestocentymetrowy szczupaczek. Były dni, że on łowił sportowo, wtedy wszystkie złowione sztuki wypuszczał, ale ja trafiłam na dzień zaopatrzeniowy – dodała. – Zgodnie z jego rytuałem, szczupak dostał buzi w czoło i powędrował do skrzyni z wodą. W małym domku wisi do dzisiaj jego głowa; tato wypreparował.

– A ty też lubisz wędkować?

– Kiedyś lubiłam, ale teraz mam za duży tyłek... – Iwona zachichotała; Ewa dołączyła do niej, ale po chwili urwała.

– A co ma, za przeproszeniem, tyłek do łowienia ryb?

Teraz zaczął głośno rechotać Henryk, a Iwona wraz z nim.

– Nabijacie się ze mnie? – Ewa pogroziła palcem.

– Nie, Ewcia, ale kiedy miałam kilka, no, kilkanaście lat, najlepsze wyniki w łowieniu ryb osiągałam, wyciągając raz za razem rybki spod drewnianych pomostów.

– Dalej nie rozumiem...?

Henryk zaklaskał i uśmiechnął się.

– Ja też tak z początku łowiłem. To taka specjalna technika... Klęczy się na pomoście, zaglądając między szpary i opuszczając jednocześnie do wody mały zestawik do łowienia, a tyłek wisi wysoko nad tobą! – Znowu zachichotał.

– Szkoda, że ja nigdy tak nie łowiłam... – Ewa zaczęła markotnie – ...też miałam co wystawiać – zakończyła chichotem, wywołując tym śmiech Iwony i Henryka. – A teraz łowisz z łodzi? – spytała, patrząc na Iwonę.

– Na łodzi nudzę się, zresztą nie mamy swojej, bo wówczas może byłoby inaczej.

– Muszę coś zaproponować Stasiowi...– zaczął Henryk i natychmiast przerwał, widząc na sobie wzrok Ewy i Iwony.

– Jesteście na ty? – zdziwiła się Ewa.

– Mnie się tam podoba! – Iwona podniosła kciuk.

– Ale nie o to chodzi... – Spojrzał na żonę badawczo.

– A ja już wiem, o co ci chodzi... – Ewa pokiwała głową. – Ale przecież już ustaliliśmy, że jeśli nie będę mogła być tu... – klepnęła o burtę łodzi – ...to będę tam... – Wskazała w kierunku nieba. – Będę z wami... – dokończyła ciszej.

– Przepraszam, Ewunia, nie chciałem... – Henryk przygarnął ją do siebie.

– Ja też żałuję... ale *c'est la vie*[15].

Wszyscy na moment zamilkli.

– Musisz mi obiecać, że będziesz tutaj przyjeżdżał. – Ewa spojrzała poważnie na męża.

– Obiecuję... – Henryk podniósł dwa palce. – Iwonko, czy mi się wydawało, że obok was jest opuszczona działka? Bo jeśli tak, to mam pewien pomysł.

---

15 *C'est la vie* (franc.) – takie jest życie.

– Nawet o niej nie myśl! – Ewa pogroziła palcem.

– Dlaczego?

– Bo ona nie jest dla ciebie! – Ewa spojrzała na Iwonę, mrugnęła i obie zachichotały.

– A skąd ty możesz o tym wiedzieć?

– Wiem... po prostu wiem i już. – Ewa rozłożyła dłonie.

– Czy ty masz zdolności paranormalne? Z działką rozmawiałaś? – Heniek szarpnął plecami do tyłu i tylko cudem nie wpadł do wody, łapiąc się w ostatniej chwili ławki, bo plecy nie znajdując oparcia, niebezpiecznie odchyliły się w kierunku wody.

– I jeszcze wstydu byś nam narobił. Wiosłować nie potrafisz, w łodzi zachowujesz się jak w salonie; mielibyśmy kłopot z wyciąganiem cię z wody. – Parsknęła śmiechem Ewa.

– Ależ dajesz mi co chwila popalić... – Henryka brzuch zaczął falować. – Wyjaśnij mi, o co ci chodziło z tą działką?

– Z jaką działką? – Ewa zmarszczyła brwi.

– No z tą, z którą niby rozmawiałaś. – Henryk wyglądał na jeszcze bardziej zdezorientowanego.

– Głuptasie... ja mówiłam o Iwonie. To u niej nie masz żadnych szans! – Ewa spojrzała groźnie na męża.

– Ale przecież mnie nawet...

– I tak ma zostać! Bo ja wszystko zobaczę. – Wskazała na niebo. – Po Iwonkę zgłosi się kiedyś książę...

Ewa raptownie przerwała i zasłoniła sobie usta, Iwona tylko uśmiechnęła się sceptycznie.

– A jeśli masz jakiś pomysł związany z działką, to najlepiej porozmawiaj z tatą – wtrąciła się Iwona. – On zna doskonale tych właścicieli, starszych od moich rodziców, i może spadniesz im z nieba. Kobieta opiekuje się chorym mężem i nawet nie ma kiedy tym się zająć. Przed sezonem pytałam taty i taką dostałam odpowiedź.

– Ale przecież ty nigdy na nic nie masz czasu. Zresztą po co ci nowe letnisko? – Ewa potrząsnęła głową i rozłożyła dłonie.

– Mam młodego i zdolnego wiceprezesa, tamto letnisko sprzedamy, a ja będę dowodzić stąd – zarżał i stanął na równe nogi.

Zatoczył się ze śmiechu, zachwiał i nie mając się czego uchwycić, runął za burtę; woda ochlapała kobiety w łodzi. Po chwili wynurzyła się na powierzchnię jego ciągle uśmiechnięta twarz z warkoczem moczarki na resztkach włosów. Stał po pas w wodzie, w koszulce upstrzonej wodnym zielskiem, a po rozbawionej twarzy spływały strumyki wody. Ewa i Iwona zaśmiewały się wniebogłosy.

– No i widzisz, Heńku? Spotkał cię zimny prysznic za chwilowe tylko pomyślenie o mojej przyjaciółce. Właź do łodzi i będziesz teraz ty powoził. Aż do krwi!

– I dobrze mi tak...! – Heniek bawił się setnie.

Za niecałą godzinę przepływali znowu przez przesmyk.

– Ale wspaniała wyprawa... – westchnęła z zachwytem Ewa. – A tam prosto, to dokąd byśmy dopłynęli?

– Do samego Sulęczyna...

Heniek płynął wolno wzdłuż pasa trzcin. Gdy znaleźli się na wysokości bosmanówki, dawnego ośrodka Dalmoru, Ewa popatrzyła w kierunku środka jeziora i widniejących tam dwóch półwyspów.

– A co jest za nimi? – Wyciągnęła rękę w ich kierunku.

– Po lewej jest kameralna zatoczka do kąpieli, a w prawo ciągnie się część jeziora nazywana Dobrzynicą. Tam robi się wyprawy na dużą rybę.

– No nie, byłam tak głupia, beznadziejnie... Tyle w życiu straciłam. – W głosie Ewy znowu pojawił się smutek.

– Za to masz pod powiekami widoki, o jakich ja mogę tylko śnić i czasami śnię... Zresztą teraz się mówi: co zobaczyłaś, tego już nie odzobaczysz, więc nie żałuj. Spójrz na to powiedzonko pozytywnie. – Iwona mrugnęła – A poza tym licząc średnią dla nas obu z tego, cośmy w życiu zobaczyły, mamy całkiem niezły wynik. Teraz będę cię męczyła, żebyś opowiedziała mi o tym i owym.

– Poważnie, chcesz? – Ewa spojrzała na Iwonę z niedowierzaniem.

– Oczywiście! Pojutrze siadamy na leżakach z laptopem, włączamy Google Earth, ja wymyślam miejsce, o którym chcę się czegoś dowiedzieć, szukamy na mapie, ty przypominasz sobie stamtąd wszystko i nawijasz!

– Mamy też pełno naszych filmów i zdjęć z różnych ciekawych miejsc! Henryk, gdzie one są?

– Znajdę kartonik z gwizdkami, wszystkie ponumerowane, tam są zdjęcia i filmy z różnych stron świata, a poza tym zadbałem o mały notesik objaśniający, co na którym jest.

– Super! No widzisz... – Iwona przytuliła Ewę.

– Chyba już wracajmy na działkę. Potrzebuję odpocząć.

Ewa spojrzała na Henryka.

– Nawet gdybyś mnie prosiła, dalej bym nie popłynął. – Henryk wyciągnął otwarte dłonie; na skórze każdej z nich, oprócz pękniętych pęcherzy, widoczna była krew. – Miało być do krwi? I jest – zaśmiał się.

– Cóż, trening czyni mistrza – zażartowała Iwona. – Na działce dostaniesz wodę utlenioną, zawsze jest plaster, bandaż...

– Ja go opatrzę. Zrobił to dla mnie... – Ewa przytuliła się do męża.

Po kilku minutach, kiedy Henryk zdjął wilgotne wciąż ubranie i przebrał się w dres pożyczony od pana Stasia, zasiedli na tarasie państwa Lilli i Stanisława przy obiedzie. W małych miseczkach czekał chłodnik z kleksem białka, zwany zupą nic, a na drugie danie pani Lilla podała makaron z gulaszem z kurczaka w sosie beszamelowym.

– Pewnie się tym nie najecie, ale za to będzie sporo pieczystego na ognisku – rzuciła przepraszającym tonem.

– Wszystko jest pyszne, choć dla mnie i tak za dużo. Pani Wiesia smakowo podobnie gotuje – zauważyła Ewa, zwracając się do Iwony.

– A gdzie są młodzi? Znowu poszli się kąpać? – Henryk rozejrzał się po działce.

– Znajomi musieli wyjechać wcześniej, więc nie mieli wyboru. Prosili, by przekazać przeprosiny – wyjaśniła pani Lilla.

– Panie Stanisławie...

– Co pan tak do mnie oficjalnie? – Pan Stasio spojrzał na Henryka i podniósł brwi, rozejrzał się wokół. – Myślę, że nikt nie zaprotestuje, jeśli będziemy mówić sobie po imieniu.

– Ale... – Henryk podrapał się po głowie.

– Nie ma ale... A jak będę pana kiedyś pytał o coś nad wodą, to zanim powiem „panie"... chyba ryba przestanie brać – zaśmiał się. – Prawda, Liluś?

– No oczywiście, że prawda. Liczymy, że będziecie wpadać do nas częściej... – Pani Lilla spojrzała z czułością na Ewę.

– Jeśli tylko będziemy mieć wolny weekend – odparła niepewnym głosem Ewa.

– No, więc o co ci, Henryku, chodziło?

Pan Stasio zorientował się, dokąd może zmierzać rozmowa po pytaniu żony i odpowiedzi Ewy, więc szybko wrócił do poprzedniego wątku.

– Ta sąsiednia działka... – zaczął Henryk i wskazał głową.

– No, jest zapuszczona, to prawda. Po sąsiedzku każdy spośród nas, znajomych ich właścicieli... – wskazał na okoliczne letniska – ...przynajmniej raz w sezonie ją kosi, żeby jakoś wyglądała. Ładna jest, domek nawet lepszy niż nasz, w środku miły salonik, taki miejski, i trzy sypialnie, mówiąc po amerykańsku. Oczywiście, także ładna kuchnia i łazienka. Bo my, widzi pan... – wskazał na żonę i siebie, a po chwili jeszcze na Iwonę – ...preferujemy model amerykańskich szałasów. Do niedawna, zanim zrobiliśmy łazienkę, myliśmy się codziennie na tarasie, dlatego tak dużo chodzimy do jeziora, a czasami wieczorem z szarym mydłem w majtkach. – Zachichotał; Iwona potwierdziła skinieniem głowy.

– Nazywaliśmy to miskowaniem – dorzuciła, mrużąc oczy.

– Harcerski chów – zauważył Henryk.

– Teść by powiedział: skautowski, bo on pamiętał generała Baden-Powella, którego widział w latach trzydziestych w Gdyni na Polance Redłowskiej. A to w końcu nie byle kto, tylko twórca światowego skautingu – dodał z dumą w głosie. – Ale nam to, co mamy, wystarcza.

Każde z nas śpi w wygodnym łóżku, teraz mamy salonik kuchenny, łazienkę z prysznicem i nawet pomieszczenie na pralkę. Żyć nie umierać.

– Byle tylko zdrowie było – dorzuciła pani Lilla i natychmiast przykryła usta dłonią. – Przepraszam, Ewuniu...

Przygarnęła ją do siebie.

– Pogodziłam się z losem i chcę mieć jak najdłużej dobry humor, więc proszę się mną nie przejmować.

Po krótkim milczeniu rozmowę wznowił pan Stasio.

– A co do tej działki...

– Przepraszam, Iwonka mi wspomniała o sąsiadach i chorobie. Czy ma pan może telefon do nich? – spytał Henryk.

– Jak zjemy, to przeszukam szufladę pod telewizorem, powinna być gdzieś wizytówka pani Izabelli. Ona prowadziła kiedyś aptekę, jej mąż był lekarzem, a dziś... – Machnął dłonią.

– Bo mam pomysł, żeby poprosić ich o sprzedaż tej działki dla nas... – Henryk spojrzał badawczo na pana Stasia.

– Oni mają dwoje dzieci, które wyjechały za granicę i tam oboje założyli rodziny, chyba każde z nich było tutaj z raz, ale bardzo dawno, prawda? – zwrócił się do żony.

– Na początku lat dziewięćdziesiątych – odparła pani Lilla.

– Tutaj więcej nikogo starsi państwo nie mają. Niestety. Na wiosnę jakoś spotkałem się z panią Izabellą w hali i rozmawialiśmy o działce. Powiedziała mi, że jak znajdzie trochę czasu, to może zleci komuś zajęcie się jej sprzedażą. Obawia się tylko, że to może ją kosztować sporo upustu, no wie pan. Ale państwo przecież macie działkę na Kaszubach, więc po co wam ta?

– Tamtą planujemy sprzedać, a za tę dam jej, ile zechce! – wykrzyknął Henryk i spojrzał na Iwonę, a potem przeniósł wzrok na żonę; skinęła głową.

– Mogę do niej jutro zadzwonić i wspomnieć, że jest pan człowiekiem godnym zaufania. – Pan Stasio spojrzał Henrykowi prosto w oczy. – Ale mieliśmy, Henryku, mówić sobie po imieniu. Daj rękę, a wieczorem wypijemy po pół piwka – zaśmiał się; mocno uścisnęli sobie prawice.

Przy stole zrobiło się wesoło.

– Będziemy mieli miłych sąsiadów – uradowała się pani Lilla; Ewa pokiwała głową. – Widzę, że wszyscy wszystko zjedli... – Przebiegła wzrokiem po talerzach.

– Ja trochę zostawiłam... – Ewa zmarszczyła nos.

– Nakarmimy kotki. Powiemy, że to od ciebie, będą się podwójnie oblizywać jęzorkami.

Ewa podziękowała pani Lilli uśmiechem za miłe słowa.

– Teraz ja robię porządek, a wszyscy uciekać pod drzewa – zakomenderowała Iwona. Jej mama próbowała protestować, ale córka złapała ją pod pachę i sprowadziła ze schodów.

Miła rozmowa w cieniu, a potem przejażdżka autem Henryka na cypel. Ewa była nim zauroczona. Siedziała na leżaku i wpatrywała się w jezioro. Żaglówki, łodzie spacerowe z piszczącymi dulkami, śmigające kajaki, nawet rower wodny – wszystko to cieszyło ją.

– Za granicą może i widywałam więcej sprzętu na wodzie, może był ładniejszy, ale to jest u nas i dlatego mnie cieszy.

– Kiedyś to był tłok. Tutaj cumowały łodzie i inny sprzęt pływający, wczasowicze dopływali na chwilę, żeby się wykąpać, a potem ruszali dalej.

– A do twojej zatoczki nie wpływali? – Ewa wskazała na półwysep *vis-à-vis*, za którym kryła się zatoczka.

– Niewielu ją znało wówczas i dzisiaj jest tak samo. Wszyscy woleli być w zasięgu wzroku bosmana, bo jakby co... no wiesz, większość przecież pływała z dziećmi – wyjaśniła Iwona, widząc zdziwienie w oczach Ewy.

– A ci w namiotach? – Ewa pokazała palcem za siebie.

– Niektórych znam z widzenia, z niektórymi dawniej byłam zaprzyjaźniona. To byli ludzie ze Śląska. Poznali to miejsce, będąc tutaj na wczasach; kiedyś firmy wymieniały się pomiędzy sobą kartami wczasowymi. Jak pokupowali sobie maluchy, fiaty, to brali namioty, śpiwory i przyjeżdżali biwakować tutaj przez cały urlop. Nie były im straszne burze, deszcze czy upały. Liczyło się tylko czyste powietrze.

– Gdybym tu wcześniej trafiła, to też bym przychodziła na cypel, a pływała zawsze na Mały Mausz... – Ewa pokazała palcem w kierunku niewidocznego stąd przesmyku.

– A co z zatoczką? Nie pływałabyś tam, żeby się wykąpać? – Iwona przymrużyła oczy.

– Szkoda, że jej dzisiaj nie poznałam, ale mój galernik poranił sobie dłonie. – Ewa zwróciła się w kierunku Henryka. – Patrz, on zasnął – dodała ciszej. – My tu gadu, gadu, a on śpi.

Pokręciła głową.

– Trochę się zmęczył, on przecież niezwyczajny – próbowała usprawiedliwić go Iwona.

– No daj spokój, przecież to mężczyzna! – obstawała przy swoim Ewa.

– Do tej pory machali nad nim wielkimi wachlarzami, nosili go w lektykach...

– No nie, tego nigdy nie było, chyba że o czymś nie słyszałam, kiedy pojechał gdzieś sam. Ja też przecież święta nie byłam. – Ewa zamyśliła się i spojrzała w dal. – Dzisiaj się sporo nawiosłował.

Zerknęła po chwili na przyjaciółkę.

– Niech chwilę pośpi – dodała ciszej. – A powiedz mi, czy to dobry pomysł, żeby on tę działkę kupił?

– Działki z roku na rok drożeją – odparła wymijająco Iwona.

– Tyle to i ja wiem, ale mnie chodzi o to, czy on się tutaj wpasuje...

– Znasz go trochę lepiej ode mnie. – Iwona spojrzała głęboko w oczy Ewy.

– Zawsze, gdy coś takiego jak dzisiaj mówił głośno, z przekonaniem, to te zamiary realizował. Szybko i skutecznie.

– No, to może tym razem też jest już do tego przekonany?

– A ty będziesz go dodatkowo przekonywać, podpowiadać jakby co?

– Ewunia, posłuchaj. Heniek to duży chłopak. Teraz ma wyjątkową okazję, żeby pewne sprawy przewartościować, przemyśleć. Narajzowaliście się po świecie wystarczająco, może dotąd nie miał bodźca, żeby to zmienić?

– Masz rację. Też tak sobie pomyślałam, więc będę go do tego namawiała. Póki siły mi na to pozwolą... – Wyciągnęła rękę do przyjaciółki.

– A co to było, co on powiedział dzisiaj o Zygmuncie? – spytała Iwona.

– A nie powtórzysz mu?

– Przecież wiesz, że ostatnio nie spotykamy się wcale, a zresztą rozstajemy się.

– Henryk chce zmodernizować zarządzanie firmą, utworzyć radę nadzorczą, szefować jej, a Zygmunta wyznaczyć na prezesa. Chce zdjąć z siebie codzienne zarządzanie, a widzi, że Zygmunt ma do tego talent, ma ciekawe pomysły, korzysta z literatury fachowej i w ogóle dobrze sobie radzi.

– Patrz, Ewka... Tyle się pozmieniało w tak krótkim czasie. Nie obejmuję tego. – Iwona pokręciła głową.

– Powiedziałaś to chyba tylko po to, żebym ja powtórzyła to samo, potwierdziła twoje słowa. Zresztą ja pierwsza powinnam je wypowiedzieć, bo to przeze mnie wszystko się dzieje.

– Chyba niechcący powiedziałaś, jak jest... Z pewnymi elementami co prawda się nie zgodzę, bo coś się dzieje także dzięki tobie – Iwona podkreśliła ostatnie słowa; Ewa złapała ją kurczowo za dłoń i spojrzała z naciskiem w oczy.

– Dziękuję ci...

Zamilkły na kilka chwil.

– Czyli nie masz nic przeciwko temu, żeby Henryk tu osiadł? – dopytała Ewa.

– Dobrze to określiłaś... osiadł. Tamten domek obok naszego jest w zasadzie całosezonowy. Nabierałby tutaj odpowiedniego dystansu do firmy, do pojawiających się pomysłów strategicznych. Zresztą... nie jest powiedziane, że nie możesz nagle wydobrzeć... – Iwona pogłaskała Ewę po dłoni.

– Nie bądź szalona. Cuda to może się i zdarzają. Czasami myślę sobie o takich sprawach, przeglądam nawet ostatnio na noc Biblię... – Spojrzała w oczy Iwonie. – Nie dziwisz się? To dobrze. A czytam Biblię nie dlatego, że nagle się przestraszyłam i jak trwoga, to... no wiesz. Przestraszyłam się dwa miesiące temu, teraz czekam już spokojnie, co jest możliwe przede wszystkim dlatego, że jesteś przy mnie. Nie wierzyłam, że coś takiego może mi się jeszcze w życiu zdarzyć. Marzyłam o tym. Wiem, powtarzam się.

– Nie szkodzi. Jeśli to przynosi ci ulgę, to mów, powtarzaj się do woli.

– Chciałabym cudu, ale tam jest wszystko strasznie pokiereszowane. – Wskazała na swoje ciało. – Czasami pluję żółcią z krwią... – Teraz ona pogładziła Iwonę po dłoni, bo dostrzegła w jej oczach przestrach. – To nie będzie trwało długo. Tak czuję. Naczytałam się o tym sporo.

– Nie mów tak...

– Przecież ty też o tym wszystko wiesz, Iwonko.

Popatrzyły sobie mocno w oczy.

– Jeszcze niedawno nie sądziłam, że będę potrafiła o tym rozmawiać. Staram się omijać ten temat, ale teraz jakoś mi tak przyszło. Miej czasami oko na Henryka, proszę cię. On w gruncie rzeczy jest bardzo dobrym człowiekiem.

– Uuuaaa! – Henryk przeciągnął się głośno. – Usłyszałem we śnie, że jestem dobrym człowiekiem, ale to chyba o kogoś innego musiało chodzić. – Mrugnął. – Tak czy owak, to było nie najgorsze zakończenie snu.

Ewa i Iwona spojrzały po sobie z pewną konsternacją.

– Ależ świetnie mi się spało... – Spojrzał na dłonie. – To dopiero sobie narobiłem! Jakbym miał stygmaty!

– Nie bluźnij, chłopie! Nie wiesz, co mówisz! – Ewa klepnęła go w ramię.

– Przepraszam. Tak mi się wyrwało. Na twoim cyplu, Iwonko, jest doskonały klimat. Ja bym tutaj zawsze przychodził.

– Tylko zawsze byś tutaj zasypiał i w końcu by cię okradli – zachichotała Ewa.

– Przychodziłbym pieszo i bez niczego. – Mrugnął. – Najwyżej by mnie ktoś całego ukradł.

– Niech się nie waży! – zaśmiała się Ewa. – Możemy, Iwonko, chwilę się przespacerować, a Heniek zbierze w międzyczasie leżaczki.

Wstała, nieco się krzywiąc; Iwona podała jej rękę.

– Muszę się trochę rozprostować – wyjaśniła, próbując się uśmiechnąć.

Kiedy wrócili na działkę, pan Stasio uwijał się przy ognisku. Cała trójka zatrzymała się przy nim, przyglądając się, jak dokłada właśnie kolejną partię drew i rozsuwa żar pod okrągłym rusztem. Ruszt wisiał na łańcuszkach przemyślnie podczepionych do ruchomego wysięgnika, osadzonego w stalowej rurze, solidnie zamocowanej w podłożu.

– Superpomysł taki ruchomy grill! – pochwalił Henryk.

– Miałem już tutaj różne patenty, ale ten jest chyba najlepszy. Dostałem go w prezencie od przyjaciela z Parchowa. Na koniec sezonu rozmontowuję wszystko, a na wiosnę składam.

– Iwonko! Chodź po tacę! – Z tarasu doszło wołanie pani Lilli.

– Przebierz się teraz, Ewuńka, w dres – rzuciła Iwona, ruszając w kierunku tarasu.

Niedługo wszyscy siedzieli wokół ogniska. Na ruszcie skwierczały w sreberkach różne specjały zawinięte przez panią Lillę. Powoli zaczął się unosić z nich zapach.

– Jest kaszaneczka gryczana, jest kiszka kaszubska, są paróweczki z serem i jest kiełbasa litewska. Piecze się też czosnek i cebula – wyjaśniła pani Lilla, odgadując po minach Ewy i Henryka ich ciekawość. – Kiedyś piekliśmy wprost na ruszcie, ale nawet kawałeczek przypalonej na czarno skóry to nic dobrego dla żołądka.

– No widzisz, Heńku? – Ewa wycelowała w jego stronę palcem.

– Ale u nas zawsze wszyscy tak chcieli – odparł, wzruszając ramionami. – Poza tym u nas na ogół były to ilości hurtowe, więc musiałabyś zawijać w te sreberka godzinami – zaśmiał się.

– No tak, to jest problem – wtrąciła pojednawczo pani Lilla. – My zawsze dajemy sobie sporo czasu i trwa to nawet do pół godziny.

– Bo ważny jest finalny efekt, czyli niebo w gębie – dodał pan Stasio i podniósł oczy. – Lilla jak przygotuje... albo Iwonka... – dodał, pochwyciwszy jej spojrzenie – ... to tylko palce lizać.

Cmoknął w swoje trzy palce ułożone w kółeczko.

– Czuję się trochę zawstydzony... – Henryk zrobił umyślnie smutną minę – ...ale wciąż się uczę. – Mrugnął. – Ponieważ lubię smacznie zjeść, to zapamiętam tę technologię.

Wskazał na ruszt.

– Jak już tak wspomniałeś o pamięci, to właśnie sobie przypomniałem, że mieliśmy usankcjonować przejście na YOU! – podkreślił pan Stasio i sięgnął po butelki piwa. – A kufelki? – Stuknął się lekko w czoło i ruszył w kierunku tarasu. – Pamięć...! – zawołał po drodze i roześmiał się w głos.

Po chwili był z powrotem z kufelkami, trzymając je dumnie w wyciągniętych rękach. Napełnił je piwem i podnieśli obaj w górę.

– A, nie, nie! A dziewczynki? Nalać już wam waszego? – Spojrzał na żonę, córkę i zatrzymał wzrok na Ewie. – Czy pani też się napije?

– A co to jest? – Ewa zerknęła na butelki leżące w trawie.

– Karmelowe. Uwielbiam – uśmiechnęła się pani Lilla i natychmiast wyciągnęła w kierunku męża pustą szklaneczkę, Iwona uczyniła podobnie.

– To ja też chcę. – Ewa również podsunęła swoją szklaneczkę.

– No, to teraz wypijmy za zdrowie pań, za wasz przyjazd i za biznes, który tutaj zrobicie!

Stuknęli się kuflami.

– A nie, nie. Poczekaj! Ja jestem Stanisław! – zachichotał.

– A ja Henryk!

Znowu się stuknęli.

– Bo wiesz... – Pan Stasio zatrzymał kufel w powietrzu. – Ja z wiekiem preferuję wiele toastów, a mało alkoholu. To jest bardzo przyjemne i mniej... głowa boli – zaśmiał się i wreszcie pociągnął łyk piwa.

– Fajne, chłodne, ale nie za zimne. Z lodówki? – Henryk spojrzał na Stasia.

– A Boże broń. Przy moim delikatnym gardle? Trzymamy napoje w pomieszczeniu za łazienką, tam gdzie pralka, tam jest maksimum piętnaście stopni i to wystarcza.

– No patrz, Ewuniu, człowiek się całe życie uczy. Już teraz wiem, dlaczego po grillu zawsze boli mnie gardło... – Henryk spojrzał na żonę.

– A teraz kto co chce?!

Pan Stasio podszedł do rusztu i przekręcił wysięgnik z kołyszącym się rusztem w stronę gości.

Kolacja przy ognisku przeciągnęła się, dopóki się nie ściemniło. Wesołe rozmowy, wybuchy śmiechu, kilka harcerskich piosenek przy gitarze.

– Ja już idę, a za dziesięć minut mogą następni. Dobranoc wszystkim. – Pani Lilla wstała i ruszyła w stronę domku.

– A dlaczego za dziesięć minut? – spytała Ewa, spoglądając na Iwonę.

– Taka jest przepustowość łazienki – uśmiechnęła się Iwona.

– Drugi ja pójdę, żebym się wam nie pętał potem pod nogami – powiedział pan Stasio. – Pozbieram tylko folie...

– Zostaw to mnie, bo i tak zawsze idę ostatnia. – Machnęła dłonią Iwona. – Jak jest Patryk, to czasami na niego zwalę, ale wolę sama. Kiedyś nie zalał wodą ogniska...

– A zalewacie je? – Henryk zdziwił się.

– Po pierwsze, jest przeważnie susza, po drugie, ten całonocny swąd z ogniska, który przenika do domków, to nic miłego.

– Widzisz? – Kolejny raz tego wieczoru Ewa wycelowała palcem w męża.

– Ale u nas ognisko jest trochę dalej od domu! – próbował się bronić. – No widzisz, Stasiu, znowu się czegoś nauczyłem – przyznał, kiwając głową.

– Tak to jest – pan Stasio zaśmiał się cicho. – Teraz ja ruszam, a następna osoba za dziesięć minut. – Podniósł palec. – Dobranoc wam.

– Dobranoc – odpowiedzieli Iwona, Ewa i Henryk, odprowadzając pana Stasia wzrokiem.

– Jak mi dobrze... Tacy fajni są twoi rodzice – szepnęła Ewa i spojrzała na Iwonę. – Wypoczęłam psychicznie, ale też jestem skonana.

– Cały dzień w ruchu i na powietrzu swoje zrobił.

Po upływie pół godziny spotkali się na tarasie domku.

– U was jest ciszej niż u nas – powiedziała cicho Ewa, spoglądając na żar w ognisku. – Piękne niebo. – Spojrzała w górę. – Takiej Drogi Mlecznej dawno nie widziałam. Chyba jak byliśmy kiedyś na Malcie, prawda? – zwróciła się do męża.

– No tak, bo tutaj nie ma świateł, gdzieniegdzie tylko niewielka lampa przy domku i lampki solarne.

– A to, co fruwa tutaj co chwila, to nietoperze – wtrąciła Iwona, wskazując na przelatujący nad domkiem cień.

– Nietoperze?!

– Jak byłam mała, to po zapadnięciu zmroku rzucaliśmy z tatą szyszkami ponad choinki i nietoperze natychmiast nadlatywały i zaraz znikały. Taka zabawa na dobranoc. Kiedy Patryk był mały, jemu też pokazałam tę zabawę. Czasami wieczorem rzucaliśmy nawet pół godziny, nie mógł przestać. Zbierał po południu szyszki, żeby ich po ciemku nie szukać. Tyle że choinki urosły i trzeba było rzucać coraz wyżej. Niedawno, kiedy przywiózł tutaj pierwszy raz Dominikę, przypomniała mi się ta zabawa. Rzucali z Dominiką kilkanaście minut, a potem podszedł do mnie i powiedział po cichu, że ich dzieci też tak kiedyś będą rzucały.

– Jacy oni są fajni i dojrzali.

– I dziecinni. Słodziutcy, kocham ich. – Iwona zamyśliła się. – Żeby tylko im się coś nie odmieniło.

– Iwonko... – Ewa przytuliła się do niej. – To jest to, czego ci najbardziej zazdroszczę, że zostawisz swój ślad... a ja niestety nie.

– Wszyscy cię bardzo kochamy i będziesz w naszych sercach zawsze. – Objęła Ewę mocno.

– To ja pójdę zalać ognisko – powiedział cicho Henryk i pociągnął nosem.

– Dziękuję, Heńku – rzuciła za nim Iwona.

Przypatrywały się w milczeniu, jak Henryk dokładnie zalewał ognisko strumieniem wody z węża. Rozgarniał co chwilę żar, czarne kawałki drewna, i polewał, aż ostatnia smużka dymu przestała się unosić z ogniska. Po skończeniu wrócił wolnym krokiem do Ewy i Iwony.

– Tak dokładnie to nawet ja nie zalewam – pochwaliła go po cichu Iwona.

– Łałeś, że hej – zachichotała cicho Ewa.

– To śpijcie dobrze, kochani. – Iwona uścisnęła się z Ewą i pocałowała w policzek Henryka. – A jakby co, to wiaderko z pokrywką stoi pod fotelikiem. – Wskazała w tamtym kierunku i cicho zaśmiała się.

– Dziękujemy za cudowny dzień, Iwonko – wyszeptała Ewa.

Następny dzień minął szybko. Po śniadaniu wybrali się na jeszcze jedną przejażdżkę łódką po jeziorze. Tym razem popłynęli do zatoczki Iwony, żeby mogła się tam wykąpać. Ewa brodziła po wodzie i uśmiech nie schodził jej z twarzy. Potem popłynęli w stronę Dobrzynicy, gdzie Iwona pokazała przyjaciołom miejsca na duże połowy.

– Tutaj będziesz przypływał... – uśmiechnęła się blado Ewa.

Obok plasnęła ogonem jakaś duża ryba. Perlisty rozbryzg wody i wielkie koła na powierzchni. Dyskusja o tym, co to mogło być, zatarła słowa Ewy.

Kąpiel na cyplu, obiad i podwieczorek, a potem powrót do Gdyni. Ewie nie zamykały się usta. Przypominała sobie każdy szczegół z minionych dwóch dni.

– Wszystko mi się podobało, wszystko. Spacer łodzią, cypel, smaczne jedzonko, dobroć twoich rodziców, mały domek, miły klimat przy ognisku... Nie wiedziałam, że tak ładnie grasz na gitarze! – zawołała niespodziewanie, aż Heniek poderwał się przy kierownicy. – Do teraz jednak czuję zapach nenufarów... – Uniosła oczy. – Chyba bym codziennie chciała pływać na Mały Mausz...

Rozdział 21

Kolejnego dnia przy śniadaniu Ewa nieszczególnie się czuła, prawie nie chciała jeść. Spojrzała wymownie na Iwonę; zrozumiały się bez słów. Potem nieoczekiwanie twarz Ewy, mimo sińców pod oczami, rozpromieniła się uśmiechem.

– Biorę cię zaraz na wycieczkę! – zawołała. Iwona zrobiła oczy. – Rozmawiałyśmy w sobotę, nie pamiętasz?

– No tak! Ależ ze mnie skleroza!

– A wiesz, że Heniek spał dzisiaj ze mną? – Ewa mrugnęła. – Dobrze mi się spało, ale potem rano za wcześnie się obudził, bo coś sobie przypomniał. Dopiero później okazało się, że szukał tego kartonika z gwizdkami. Przyniósł mi go, kiedy już się obudziłam, i powiedział, że zainstalował na laptopie najnowszą wersję Google Earth. Ma teraz śmigać, że hej.

Iwona zaprowadziła Ewę na leżak obok basenu, a potem cofnęła się do salonu po laptopa i kartonik, w którym leżały równiutko ułożone pendrive'y z przypiętymi karteczkami identyfikującymi zawartość pamięci. Poczekały, aż uruchomi się program.

– To dokąd chcesz pojechać ze mną na pierwszą wycieczkę? – spytała Ewa, zaglądając w oczy Iwonie.

– Byliście w Ameryce Południowej?

– No jasne, mam stamtąd fajne zdjęcia i filmiki z Copacabany...

– To może potem mi pokażesz – przerwała jej Iwona. – Mnie by interesowało coś ze starych zabytków.

– Byliśmy na jeziorze Titicaca! Popłynęliśmy nawet w rejs na Wyspę Słońca, gdzie mi się zresztą średnio podobało, chociaż to jest wciąż święte miejsce dla tamtejszych Indian. Tyle pamiętam, ale może wybierz coś innego.

– A byliście w świątyni Tiahuanaco? To niedaleko Titicaca.

– Do jakiejś świątyni się wybraliśmy, tylko że mnie na tej wysokości było duszno i chciałam szybko stamtąd wracać. Zostałam w jakiejś budzie z klimatyzacją, a Heniek sam gdzieś pojechał i nie było go chyba z pięć godzin. Możemy poszukać w notesiku.

Otworzyła go i przebiegała wzrokiem po spisie.

– Jest. Titicaca i Tiwanaku.

– Tiwanaku to jest to samo co Tiahuanaco, tyle tylko, że to pierwsze w języku ajmara, a to drugie w języku keczua.

– To ty też tam byłaś?

– Tylko wirtualnie, bo czytałam niedawno pożyczoną od taty książkę Igora Wysockiego *Oś świata* i on opisuje tamte świątynie, ale skupia się głównie na kompleksie Puma Punku.

– Ale śmieszna nazwa – Ewa zachichotała. – Iwona, poczekaj, tutaj przy tym gwizdku jest jeszcze komentarz Henia, że w katalogu „Fotki" są zdjęcia z Puma Punku.

– No widzisz! To pokaż je...

Potem wybrały się na plażę Copacabana. Opowiadając o niej, Ewa była w swoim żywiole. Rzeczywiście wyglądała szałowo w bikini, tańczyła także sambę podczas karnawału w Rio.

– Zazdroszczę ci... – Iwona przymrużyła oczy. – Ja tam nigdy nie byłam i nie będę.

– Nigdy nie mów nigdy. – Pogroziła jej Ewa.

– Za takie pieniądze wolałabym pojechać choćby... na Wyspę Wielkanocną.

– Byłam tam i to sama, bo Heńkowi wypadło spotkanie biznesowe w La Paz i musiał zrezygnować. Gdyby był tam ze mną, miałabym lepsze zdjęcia – zaśmiała się.

Przeszukała notesik i wyciągnęła pendrive'a o numerze trzynaście.

– Zrobiłam dwa krótkie filmiki i sporo zdjęć, ale na nich jestem rzadko, bo tylko Japończycy wyglądali na godnych zaufania, żeby dać im do ręki mój aparat – powiedziała, komicznie wzruszając ramionami, aż Iwona zrobiła zdziwioną minę. – A nie słyszałaś, że takie różne cwaniaki kradną aparaty? – próbowała wyjaśnić.

– Na Wyspie Wielkanocnej daleko by ci nie uciekli – Przyjaciółka zaśmiała się głośno.

– No patrz, że ja wtedy o tym nie pomyślałam – podchwyciła żart Ewa. – Pilnowałam się, bo Heniek kupił sobie wtedy takie cacko... no, ten aparat, i ostrzegał mnie przed wyjazdem, że wszystko mogę zgubić, tylko nie to, więc cały czas oczy miałam wokoło. – Teraz Ewa zachichotała.

Po chwili oglądały na Google Earth, gdzie leży wyspa, jak się na nią można dostać, a potem przeczytały krótką notkę w Wikipedii.

– Szkoda, że nie jeździłaś wtedy ze mną. W samolocie na Wyspę Wielkanocną mieliśmy wykupione dwa miejsca i jedno niestety przepadło.

– Ach, Ewuniu... żebym to ja wiedziała... – Iwona zagrała przejętą, przewróciła oczami, ale nie była w stanie powstrzymać się od śmiechu. – Dobrze, pokazuj teraz te swoje fotki stamtąd.

Przed obiadem odwiedziły jeszcze piramidy w Egipcie, miasto Meksyk i położony niedaleko niego kompleks archeologiczny Toetihuacán ze słynnymi piramidami Słońca i Księżyca, a potem, co szczególnie wzbudziło zachwyt Ewy, plażę w Acapulco i skoki meksykańskich młodzieńców ze skały śmierci La Quebrada.

– W następne miejsca wybierzemy się już jutro, bo jestem trochę zmęczona... – Ewa zwinęła się embrionalnie na leżaku i przymknęła oczy.

Iwona przypatrywała jej się w milczeniu. Musiała coraz bardziej cierpieć, ale dotąd na nic się nie skarżyła, z wyjątkiem przyznania się do wymiotów. Tego dnia po obiedzie miała przyjechać i obejrzeć ją lekarka z Akademii Medycznej, którą Ewa kiedyś tam poznała. Tylko z nią zdecydowała się porozmawiać, chociaż Henryk wielokrotnie ją przekonywał, że wizyta w klinice może jej pomóc. Któregoś dnia, jeszcze przed niedzielnym wyjazdem nad Mausz, powtórzył Iwonie, gdy Ewa poszła się po południu zdrzemnąć, finał jednej z takich rozmów.

– I po co ten lekarz czy lekarka mają do mnie przyjeżdżać, czy ja jeździć do nich, spytała mnie. No przecież lekarze wiedzą, jak mogą pomóc, odpowiedziałem.

A w czym mogą mi pomóc? Wszystko jest jasno opisane w dwóch dokumentach. Odpuść sobie. Przecież nie ma najmniejszych szans na jakąkolwiek poprawę. Nie chcę wegetować, kiedy będą wycinać mi element po elemencie. Musisz to wytrzymać, zakończyła i nie chciała do tego tematu już wracać. A kiedy próbowałem jeszcze coś powiedzieć o środkach przeciwbólowych, odpowiedziała mi krótko: Mogę sama zadzwonić do doktor Rzucewskiej. Rozmawiałam z nią po zrobieniu drugich badań i powiedziała mi, że spotkała się w karierze z niewielu wprawdzie przypadkami, że pacjent rezygnował z terapii. Bo miał jakąś nadzieję, którą budował na podstawie rokowań wynikających z podobnych przypadków. Bardzo szczerze i ze szczegółami opowiedziała mi, jaki będzie przebieg mojej choroby. Przyznała, że w takim stanie jak mój mogą tylko próbować trochę opóźnić ostateczny finał, choć to nic pewnego, względnie uśmierzać ból. Wycinanie tego czy owego ogólnego stanu nie zmieni. Na koniec powiedziała Ewie, że jeśli kiedykolwiek będzie potrzebowała czy to rozmowy, czy innej pomocy, na pewno przyjedzie do niej, jak tylko będzie mogła najszybciej. I wiesz, Iwonko – opowiadał dalej Henryk – zadzwoniła do tej lekarki, ot tak, zaraz przy mnie, tamta przypomniała sobie rozmowę i umówiły się, że ma przyjechać za kilka dni.

Przyjechała po szesnastej, zanim Henryk wrócił z firmy. Iwona poszła otworzyć drzwi. Zobaczyła kobietę w podobnym do siebie wieku, o miłej aparycji.

– Czy Ewa jest w domu? – spytała.

– Tak, czeka w salonie. Proszę wejść.

Panie przywitały się serdecznie. Iwona była zaskoczona, że mówią sobie po imieniu.

– Napije się pani kawy albo herbaty? – spytała ją Iwona.

– Owszem, ale pod jednym warunkiem... – Lekarka spojrzała na Iwonę wyzywająco, ta zdziwiła się.

– Ech... żartowałam. Mam na imię Klaudyna i już, okej?

Iwona natychmiast zrozumiała, dlaczego Ewa właśnie tej lekarce zaufała i tylko z nią gotowa była się spotkać. Tamta wyczekała chwilę i z szerokim uśmiechem dodała:

– Jeśli już kawa, to sypana, klasycznie zmielona, tak półtorej łyżeczki i coś do zabielenia. Da się coś takiego zrobić?

Roześmiały się wszystkie trzy.

Kiedy Iwona wróciła z tacą, lekarka na jej widok pokiwała głową.

– No, to Ewa opowiedziała mi, jaki ma z tobą komfort. Dobrze, że jesteś. Żeby tak wszyscy nasi pacjenci mieli przy sobie takie anioły... Bo wiesz, najgorsza dla chorego jest nadopiekuńczość.

Klaudyna, wlewając śmietankę do filiżanki i mieszając w niej łyżeczką, zerkała w twarz Iwony.

– Ostatnio mamy fazę zwiedzania Kaszub – pochwaliła się Ewa, zmieniając temat. – Iwona jest znakomitym przewodnikiem.

– A od dzisiaj bywamy wirtualnie w egzotycznym świecie... tam, gdzie ja nie byłam, a Ewka owszem. – Iwona wskazała na laptop.

– To dlatego jesteś dzisiaj taka zmęczona, egzotyczne podróże, no no... – zażartowała Klaudyna, patrząc na Ewę.

– Pojutrze chciałabym jeszcze pojechać do Gniewina, żeby wejść, a właściwie wjechać windą na wieżę widokową. Obiecałam, że będę trzymała Henryka za rękę, bo on się boi jazdy windą. Wiesz, klaustrofobia – uzupełniła, widząc, że Klaudyna zmarszczyła czoło. – Potem jeszcze Puck i Władysławowo. Czy uwierzysz, że ja tam nigdy jeszcze nie byłam?

– Ja też słabo znam Kaszuby, bo jak mam choć chwilę wolnego, to uciekam do swojego gniazda na Mazury. Mąż też jest stamtąd, a tutaj nie mamy znajomych, takich od serca, żeby ich odwiedzać.

– Wiecie co...? – Iwona po zerknięciu na zegar nagle poderwała się. – Obiecałam w esemesie Patrykowi, że utnę sobie z nim dłuższą rozmowę telefoniczną, zanim pójdzie dzisiaj na spotkanie z Dominiką. No chyba, że jestem wam niezbędnie potrzebna? – Omiotła wzrokiem obie kobiety.

– Nie, damy sobie radę. – Klaudyna machnęła ręką, zerknąwszy wcześniej na Ewę.

Kiedy po półgodzinie Iwona wróciła do salonu, Ewa i Klaudyna siedziały tak jak wcześniej. Nic nie wskazywało na to, by w ogóle ruszały się z miejsc, choć Iwona sądziła, że lekarka będzie chciała choćby obejrzeć przyjaciółkę. Za to obie spoglądały na nią z pogodnymi wyrazami twarzy. Nie pokazała po sobie zdziwienia.

– I jak konferencja? – rzuciła pytanie Ewa.

– Czego może chcieć młody człowiek latem, po zdanych egzaminach na uczelnię i szczęśliwie zakochany? – Iwona zrobiła minę i rozłożyła ramiona.

– Chyba pieniędzy? – Klaudyna wykonała ruch palcami, Iwona poruszyła przecząco głową.

– Poczekaj chwilę, niech pomyślę. – Ewa zmarszczyła czoło. – Mnie jest łatwiej, bo ich niedawno poznałam. To nie są tacy sobie zwyczajni młodzi ludzie. Pieniądze to trochę nie ich styl... – próbowała wyjaśnić coś Klaudynie.

– Nie? Młodzi to młodzi. Zawsze chcą pieniędzy, wyjechać gdzieś, no, w tym przypadku sądzę, że na jakiś biwak, bo chyba nie na jakieś *last minute*, co?

Ewa i Klaudyna wpatrywały się w twarz Iwony.

– Obie macie trochę racji, ale żadna nie trafiła do końca. Otóż Patryk zapytał mnie, czy nie mam nic przeciwko temu, żeby Dominika pojechała z nim na dłużej... nad Mausz!

– Ale mieliby tam zostać sami? – podchwyciła Ewa.

– A moi rodzice gdzie by się mieli latem podziać? – Iwona rozłożyła ręce. – Nie, oni chcą tam być razem z nimi. Jednym i drugim jest ze sobą dobrze. Rozumiecie coś z tego?

– To rzeczywiście nietypowi są ci młodzi. – Klaudyna uśmiechnęła się. – Muszę się jeszcze wiele nauczyć na temat młodego pokolenia. A z czym ja trafiłam, bo to, o czym powiedziałaś, było bliższe temu, na co stawiała Ewa, tak?

Spojrzała w oczy Ewy; ta skinęła.

– Bo trochę też chodziło o pieniądze, ale w takim sensie, że Patryk nie chce, by dziadek wciąż sam finansował zakupy czy wręcz po nie jeździł. Oni chcą co drugi czy trzeci dzień pójść po nie z plecaczkami, przez pola do Parchowa. Taki mają plan.

– O kurczę! Skąd się takie dzieci biorą? – Klaudyna pokręciła głową.

– Też sobie tego nie umiem do końca wytłumaczyć, choć to mój syn.

– A ty jaka jesteś? – Ewa skrzyżowała ramiona na piersi i przymknęła oczy. – Nieodrodny syn swojej matki, który znalazł podobną sobie dziewczynę.

– Dopiero teraz, po opisie twojego syna i kilku wcześniejszych słowach Ewy o tobie, mam wyobrażenie, jakim jesteś aniołem. – Klaudyna spojrzała w oczy Iwony. – No nic, to ja znikam i jakby co, to dzwoń. – Pogładziła Ewę po dłoni. – Trzymaj się, kruszyno.

Podeszła do niej, nachyliła się i pocałowała.

– Pa – wyszeptała Ewa.

Klaudyna ruszyła do drzwi, a za nią wyszła Iwona. Stanęły przed domem.

– To już jazda z górki, niestety – powiedziała cicho Klaudyna. – Gdyby nie ty, już by jej nie było. Jesteś wspaniała... Masz tu moją wizytówkę z numerem telefonu. Wyślij mi adres mailowy, to prześlę ci przepisy łatwo przyswajalnych kleików. Pogadaj o tym jutro z kucharką. Jeśli chodzi o środki przeciwbólowe, to albo zorientujesz się sama, kiedy należy zacząć je podawać, albo Ewa ci powie, że już nie może wytrzymać. Tak się umówiłyśmy. Wtedy niech przyjedzie do mnie jej mąż. Wszystko załatwię. Jak trzeba będzie, przyjadę. Dla was jestem całą dobę pod telefonem. Aha! Ponoć macie u góry jeszcze jeden pokoik. Załatwię wam pielęgniarkę, kiedy powiesz, że już jest potrzebna. Zorientujesz się sama, co to znaczy. Ona będzie z wami, jeśli trzeba, przez całą dobę.

Iwona była zdziwiona, że Klaudyna powiedziała jej tak wiele w tak krótkim czasie. Wszystkie jej słowa były jasne, więc tylko potakiwała, bo nawet nie nadążała, żeby cokolwiek powiedzieć. Na koniec jednak spytała:

– Czy Ewa może w czwartek pojechać do Gniewina?

– Ocenisz sama. Ty jesteś tutaj ordynatorem – odparła Klaudyna i uścisnęła jej dłoń. – Wiesz wszystko najlepiej, a ja mogę cię tylko wspomagać jako zwykła lekarka.

– Dziękuję ci, Klaudyno.

– Tyle tylko mogę... Miło było cię poznać, Iwono.

Kobiety objęły się. Klaudyna ruszyła w kierunku samochodu. Stanąwszy przy nim, odwróciła się i pomachała.

Gdy Iwona znalazła się na powrót w salonie, Ewa leżała na sofie; miała zamknięte oczy.

– Długo rozmawiałyście – powiedziała cicho, nie otwierając ich.

– Przyglądałam się fiacikowi, jakim przyjechała Klaudyna.

– A co, planujesz sobie kupić? – Ewa otworzyła oczy i lekko się uniosła.

– Chyba będę musiała. Rozumiesz. Ja z Patrykiem, a Zygmunt u matki...

– No tak. To konieczność.

– A wracając do Klaudyny... Cały czas miałam wrażenie, że od dawna się znamy. Jest taka... nie potrafię nawet znaleźć odpowiedniego określenia.

– Na oddziale nazywają ją aniołem. Wy obie jesteście jak anioły, a one się rozumieją. Że ja na was trafiłam... Tylko dlaczego tak późno? – W oczach Ewy pojawiły się łzy.

– Ewko, Ewko, na co masz dzisiaj ochotę? Chmurzy się, więc nie będę pływała.

Ewa opuściła nogi.

– Może jakieś koncerty sobie obejrzymy? Nie jeden, a kilka? – dodała, dostrzegając zaskoczenie na twarzy Iwony.

– A masz coś konkretnego na myśli?

– Na pewno występ Andrei Bocellego w Portofino na rozgrzewkę, a potem też on, koncert świąteczny. Uwielbiam wszystkie jego koncerty.

– A może rozdzielimy Bocellego czym innym?

– Mówisz? To może być niezły pomysł.

– Dostrzegłam w waszej bibliotece koncertów płytę z *Lord of The Dance* Michaela Flatleya. Byłam na tym występie z Patrykiem w gdyńskiej hali w dwa tysiące trzynastym roku. Coś wspaniałego. Taniec i muzyka irlandzka.

– Czy tancerze może podskakują i tupią butami?

– Tak, to właśnie taki taniec. – Iwona zachichotała. – Oprócz tego pieśni i muzyka irlandzka, a wszystko cudownie nastrojowe.

– To ja bym oczywiście chciała... Ale skąd my to mamy? – dziwiła się Ewa. – Pewnie dostaliśmy od kogoś w prezencie – odpowiedziała sama sobie.

Przy koncertach bawiły się z przerwami do późnego wieczora. Następnego dnia Ewa źle się poczuła i nie chciała zejść na śniadanie.

– Coś powinnaś zjeść – próbowała delikatnie ją zachęcić Iwona.

– Kiedy drażni mnie wszystko, szczypie, boli – poskarżyła się, pokazując na siebie od przełyku w dół.

– To przyniosę ci coś innego, a ty się trochę opłucz, jak masz siłę, a jak nie, to poczekaj na mnie.

Po kilkunastu minutach Iwona przyniosła na górę kleik, który zrobiły z panią Wiesią według przepisu od Klaudyny. Najpierw kręciła na niego głową, a potem zjadła wszystko.

– Nie najgorsze to było... Niczego innego bym nie przełknęła.

Iwona przesiedziała u niej do obiadu. Znowu wybrały się na wycieczki po świecie. Ewa wspominała z wypiekami na twarzy podróż do Japonii, do Tokio czy też Kambodży, do świątyni Angkor Wat.

– Japonię to i ja bym wybrała, ale skąd nagle Kambodża?

– Jej historia była młodzieńczą pasją Henryka. Opowiadał mi, jak przeżywał doniesienia o mordach ludności przez Czerwonych Khmerów, i stąd pojawiło się jego zainteresowanie tym krajem, jego historią. W naszej biblioteczce w salonie mamy wiele albumów, między innymi stamtąd także. W tej świątyni, poświęconej Wisznu, można podziwiać między innymi kamienny arras, tak to się nazywa, rozciągający się na długość ponad dziewięciuset metrów, na którym widnieje ponad dwadzieścia tysięcy postaci, przedstawiających sceny z eposów indyjskich *Ramajany* i *Mahabharaty*[16].

– Sporo pamiętasz. Zachęciłaś mnie na tyle, że może wezmę sobie wieczorem do obejrzenia.

– To weź przy okazji świątynną *Kamasutrę*... – Ewa zachichotała.

– Co takiego?

– Kiedyś wciągnęłam się w poszukiwanie, co mogłabym zobaczyć ciekawego na przykład w Indiach. One kojarzyły mi się zawsze ze świętymi krowami, które śmierdzą tak samo jak nasze krasule, walą placki, gdzie popadnie... – zrobiła minę i zacisnęła nos – ...ale nie byłam na tyle głupia, by uznać, że nie ma tam nic ciekawego do zobaczenia – uśmiechnęła się od ucha do ucha. – Przeglądałam więc przewodniki, albumy, szukałam czegoś, co mnie porwie, szczególnie zainteresuje. No i najbardziej zaintrygowała mnie świątynia... poczekaj, wezmę notesik... – po chwili wertowania puknęła się w czoło – ...myśmy tam w efekcie nie pojechali, chyba pojechaliśmy na Wyspy Kanaryjskie – zachichotała. – W każdym razie Heniek ściągnął mi z zagranicy albumy tych świątyń, o jakie poprosiłam. Jedna z nich to była... chyba Kadżuraho, a druga cała wykuta w skale... poczekaj, momencik... – podrapała się

[16] Za: https://pl.wikipedia.org/wiki/Angkor_Wat

po czole – ...Elura czy Ellora... ale teraz sobie przypomniałam, że tam jest nie jedna, a ponad trzydzieści wykutych w skale świątyń buddyjskich, hinduskich i... jeszcze jakichś, uciekła mi nazwa[17]. To grube albumy, będziesz miała co oglądać. Tyle *Kamasutry* naraz to na pewno nigdzie nie widziałaś. – Ewa przymrużyła oczy, Iwona ze śmiechem machnęła dłonią.

– Oczywiście, że obejrzę. No bo czemu nie...

Potem Iwona wybrała Hawaje, sądząc, że tam Ewa była na pewno.

– Przeglądałaś notesik? – Ewa przechyliła głowę i zmarszczyła czoło.

– Nie, ale gdybym chciała kiedyś pojechać i tak naprawdę poplażować, tobym pomyślała właśnie o Hawajach.

– Poczekaj.... To gwizdek numer dziewięć. Byliśmy tam ponad dwa tygodnie, bo Heniek przedłużył pobyt, tak mi się podobało. Zatrzymaliśmy się na wyspie O'ahu, niedaleko Honolulu. Co za plaże, a jaka ciepła woda. Kilka razy byliśmy na Waikiki, ale potem Heniek wypożyczył dżipa i jeździliśmy dalej od miasta. Na jeden weekend pojechaliśmy aż na zachodnie wybrzeże. Tam są dopiero plaże. Prawie puste, szerokie, a piasek delikatniutki... Mogłam nawet zdjąć górę, bo jak okiem sięgnąć nikogo nie było. Miejscowi ludzie przemili, zawsze uśmiechnięci; dziewczyny tak śliczne, że Heńkowi głowa by się odkręciła. Machnęłam na to w myślach ręką, bo ja z kolei gapiłam się na tamtejszych młodych facetów – zaśmiała się pełnym głosem.

---

[17] Za: https://pl.wikipedia.org/Wiki/Elura – trzecia grupa świątyń, których nie mogła sobie przypomnieć Ewa, to świątynie dżinijskie. W sumie jest tam 35 świątyń.

– To teraz wiem, dlaczego kostiumy miały być hawajskie, jak najbardziej kolorowe.

Ewa przewróciła oczami.

– Wybraliśmy się też na popołudniowy przelot samolotem nad wyspami. Niezapomniane przeżycie. Przerwa na zatankowanie na największej wyspie Hawajów, Hawai'i, kawa i powrót o zmierzchu. Wulkan Kilauea z ciągle unoszącym się z krateru dymem i pozostałe wulkany tej wyspy mam wciąż przed oczami. Włóż gwizdek do USB w laptopie i popatrz, jaka byłam laska... – Ewa uśmiechnęła się i podała Iwonie pendrive'a.

Co zdjęcie, to komentarz. Ewie wróciła siła i humor. Na obiad ubrała się i zeszła do salonu. Ucieszyła się, gdy wrócił Heniek, i rozprawiała, jak to jutro będzie na Nordzie[18].

– Spodobała mi się ta nazwa, taka nie nasza, ale tam jest i Gniewino, Puck, Władysławowo, i tak dalej... – Ewa po obiedzie była wciąż pobudzona i emanowała humorem.

Do Gniewina wyjechali nazajutrz po śniadaniu. Ewa kręciła tym razem nosem nawet na kleik, ale zmusiła się do kilku łyżek. Potem w samochodzie dostała czkawki. Zatrzymali się na chwilę i minęła jej po kilku łykach wody. Gdy zobaczyła wieżę w Gniewinie, jej oczy rozbłysły radością. Mieli szczęście, bo zapowiedziana wycieczka kolonistów nie dojechała i cała winda była dla nich. Gdy ruszyła, Heniek przymknął oczy, a Ewa schwyciła go za rękę. Uśmiechnął się, a ona oparła głowę na jego piersi. Potem oglądali panoramę z tarasu widokowego. Ewa była zachwycona i szczęśliwa. Iwona jednak dostrzegła, że drży.

---

[18] Norda – jeden z pięciu regionów Kaszub, obejmujący powiaty: pucki, wejherowski i lęborski.

– Ależ emocje – wyszeptała Ewa. – Heniu, trzymaj się mnie. – Podała mu rękę.

– Jesteśmy na wysokości blisko czterdziestu metrów. – Iwona zajrzała do prospektu. – Wieża nazywa się Kaszubskie Oko.

– Jak ładnie – uśmiechnęła się Ewa.

– To jest górny zbiornik Elektrowni Szczytowo-Pompowej Żarnowiec. – Wskazała w dół. – W dole Jezioro Żarnowieckie, na którego drugim brzegu widać pozostałości po budowie elektrowni jądrowej.

– Czorty, chciały nas uszczęśliwić... – Ewa pogroziła palcem.

– A dalej, widzisz ten błękit? To Bałtyk! Mamy szczęście, bo nawet widać jakiś statek.

– Ale pięknie... – Pod Ewą ugięło się kolano; złapała się Henryka. – Popatrz, to ty miałeś się mnie trzymać, a nie ja ciebie – posmutniała. – Ale już mi lepiej...

– Z drugiej strony widać farmę elektrowni wiatrowych – kontynuowała Iwona.

– Dużo ich jest...

– Teraz już siedemnaście, a będzie więcej. Tutaj są nieustannie wiatry – doczytała Iwona.

– Dziękuję, że mnie przywieźliście tutaj. – Ewa złapała za ręce Henryka i Iwonę; znowu się zachwiała.

– Mamy pustą windę, wracajmy.

Iwona spojrzała na Henryka, ten skinął głową.

Gdy wyszli z windy, Ewa zataczając się, łapiąc głęboko powietrze, próbowała odejść jak najszybciej i najdalej od wieży. Henryk schwycił ją z jednej strony pod ramię, a Iwona z drugiej. W pewnym momencie zatrzymała się i zaczęła wymiotować. Iwona podała jej chusteczki. Ewa oparła się o Henryka, patrzyła przed siebie szklanym wzrokiem i ciężko dyszała.

– Chyba nici z dalszego ciągu dzisiejszej wycieczki. Wracajmy, proszę, do domu. – Skrzywiła się i złapała za brzuch. Iwona i Henryk spojrzeli po sobie bez słowa.

Po powrocie przy pomocy Iwony i Henryka weszła po schodach. Iwona pomogła jej się przebrać i wejść do łóżka. Była tak słaba, że prawie natychmiast zasnęła.

Iwona zeszła do salonu. Wybrała numer do Klaudyny.

– Dzień dobry. Z Ewą jest źle… – powiedziała krótko.

– Jeśli jej mąż może teraz przyjechać, to jestem jeszcze dwie godziny na onkologii. Znajdą mnie.

– Heńku, lekarka czeka na ciebie w klinice, ale zastanów się jeszcze, czy nie czas już poprosić na jutro, pojutrze o pielęgniarkę. – Iwona przekazała Henrykowi ustalenia z rozmowy z Klaudyną.

– Tak zrobię. A po powrocie pojadę jeszcze porozmawiać z jej bratem na Leszczynową Górkę.

– Masz rację. Jedź.

W kolejne dni było raz gorzej, raz nieco lepiej. Ewa próbowała wstawać, ale sił miała coraz mniej. Trochę przyjmowała kleików, czasami popijała wodę. Któregoś dnia Iwona, widząc, że ta skuliła się z bólu, spytała:

– Czy może chciałabyś wziąć tabletki przeciwbólowe?

– Tak. Może będę mogła chociaż czasami usiąść. Ale zejść na dół nie dam rady. Nawet nie próbujcie mnie ciągnąć…

Ewa spojrzała żałośnie na Iwonę i Henryka.

– Czy wytrzymałabyś kilka godzin rumoru? – spytał znienacka Henryk.

– O czym ty mówisz? Nie wiem… ale jeśli to konieczne.

– Pamiętasz? Kiedyś chciałaś mieć tu windę…

Ewa skinęła głową.

– Wykonawca, który rozbudowuje nam w firmie skrzydło, jest w stanie zamontować u nas windę w ciągu jednego dnia. Może sprzedać po promocyjnej cenie albo wypożyczyć.

– A po co nam ona?

– Gdybyś się w miarę czuła, mogłabyś nią zjeżdżać na dół, na świeże powietrze. Dzisiaj po południu przywiozą wózek, który ułatwi ci przemieszczanie się.

– Będę mogła wyjechać nim na tarasik?

– I tutaj, i na dół nad basen...

– Och, Heniu, bardzo bym chciała. Tylko te koszty...

– Nie martw się o nie. Podpisaliśmy wczoraj kolejny kontrakt. Musimy wejść w ściślejszą współpracę z Ziają, bo inaczej nie przerobimy zamówień.

– Cudownie...

– Zygmunt działa z rozmachem, a Dominika zdalnie przygotowuje artykuły sponsorowane do prasy. Siedzi nad Mauszem i cały czas ma kontakt z Zygmuntem. Jest w tym naprawdę dobra. – Henryk podniósł kciuk; Iwona i Ewa popatrzyły na siebie z uśmiechem. – Czyli jutro ze trzy godziny głośnej pracy, tak od dziewiątej rano, żeby po południu winda była gotowa.

– Ale to chyba niemożliwe!

– Możliwe, Ewuniu. Wszystko z przeszklonych modułów, więc po wycięciu niewielkiej ścianki pod oknem w końcu korytarza będzie można szybko zacząć montaż. Wszystko pomierzone. Pod wieczór, o ile będziesz chciała, zjedziesz pierwszy raz na dół.

– Jak się cieszę... – powiedziała cicho, wyciągając dłonie do Iwony i Henryka.

Wycięcie kawałka ściany pod oknem rzeczywiście trwało niecałą godzinę. Ewa część tego czasu spędziła w łazience pod prysznicem, więc kiedy Henryk przyszedł i powiedział, że najgłośniejsza praca jest już za nimi, nie mogła uwierzyć.

– Teraz, Ewuniu, kilkanaście wierceń na śruby, a potem już w zasadzie cichy montaż.

Późnym popołudniem Henryk wszedł, zacierając dłonie.

– Winda przeszła test. Zjechały i wjechały dwie dobrze zbudowane osoby, jedną z nich byłem ja, jedzie wolno, nie szarpie, możesz teraz ze mną ją przetestować.

Twarz Ewy rozjaśniła się uśmiechem. Włożyła żółty szlafroczek frotté, i kiedy Henryk przysunął wózek, usiadła i ruszyli w kierunku windy. Iwona szybko zbiegła na dół. Gdy winda zatrzymała się, ona już czekała przy drzwiach.

Uśmiechnęła się do Ewy.

– Ależ super. Podoba mi się. Dziękuję, Heniu. Wiesz, Iwonko, obsługa jest prosta, więc już sama potrafię.

– Ale sama nie będziesz zjeżdżać – pogroziła Iwona.

Ewę ucieszyło, że dzięki zainstalowaniu windy jej przyjaciółka może znowu wrócić do kąpieli w basenie.

– Skoro ja nie mogę już być silna, to chociaż ty nie zapominaj o tym, że to bardzo ważne.

Iwona poczuła wdzięczność wobec Ewy za te słowa. Bo rzeczywiście, to dzięki pływaniu trzymała się nieźle w formie fizycznej, tak ważnej ze względu na słabnącą jednak z dnia na dzień psychikę.

Rozdział 22

Początek ostatniej dekady lipca był już jazdą z górki. Iwona nie odstępowała przyjaciółki dzień i noc, ale przeznaczenia nie dało się oszukać. Ewa chudła i słabła na jej oczach. Były dni, że nie poznawała ani jej, ani męża. Zdarzały się też takie, że potrafiła skupić się na rozmowie i nawet blado się uśmiechnąć. Jednak i wówczas cierpiała, pomagały tylko coraz mocniejsze dawki leków. Uzgadniała to z lekarką pielęgniarka, która już od kilku dni wspomagała na stałe Iwonę. Sama Iwona też często rozmawiała z Klaudyną i gdy któregoś dnia przekazała jej informację o nieco lepszym samopoczuciu Ewy, ta odwiedziła je prawie natychmiast. Akurat siedziały z Ewą pod parasolem przy basenie. Lekarka wypiła herbatę, podczas której Iwona zostawiła je na trochę same. Gdy Klaudyna odjechała, chora uśmiechnęła się do Iwony.

– Pomogła mi ta rozmowa. Ona naprawdę jest aniołem... tak jak i ty. – Wyciągnęła do Iwony rękę. – Nabrałam dziwnej ochoty na kawę. No, nie patrz tak. Klaudyna powiedziała, że mogę. W salonie, w małym kredensiku obok barku, jest drewniana skrzyneczka, a w niej filiżanki, które podczas pobytu w Szanghaju dostałam w prezencie od Henryka. Zawsze było mi ich szkoda, zawsze czekałam na lepszą okazję. Ta najlepsza okazja właśnie dzisiaj mi się trafiła. Proszę cię, zrób w nich kawę dla naszej trójki. Chciałam, żeby Klaudyna też wypiła z nami, ale niestety, śpieszyła się na dyżur.

– Tyle że Henryk wyjechał chwilę po niej... Powiedział, że za pół godziny będzie z powrotem.

– To poczekajmy na niego tę chwilę... Piłam przecież herbatę.

Spoglądały w niebo, podziwiając białe obłoki, płynące po niebie i wciąż zmieniające kształty, i bawiąc się jak małe dziewczynki porównywaniem ich do zarysów zwierząt czy roślin.

Od strony salonu rozległo się nagle ciche chrząknięcie.

– Heniek wrócił? – spytała Ewa i spojrzała w oczy Iwony.

– Tak, jestem... ale nie sam, z gośćmi...

Iwona podniosła dłonie do ust, domyśliła się, że była to matka Ewy. Jej brata Janusza niedawno zdążyła poznać.

Matka podbiegła do leżaka, na którym wpółleżała Ewa. Upadła przy niej na kolana.

– Córeczko kochana, dziecko najdroższe – załkała i przytuliła głowę do jej nóg.

Po chwili uniosła się i zbliżyła twarz do twarzy córki.

– Wybacz mi, dziecko, że kiedyś od was uciekłam. Na pewno gdybym została, toby ci się to nie przydarzyło.

– Mamuś, choroba nie jest twoją winą... Jeśli już, to moją, chociaż to mogło się każdemu przydarzyć.... Tak tęskniłam za tobą, jesteś nareszcie przy mnie...

Podniosła ramiona; objęły się mocno, szlochając.

Brat stał obok i nerwowo ściskał palce.

– Wychudłaś, siostrzyczko. Kochana moja.

Teraz oni objęli się i trwali tak kilka długich chwil.

– Proszę, siądźmy. – Henryk, też ściskając palce, wskazał na stolik z fotelikami stojący pod markizą.

Pomógł Ewie przesiąść się z leżaka na wózek i podjechał nim do stolika. Matka i rodzeństwo spoglądali po sobie. Wszyscy mieli zapłakane oczy.

– A pani jest pewnie Iwoną, Janusz mi opowiadał, czy tak? – Matka Ewy oderwała wzrok od córki. – Poznałam głos, gdy tylko usłyszałam pani: dzień dobry. Rozmawiałyśmy ze sobą telefonicznie dwa razy, długo... – zwróciła się do Ewy, na której twarzy pojawiło się zdziwienie. – Przekonała mnie, chociaż bardzo się bałam... Jak ja mogłam się tak długo wahać? – załkała.

Oczy Ewy i Iwony spotkały się. Chora wyciągnęła obie ręce w stronę przyjaciółki. Iwona podeszła i nachyliła się do niej. Objęły się.

– Dziękuję ci. Obiecałaś i dotrzymałaś słowa – wyszeptała Ewa.

– Może zrobię kawy?

Iwona rozejrzała się wokół; czuła, że to dobry pretekst, żeby zostawić ich na chwilę samych.

– Właściwie nie powinnam, ale jeśli już, to małą – powiedziała cicho matka Ewy, ocierając łzy.

– Ja, jeśli to nie sprawi kłopotu, też poproszę małą – odezwał się zdławionym głosem brat Ewy.

*

– Widzisz, Iwonko. Przydały się filiżanki Henryka. Dzisiaj jest ta najlepsza okazja. Doczekałam się. – Ewa uśmiechnęła się przez łzy do przyjaciółki; po chwili wyciągnęła wychudłą dłoń w kierunku męża. – Poproś panią Wiesię, żeby przygotowała, a ty wracaj.

Po wyjeździe matki i brata Ewa poprosiła, żeby ją zawieźć do pokoju. Tam słaniającą się przyjaciółkę Iwona podprowadziła do łazienki, a potem do łóżka. Ewa przymknęła oczy. Iwona usiadła obok niej na fotelu, który od kilku dni był jej stałym miejscem w ciągu dnia i w nocy.

Ewa ciężko oddychała.

– Wszystko już wypełniłam... – odezwała się po kilku chwilach. – Proszę cię teraz, abyś dokładnie mnie wysłuchała. To taki mój testament, ale on jest tylko do twojej wiadomości. Po pierwsze, musisz mi coś przyrzec. Coś bardzo ważnego...

Wpatrywała się szeroko otwartymi oczami w Iwonę; ta skinęła głową.

– Nie możesz nigdy zdradzić Henrykowi, co zdarzyło się pomiędzy mną a Zygmuntem.

Iwona zamknęła oczy i opuściła głowę.

– Oboje nie byliśmy bez grzechu, ale on by to strasznie przeżył i może zaważyłoby to na jego dobrej relacji z Zygmuntem – wyszeptała Ewa. – Od tej strony znam go dobrze. Musisz mi to przyrzec... Iwona! Słyszysz? – ostatnie słowa, robiąc wysiłek, powiedziała głośniej.

Ta otwarła oczy. Wpatrywały się w siebie długo. Wreszcie Iwona skinęła głową.

– Dziękuję, przyjaciółko, i jeszcze raz cię za to przepraszam. Ale to nie wszystko... – Ewa znowu wpatrzyła się mocno w oczy Iwony. – Musisz mi teraz jeszcze coś obiecać.

Iwona zmarszczyła czoło.

– Arthur... – Ewa uniosła palec w górę. – Obiecaj mi, że go odszukasz. Należy ci się choć kilka lat szczęścia.

– Ale...

– Żadne ale. Patryk da sobie radę, a rodzice, jeśli z nimi szczerze porozmawiasz, zrozumieją cię. Przecież możesz to wszystko jakoś sobie zorganizować. Wierzę, że potrafisz.

– To nie jest, Ewuniu, takie proste...

– Nie jest, ale ty tego dokonasz. Obiecaj, że jeśli będzie szansa, to sama zbiegniesz ze schodów do tego księcia. Już kiedyś tak powiedziałaś, ale teraz po prostu obiecaj. Proszę.

Znowu wpatrywały się w siebie przez kilka długich chwil.

– Obiecuję ci, Ewuniu.

Ewa wyciągnęła w jej kierunku szczupłą rękę. Iwona ją chwyciła.

– Zdrzemnę się teraz. Posiedź obok mnie, proszę.

– Śpij, kochanie.

Iwona pogładziła ją po dłoni.

Rozdział 23

Kiedy zdrętwiały jej plecy, Iwona poprawiła się w fotelu. Wsłuchiwała się w nierówny oddech Ewy i wpatrywała w jej bladą twarz. Jakaż ona biedna. Wyczulony w ostatnim czasie słuch zarejestrował uchylenie się drzwi. Obejrzała się. Pielęgniarka.

– Pani Iwonko, proszę iść chociaż na godzinę się wyprostować. O drugiej przyjdę po panią. Obiecuję.

– Dobrze, pani Kasiu, pójdę.

Wydało jej się, że dopiero co zamknęła oczy, kiedy poczuła dłoń na ramieniu.

– Przepraszam. Pani Ewa się przebudziła i woła panią – powiedziała pielęgniarka szeptem.

Iwona westchnęła. Powoli wstała i ruszyła do pokoju przyjaciółki. Kiedy zbliżyła się do jej łóżka, ta wyciągnęła w jej kierunku dłoń.

– Wybacz, że w środku nocy cię budzę – wyszeptała przytomnie, choć chrapliwie i z przerwami. – To już chyba koniec, czuję to. Pocałuj mnie ostatni raz... na dobranoc.

Iwona przytuliła się do niej i objęła ją mocno. Łzy napływały jej do oczu. Ucałowały się.

– Dobranoc, Ewuniu...

– Dziękuję ci... za wszystko... Żegnaj... – powiedziała z przerwami, bardzo cicho. Szklane, ogromne oczy Ewy wpatrywały się intensywnie w Iwonę. – Poproś Henryka, mamę i brata, żeby przyszli. Chcę się z nimi pożegnać.

Jej chuda dłoń zacisnęła się na nadgarstku Iwony.

Kiedy wyszła z pokoju, na korytarzu czekała pielęgniarka.

– Doktor Rzucewska już jedzie – powiedziała cicho do Iwony.

– Idę po rodzinę pani Ewy – odparła Iwona.

Wszyscy drzemali w fotelach, w salonie. Henryk pierwszy podniósł głowę, kiedy tylko usłyszał skrzypnięcie podłogi.

– Ewka cię prosi... – Ich wzrok się spotkał. – Poczekam tu na Klaudynę.

– Dobrze, Iwonko. Dziękuję – westchnął głęboko i ruszył ciężko w kierunku schodów. Widziała, jak pomagał sobie, wspierając się na poręczy.

Mama Ewy i jej brat przebudzili się, słysząc głosy. Przecierali oczy i z przestrachem spoglądali w kierunku Iwony.

– Ewa chce mieć przy sobie rodzinę. Czeka na was – powiedziała cicho.

Za kilkanaście minut przybyła Klaudyna, a po chwili na dół zszedł Henryk i spojrzał wymownie na kobiety.

– Ewa prosi, abyście także przyszły. Pragnie mieć przy sobie wszystkich najbliższych... – Henrykowi głos uwiązł w gardle, z trudnością powstrzymywał szloch.

– Chodźmy, Iwonko... – Klaudyna złapała ją za rękę i pociągnęła za sobą.

Gdy Ewa je dojrzała w słabym świetle lampki, poruszyła się, ale nie była w stanie wydać z siebie głosu. Klaudyna nachyliła się do niej, badając puls. Pokręciła głową.

Iwona usiadła obok Ewy. Wpatrywała się w jej twarz. Zamknięte oczy Ewy uchyliły się, na jej twarzy pojawił się delikatny uśmiech. Iwona przytuliła się do niej. Po chwili usłyszała jej głębokie westchnienie; miała wrażenie, jakby w tej chwili uszło z niej powietrze. Uniosła głowę.

– Ewuńku! Nie! – Z ust Iwony wyrwał się cichy jęk.

Matka przypadła do córki z drugiej strony.

*

Po długich namowach Iwona wreszcie uległa Henrykowi, żeby wygłosić podczas pogrzebu Ewy okazjonalną mowę. Wcześniej używała delikatnych argumentów, a przy kolejnej próbie zareagowała już mocniej.

– Bo to jest niedorzeczne! – zakończyła wymianę zdań i zamachała ramionami. Henryk usiadł wówczas w fotelu i ukrył twarz w dłoniach.

– Myślałem, że zgodzisz się na to bez zbędnych wyjaśnień, ale to się raczej nie uda. – Opuścił ręce i powiedział łamiącym się głosem; Iwona spojrzała na niego ze zdziwieniem. – Nie chciałem ci mówić o pewnej sprawie. Cały pogrzeb, wszystko, co ma się dziać, zaplanowała sama – powiedział, wpatrując się Iwonie w oczy. – Nie mogę jej zawieść... Tym razem nie mogę. Powiedziała mi, że byłaś dla niej więcej niż siostrą, że znasz ją najlepiej, więc jeśli już ktoś ma coś powiedzieć, chociaż wolała, żeby nie było żadnych mów, to tylko ty... – urwał i wpatrzył się w Iwonę. – Tylko my oboje wiemy o jej postanowieniu – dodał po chwili ciszy.

Iwona wciąż kręciła głową.

– Na początku próbowałem prosić Janusza, ale on od razu odmówił mi zdecydowanie. Nie potrafię dobrze pisać, powiedział, nie mówiąc już o czytaniu, a o mówieniu czegoś z pamięci to w ogóle zapomnij. Jestem prostym spawaczem.

Henryk dla podkreślenia swoich słów rozłożył dłonie.

– Ja z kolei... – wskazał na siebie – ...nie mam dykcji, zresztą bym się chyba zasmarkał.

Iwona przysiadła na fotelu, nie przestając kręcić głową.

– Matka Ewy, Janusz i ja chcielibyśmy jednak, żeby ktoś coś powiedział. Ty jesteś taka twarda... nie widziałem nigdy, oprócz jednego przypadku, żebyś płakała – zakończył z nadzieją w głosie.

– Kilka nocy przepłakałam, więc nie mogłeś widzieć... – powiedziała cicho Iwona. – Ostatnie dwa tygodnie, kiedy było straszliwe przyspieszenie, jakoś się trzymałam, ale nie wiem, jak to będzie na cmentarzu.

– Proszę cię, jeszcze ten raz, daj z siebie... co możesz... – Henrykowi znowu zatrzęsła się broda.

– Dobrze... Tylko ty mi teraz nie rycz. Przyjechałam po resztę swoich rzeczy, więc nie chcę, żebyśmy spędzili czas na rozklejaniu się. Poczekaj, ja nie mam w tych sprawach doświadczenia, ale od czego jest internet?

– Jak to, tekst mowy chcesz wziąć z internetu?

– Nie... ale muszę poczytać, jaka powinna być jej konstrukcja... no wiesz. Dowiedziałam się, że cała firma, co do jednego, wybiera się na cmentarz.

Henryk zasłonił ponownie twarz rękoma. Iwona podeszła do niego i położyła mu rękę na ramieniu.

– Poznałam cię w ostatnim okresie z tej lepszej strony. Dlaczego kiedyś taki nie byłeś? – spytała go twardo; Henryk wzruszył ramionami. – Bądź więc twardy, niedźwiedziu... – uśmiechnęła się, gdy podniósł na nią oczy. – Wiem, że przeżywałeś, byłeś twardy i bądź taki do końca, a jak chcesz... to potem możemy się upić na smutno.

– Przecież ty nie pijesz? – uśmiechnął się niepewnie.

– Ale usiądę obok i będę cię pilnowała. Zrezygnowałeś z dużej stypy... i dobrze, ale jakąś kolację dla najbliższych chyba zrobisz, co? – rzuciła. Spojrzał na nią zdziwiony i potarł czoło.

– Nawet mi to do głowy nie przyszło... a właściwie zapomniałem! Przecież życzeniem Ewy było spotkanie z najbliższymi; nie chciała jedynie dużej stypy. Dobrze, że przyjechałaś. Muszę zadzwonić do pani Wiesi...

– Daj jej tylko telefony do cateringowców, ona jest obrotna i da sobie ze wszystkim radę.

Henryk zmarszczył czoło, jakby się nad czymś zastanawiał.

– Czy możesz w takim razie zaprosić na to spotkanie swoich rodziców? – spytał, patrząc jej w oczy. – Ona tak ich polubiła. Chciałbym też, żeby przyszli Patryk i Dominika, jeśli będą mogli. – Podrapał się po głowie. – Z mojej strony będą tylko rodzice i siostra z mężem. Będzie, Iwonko, odpowiednia rodzinna atmosfera, tak jakby chciała Ewa... I nie upiję się.

– No dobrze, to ja już pędzę.

Iwona poklepała Henryka po ramieniu.

– A zapomniałem cię spytać. Jak ty przyjechałaś? Zygmunt czeka w samochodzie?

– Dał mi go na wczoraj i dzisiaj, a sam jakoś sobie radzi – wyjaśniła.

– To jutro spotykamy się najpierw na Srebrnikach, a potem o piętnastej na Witominie – rzucił na pożegnanie.

Iwona stanęła jak wryta.

– O jakich Srebrnikach ty mówisz?

– Tam jest kremacja, a pogrzeb z urną na Witominie...

– Nie mówiłeś mi, że planujesz kremację...

– O tym też zapomniałem...? – urwał i rozłożył ręce. – Kiedy ja się wreszcie odnajdę... To była decyzja Ewy.

– Ale dlaczego? Przecież w rozmowie ze mną...

– Potem, to znaczy dwa dni przed śmiercią, w nocy, kiedy jeszcze miała siłę coś mi powiedzieć, to właśnie przekazała wraz z jeszcze jednym życzeniem.

– A co to było za życzenie?

– Nie mogę. Nie dzisiaj, Iwonko...

Przymknął oczy.

Piątek był ciężkim dniem. Kremacja w Gdańsku, a potem pogrzeb w Gdyni. Rodzina, tłum ludzi z firmy Henryka i delegacje ze współpracujących firm. Iwona postanowiła sobie, że będzie się trzymać i tak się stało. Jej mowa pogrzebowa była krótka, ale mimo że miała przygotowaną kartkę, powiedziała wszystko z pamięci. Gdy urna trafiła do niszy w nowym, oddanym niedawno kolumbarium, z głośników popłynęła *Modlitwa III – Pozwól mi* zespołu Dżem.

Iwonę zamurowało.

Zerknęła w kierunku Henryka, ich wzrok się spotkał; wykonał nieznaczny ruch powiekami. Zrozumiała. To na pewno również wynikało z jego ustaleń z Ewą i nie mógł, a pewnie i nie chciał tego zmienić, choć słowa piosenki musiały go dotykać i boleć. Przymknęła oczy, ale czuła, że wielu ludzi, tak jak ona, nie może powstrzymać łez.

Pozwól mi spróbować jeszcze raz
Niepewność mą wyleczyć, wyleczyć mi.
Za pychę i kłamstwa, za me nałogi,
Za wszystko, co związane z tym.
Te świństwa duże i małe,
Za mą niewiarę,
Rozgrzesz mnie, no rozgrzesz mnie!

Panie mój, o Panie!
Chcę trochę czasu, bo czas leczy rany.
Chciałbym, chciałbym zobaczyć co,
Co dzieje się w mych snach. Co dzieje się.
I nie, nie chcę płakać, Panie mój!

Uczyń bym był z kamienia, bym z kamienia był.
I pozwól mi, pozwól mi,
Spróbować jeszcze raz, jeszcze raz, jeszcze raz.

Chcę trochę czasu, bo czas leczy rany.
Chciałbym, chciałbym zobaczyć co,
Co dzieje się w mych snach. Co dzieje się.
I nie, nie chcę płakać, Panie mój!

Uczyń bym był z kamienia, bym z kamienia był.
I pozwól mi, pozwól mi,
Spróbować jeszcze raz, jeszcze raz, jeszcze raz.

*

– Szkoda, że nie przyszedłeś wczoraj na rodzinną kolację – rzucił Henryk przy powitaniu.

– Tak jak ci mówiłem, musiałem pilnie ściągnąć do mamy lekarza, bo źle się poczuła...

– A dzisiaj jak się czuje?

– Lepiej, bo zobaczyła w telewizji, że idzie wyż... – Zygmunt pokręcił głową. – Moja mama to meteopatka, na dodatek z arytmią, poza tym nie lubi słuchać nikogo i dlatego wciąż pojawiają się problemy. Wczoraj obiecała jednak solennie lekarzowi, a przy okazji i mnie, że przestanie brać leki po uważaniu, a zacznie je przyjmować ściśle według zaleceń.

– Mówiłeś mi już o kiedyś o tym...

– Tak, bo to się co jakiś czas powtarzało, ale tym razem mam nadzieję, że dotrzyma obietnicy.

– Wracając do wczorajszej kolacji, goście zaczęli się rozchodzić około dziewiętnastej, więc i tak przyjechałbyś już po wszystkim. – Henryk machnął ręką. – Może i dobrze się stało, jak się stało. Za to dzisiaj posiedzimy sobie spokojnie sami, powspominamy, wypijemy kielicha... – Henryk wskazał na stół.

– Trzymasz się jakoś? – Zygmunt spojrzał w twarz Henrykowi.

– Ciężko jest być samemu w pustym domu... – rzekł wymijająco Henryk i uciekł wzrokiem.

– Rozumiem cię... Ja co prawda jestem z mamą, ale ona najczęściej odpływa w objęcia Morfeusza już po dwudziestej, a potem też zostaję sam. Nie dość, że muszę być cicho, to jestem... zupełnie sam.

– To prawda... ale i tak masz lepiej niż ja. Ech...

– Niby tak, ale...

– Poczekaj, najpierw ja. Nawiążę do tej samotności, od której zacząłem... Kiedyś, z piętnaście lat temu, Ewa wyszła z pomysłem, żeby adoptować dziecko.

– Nic nigdy nie mówiłeś.

– A co ci miałem mówić, jak jej pomysł upadł jednego wieczoru, i to z mojej winy.

– Nie rozumiem?

– Ewa kilka razy delikatnie wspominała o takim pomyśle, ale ja nigdy nie byłem skory do rozmowy o tym. Po prostu nie chciałem takiego rozwiązania. – Henryk pokręcił głową. – Po jakimś czasie zaczęła zostawiać na komodzie w sypialni książki i gazety dotyczące tej tematyki. Udawałem, że ich nie widzę albo wymawiałem się zmęczeniem. Była coraz bardziej tym moim zachowaniem przygnębiona. Wiedząc, że prędzej czy później nie ucieknę od takiej rozmowy, przygotowałem się jednak do niej.

– Dziwnie się zachowywałeś...

– Wtedy inaczej patrzyłem na to... Szukałem mocnych argumentów na NIE. – Henryk zaakcentował ostatnie słowo i machnął dłonią.

– Dlaczego?

– Bo byłem głupi, chciałem mieć w domu spokój. Nakręciłem się, że skoro sami nie możemy mieć dziecka, to nie chcę dzieciaka nie wiadomo skąd. Poza tym wbiłem sobie w głowę, że ludzie będą nas wytykać palcami z powodu adoptowanego dziecka.

– Wiesz, chyba niepotrzebnie panikowałeś. W końcu wiele rodzin tak czyni, a jeszcze więcej dzieciaków w domach dziecka czeka...

– Wysłuchaj mnie. Kiedy więc Ewa kolejny raz napomknęła o adopcji, od razu na wstępie powiedziałem stanowczo, co o tym sądzę. Oczywiście na NIE. Gdy próbowała mi wyjaśniać, że się mylę, nakrzyczałem na nią. Spłakała się, wyszła z domu i...

– Ja na twoim miejscu chyba podjąłbym dyskusję – wtrącił się Zygmunt.

– Oczywiście, że powinienem jej wysłuchać, ale byłem głupi! Egoista. Po tej rozmowie zaczęliśmy się z wolna od siebie oddalać. To znaczy bywaliśmy wszędzie razem, może nawet więcej wyjeżdżaliśmy za granicę, ulegałem różnym jej zachciankom, sam nawet często coś proponowałem, ale już nigdy nie było między nami tak jak przed i zaraz po ślubie. Z czasem zaczęła wyjeżdżać sama w różne miejsca, a ja robiłem dobrą minę do złej gry. Kiedy przekroczyłem czterdziestkę, sam wróciłem do sprawy, bo chciałem ją jakoś zatrzymać w domu, gdyż rzadko już tutaj bywała. Wtedy ona powiedziała NIE. Zamiast o nią walczyć, pozwoliłem, by oddalała się ode mnie coraz bardziej. Spieprzyłem wszystko...! A to, że zachorowała, to myślę, że też przeze mnie.

– Ale przecież ta choroba...?

– Na pewno do niej też się mocno przyczyniłem... – Henrykowi zatrzęsła się broda.

– Przecież tego nie da się w żaden sposób zweryfikować czy potwierdzić...

– Wystarczy, że ja to wiem... czuję. Więc pilnuj, chłopie, Iwony, bo masz przy sobie nieprawdopodobny skarb. Kiedy mama wyzdrowieje, skacz koło niej, ulegaj, bo kiedyś możesz żałować, że czegoś nie zdążyłeś albo coś puściłeś kantem. Wierz mi, wiem, o czym mówię... No, to wypijmy wreszcie kielicha. Zjedz coś.

Zygmunt z ociąganiem podniósł kieliszek. Otrząsnął się po wypiciu.

– Co z tobą, chłopie? – Henryk, widząc to, wykrzywił się.

– Sam nie wiem... Może dlatego, że nie jestem w nastroju i mam o czym myśleć... – urwał i dotknął dłonią czoła. Henryk zmarszczył brwi. – Czuję, że ja też właściwie straciłem żonę...

– Co ty pieprzysz?!

– Niestety. Niedawno mieliśmy trudną rozmowę, bo podpadłem.

– Co to znaczy... podpadłem?

– No wiesz... Iwona czegoś się domyśliła...

– Zrobiłeś skok w bok? Sam? Beze mnie?

– To był naprawdę przypadek...

– Przypadek... – Henryk pogroził mu palcem. – Ale w jaki sposób się dowiedziała?

– Może moja mina mnie zdradziła albo jakieś słowo... Sam już nie wiem. Kobiety mają o jeden zmysł więcej niż my. To był główny powód tego, że postanowiłem wyprowadzić się do mamy.

– No nie. To mnie zaskoczyłeś. I co teraz będzie?

– Ona już chyba nie chce ze mną być.

– Poczekaj, poczekaj, zastanówmy się. Wypijmy po jednym.

– Nie chcę, Heniek, pić. To mi raczej nie pomoże.

– A mnie się wydawało, że tylko ja mam problem!

– Może dzięki temu trochę lepiej się poczujesz...

– Teraz powiedziałeś jak Kłapouchy, a tu trzeba paść do stóp Iwony, przeprosić, obiecać solenną poprawę...

– Przy okazji, podczas tej rozmowy, przyznałem się do innych historii sprzed lat, z okresu przed ślubem i po ślubie, chociaż okazało się, że o dwóch z nich też wiedziała.

– Sam z siebie, bez naciskania się przyznałeś?

– Taką przyjęliśmy zasadę na czas tej rozmowy.

– Taaak... teraz rozumiem. Myśmy z Ewką w ostatnim okresię też rozmawiali tylko szczerze i do bólu. – Henryk pokiwał głową. – Ale wracając do ciebie, to nie myślałem, że taki ostry dawniej byłeś?

– Raczej głupi...

– Czyli tak jak ja. Ech, Zygmunt, Zygmunt... Wypijmy ostatniego. Kurczę... jak to? Drugi kieliszek będzie ostatnim? Co się z nami dzieje, co za upadek? Ale chociaż zakąś coś wreszcie.

Zygmunt skinął głową. Zapadło milczenie, przerywane tylko szczękaniem widelców i noży.

– Najciekawsze w tej naszej rozmowie było to, że Iwona także przyznała się do skoku w bok...

Zygmunt po chwili spojrzał na Henryka.

– No nie, to niemożliwe... – Ten z hałasem odłożył sztućce. – Wszystkie, tylko nie Iwona... – Pokręcił głową. – Ona jest... aniołem. Tak mi mówiła Ewa, zresztą sam widziałem, co i jak robiła. Myśmy z Ewą czasami się rozklejali, a ona była twarda i zawsze potrafiła podtrzymać nas na duchu...

– Iwona zakochała się w Angliku, kiedy była na studiach doktoranckich.

– Zygmunt! Chłopie! No i co z tego, że zakochała się? Jaki to problem?

– Przyznała się też do miłości fizycznej... Kochała się z nim, tam... a kiedy zaszła w ciążę, nie wiedziała z kim. Czy ze mną, czy z nim. Musiała zrobić badania DNA, żeby utwierdzić się, że to jest nasze dziecko. Gdyby dziecko było tamtego faceta, nie wyszłaby za mnie.

– Niesamowite...

– Przez rok pisali ze sobą listy i ona do dzisiaj je przechowuje...

– Listy? Ach, to pewnie te, które sobie z Ewą czytały. Kiedyś mi o jakichś listach mówiły – przypomniał sobie Heniek. – Ale, Zygmunt, spokojnie, to przecież było dwadzieścia lat temu!

– Ona chyba wciąż się w nim kocha... Tak mi się wydaje.

– Człowieku, przecież to jest niemożliwe. Widywali się ze sobą od tamtego czasu?

– Nie. Gdyby było inaczej, powiedziałaby mi podczas tej szczerej rozmowy.

– No tak, rozumiem... Ale to i tak jest nieprawdopodobne... No dobra. I co teraz zrobicie?

– Nie zdecydowaliśmy ostatecznie, ale zrobię to, co będzie chciała.

– Jak to? Poddasz się bez walki?

– Posłuchaj mnie, Henryk. Początkowo myślałem, że ona o moich dawnych wyskokach z kobietami zapomniała, ale tak się nie stało. Może gdyby nie ten ostatni wyskok, jakoś byśmy ze sobą żyli. Rozumiesz...? Jakoś.

– Tak, teraz rozumiem. No, to masz, chłopie, przekichane. Napiję się sam. Muszę...

– Jak będzie chciała, to dam jej wolność, chociaż z drugiej strony...

– Zygmunt... Gdybym nie widział, jak Iwona zachowywała się u nas, gdybym nie wiedział tego, co mi teraz powiedziałeś, stałbym po twojej stronie, nawet bym ci załatwił wygrywającego sprawy rozwodowe adwokata. Znam takiego.

– Wiesz co, Heniek, nalej mi też. Upiję się na smutno.

– Jasne. Mam silniejszą głowę i w razie czego dopilnuję, żebyś nie przedawkował. Podnieśmy kielichy!

Wypili. Ponownie zapadło milczenie przerywane tylko postukiwaniem noży i widelców.

– Posłuchaj mnie, przyjacielu. Dasz Iwonie wolność bez warunków wstępnych – powiedział nagle twardo Henryk.

– Ale... sam jeszcze nie wiem, czy tak postawi sprawę – odparł Zygmunt.

– Czy słowo rozwód podczas waszej rozmowy już padło?

– Nie, ale czuję, że o to właśnie jej chodzi. Domyślam się, że chce sobie inaczej ułożyć życie i mnie w nim nie ma.

– Więc to był powód, dla którego postanowiła zmienić pracę... – Henryk wcisnął się z całą siłą w oparcie fotela.

– Dokładnie. Wykorzystała też odpowiedni moment, żeby nam o tym powiedzieć.

– Poczekaj, muszę cię o coś spytać, bo się gubię. Czy ty masz zamiar u mnie pracować, czy też masz jakieś głupie plany?

– Skąd! Nie mam żadnych planów.

– Więc jeśli tylko to ci odpowiada, masz w mojej firmie dożywotnio pracę. Obiecuję.

– Skoro tak mówisz, to obiecuję, że zostanę w firmie, jak tylko długo zechcesz.

– Przyznam się, że gdy zostałeś moim zastępcą, to Ewa mnie przekonywała, żebym na ciebie jeszcze mocniej postawił. Słuchała moich relacji o tym, co nowego wprowadziłeś w firmie, a kiedy w pewnym momencie tak sobie tylko rzuciłem, że może wycofam się z kierowania firmą, od razu stwierdziła, że prezesem powinieneś zostać ty!

Zygmunt prawie podskoczył w fotelu.

– Dziwisz się? Ale jakby co, nie oddam cię łatwo. – Henryk uśmiechnął się lekko i poruszył kilkakroć w powietrzu palcem.

Zygmunt ukrył twarz w dłoniach.

– Tylko mi się tutaj, przyjacielu, nie rozklejaj. Rozmowa jest szczera, ale męska. Musisz być twardy!

Henryk uderzył dłonią w blat stolika.

– To w takim razie ty mi powiedz szczerze. Czy wierzysz w obietnice składane przy kielichu?

– A kto obiecał ci dużą podwyżkę wtedy w Warszawie, przy kielichu, co? Czy spełniłem ją?

– Spełniłeś!

– No to wypijmy...

– Obiecam ci jeszcze, że nie zostawię cię nigdy samego.

– Szkoda tylko, że nie jesteś kobietą... Ech... – Henryk machnął dłonią. – Ty raczej mi coś innego obiecaj, Zygmuncie... – zawiesił głos i spojrzał na niego groźnie. – Dasz Iwonie wolność tak szybko, jak tylko się da. Oczywiście, o ile cię o to poprosi. Załatwię wam wtedy, żeby sprawa w sądzie przeszła błyskawicznie. Niech chociaż ona, z naszej czwórki, zazna trochę szczęścia.

– Obiecuję! – zgodził się Zygmunt. – Tak właśnie zrobię. Nalej, Heniu. Oj, opóźniasz się... – Pogroził mu palcem.

*

Po dwóch dniach od pogrzebu Henryk niespodzianie zadzwonił do Iwony i powiedział, że czeka na nią pod jej domem.

– Jak to czekasz? Przecież ja się organizuję do nowej pracy... Mam swoje plany i w ogóle...

– Iwonko, potrzebuję cię jeszcze ten jeden, ostatni raz. Chciałbym, żebyś pojechała ze mną na pół godziny do mnie.

– Heńku, moment, czy to jest konieczne?

– To jest wręcz niezbędne, proszę.

Za pięć minut pędzili jego ASX-em. Kiedy weszli do salonu, Henryk wskazał na kredens. Iwona ze zdumienia aż się cofnęła pół kroku, ale po chwili podeszła do kredensu, zerkając na Henryka.

– Przecież urna z prochami została pochowana na Witominie. Wykradłeś ją?

– No nie... To jest ta tajemnica, której nie chciałem ci zdradzić przed pogrzebem.

Iwona opadła na fotel.

– O co chodzi? Nic nie rozumiem.

Henryk usiadł *vis-à-vis* i lekko się uśmiechnął.

– Ewunia miała jeszcze jedno życzenie. Tak bardzo jej się spodobał Mausz... – zamilkł i przeniósł wzrok na urnę.

– Chyba nie chcesz powiedzieć, że chciała, aby jej prochy trafiły do wód Mausza!

– Chciała... początkowo, ale postanowiła, że wystarczą jej wody Bałtyku – uśmiechnął się delikatnie.

– Wiedziałam, że jest szalona, ale że aż tak? – Teraz Iwona uśmiechnęła się i pokręciła głową. – Ale zaraz, zaraz. W takim razie na cmentarzu, w niszy, co jest? – Wskazała na urnę.

– Tam jest urna z prochami i tu jest urna z prochami. Identyczne. – Poruszył ramionami i gdyby była inna okoliczność, pewnie by nie utrzymała powagi. – Załatwiłem to na Srebrnikach.

Iwona z niedowierzania wcisnęła się z całej siły w fotel.

– Wszystko można załatwić. Opowiedziałem tam prawdziwą historię, prośbę Ewy, i ona tak się spodobała, przekonała obsługę, że musiałem ich zmuszać, by jednak wzięli parę groszy. Ewa miała rację... prawda jest najlepsza – podsumował, kiwając smutno głową.

– Jesteś niesamowity. Ale jak te prochy mają trafić do morza?

– Polecisz ze mną śmigłowcem nad Zatokę Gdańską? – wypalił.

– A ty masz śmigłowiec?

– Nie, ale mój dobry znajomy ma i może mnie wziąć na wycieczkę... – Wskazał głową na urnę.

– Żartujesz.

– Absolutnie! Dlatego proponuję ci, żebyś poleciała ze mną.

– W życiu! W czymś takim małym, gdzie nad głową wirują łopaty?

– To jest ostatnie życzenie Ewy. Mamy polecieć razem. Każde z nas ma wyrzucić po połowie zawartości urny.

– Ale ja się boję!

– A ja mam klaustrofobię i tę drugą... no wiesz... – Machnął dłonią. – Więc jak, polecisz?

– Czy to już jest ostatnie życzenie Ewy, o którym nie wiedziałam?

– Tak. To już naprawdę ostatnie. – Henryk pokiwał głową.

– No to... polecę.

Część trzecia

Ku miłości

Rozdział 24

Pierwszego sierpnia Iwona zgłosiła się z papierami na uczelnię. Poszła z nią Agnieszka Krępska, którą Iwona miała zastąpić, a która z kolei pracowała teraz na jej miejscu. Miłe spotkanie z dziekanem, podczas którego opowiedziała o sobie, wspomniała o smutnych przeżyciach tego lata, nawet zdążyła napomknąć o chęci wzięcia kilku dni urlopu na początku września, a potem zainstalowaniu się w pokoju, gdzie od lat współlokatorką była doktor Matylda Fopke. Sympatyczna, jak się to dziś mówi, singielka, spod Kościerzyny, której umiłowaniem było prowadzenie zajęć ze studentami, a hobby – jedzenie pączków.

– Wiesz, Iwono, nie mam takiego ciągu jak Agnieszka, a pewnie i jak ty, do pracy *stricte* naukowej, doktorat zrobiłam, bo trzeba było, natomiast zawsze chciałam uczyć.

– No, to ja będę pewnie twoim zaprzeczeniem – roześmiała się Iwona.

– Czyli nie będziesz wchodziła mi w paradę! – Klasnęła w dłonie Matylda. – Lubię przekazywać młodzieży wiedzę z zakresu biotechnologii, a o to, czego nie wiem, choć staram się dużo czytać, żeby być na bieżąco, dopytywałam Agnieszki – powiedziała, wskazując na Krępską – teraz więc mam zamiar korzystać z twojej pomocy – zakończyła bez skrępowania.

– Zawsze możesz liczyć na moją pomoc, choć dotąd zajmowałam się raczej praktycznymi zastosowaniami biotechnologii. Przemysłowymi. Ponieważ jednak jestem uparta, szybko się podciągnę.

– Podoba mi się, żeście się już zgrały, więc ja znikam.

Agnieszka wstała, pożegnała się z koleżankami i ruszyła w stronę drzwi.

– Jak to fajnie, że ludzie potrafią się uzupełniać. – Matylda spojrzała na Iwonę. – Przedtem z nią, teraz z tobą. Aha! Podzielimy się zadaniami w pokoju.

Usiadła przy swoim biurku.

– Czy robimy wspólne gospodarstwo, czy jesteś Zosia samosia?

Iwona poznała po jej minie, że Matylda wolałaby pierwszy wariant.

– Jeden pokój, jedno gospodarstwo – zdecydowała, pokazując kciuk.

– Kamień z serca... – Matylda pomachała przed twarzą dłonią – ...bo inaczej byłaby krew w piach! – Zrobiła tragiczną minę, ale zaraz roześmiała się. – To podział będzie taki, oczywiście to tylko propozycja. Ja robię wszystkie zakupy, bo i tak większość tego, co kupię, sama pochłaniam, przynoszę wodę do czajnika, zapewniam czyste serwetki i takie tam różne duperele. No wiesz, jak ktoś nas odwiedzi, musimy mieć czym przykryć stolik

– dodała, widząc w oczach Iwony zdziwienie. – Ty myjesz naczynia, zawsze. Strasznie dużo ich tłukę, bo jestem fajtłapa. Zgoda?

– Zgoda!

A potem było zapoznawanie się z koleżeństwem z wydziału, przeglądanie planów naukowych i planów zajęć. Jej biurko było cały czas zawalone różnymi dokumentami, w które się wczytywała. Po dwóch tygodniach na rozmowę poprosił ją dziekan.

– Dochodzą mnie głosy, że znakomicie się z panią współpracuje. Doktor Matylda wystąpiła do mnie z prośbą, abym ją zwolnił przynajmniej z jednego zespołu naukowego, bo to jej komplikuje przygotowywanie się do zajęć, a zasugerowała, żeby pani tam się znalazła.

– A cóż to za zespół?

– Zajmujący się kontaktami międzynarodowymi. – Dziekan spojrzał na Iwonę badawczo. – Kiedy odeszła doktor Krępska, przesunęliśmy tam doktor Fopke, licząc, że włączy się w tę pracę. Ona jednak jest uparta, woli prowadzenie zajęć. Co pani na to?

– A bliżej, czym ten zespół się zajmuje?

– Analiza ogólnych trendów w biotechnologii, wyszukiwanie ciekawych konferencji naukowych, czasami bywanie na nich, oczywiście pisanie i wygłaszanie referatów. Nawiązywanie kontaktów z innymi uczelniami w Polsce i na świecie, które mają w profilu nauczania biotechnologię. Gdyby pani przystała na to, być może mogłoby to stać się zaczątkiem do rozpoczęcia habilitacji.

– Powiem szczerze, że zbierałam się na taką rozmowę, ale pan profesor był łaskaw mnie ubiec. Po latach pracy w przemyśle nabrałam ochoty właśnie na tego typu działalność.

– A czy pani przejrzała już listę konferencji, jakie nam jeszcze zostały w tym roku do obsłużenia, że tak powiem?

– Matylda pokazała mi ten dokument, ale najpierw wzięłam na warsztat program zajęć i kwestie związane z przygotowywaniem się do nich.

– Rozumiem i sam bym pewnie tak uczynił. Więc zanim coś ustalimy dalej, zapytam tylko: zechce pani wejść do tego zespołu?

– Ponieważ i tak nie mam zbyt wielkiego wyboru, to... zgadzam się, i to chętnie.

Iwona uśmiechnęła się, zadowolony dziekan pokiwał głową.

– Proszę w takim razie przedyskutować z doktor Matyldą, jakie zajęcia mogłaby przejąć od pani, a z drugiej strony oczekuję odpowiedzi, jak szybko jest pani w stanie wdrożyć się w pracę zespołu, o którym mówiłem. Tylko... – podniósł palec – ...liczę, że da mi pani znać do końca tego tygodnia, bo chcę spokojnie pójść na urlop – uśmiechnął się.

Matylda bardzo ucieszyła się z decyzji Iwony i szybko porozumiały się w sprawie podziału zajęć ze studentami.

– Teraz spójrz do planu udziału w konferencjach naukowych, ale z tego, co pamiętam, najbliższa jest w końcu września. Dlatego poszłam wcześniej z prośbą do dziekana, żeby ktoś się mógł do udziału w niej przygotować. Ja i wyjazd na zagraniczną konferencję... – zachichotała Matylda.

Iwona rozłożyła dokument.

– Pierwsza dekada sierpnia, konferencja w Hiszpanii...

– Był na niej profesor Bryłka – rzuciła Matylda, nie przerywając wertowania jakiegoś dokumentu.

– Wrzesień: pierwsza dekada, konferencja w Brukseli...

– Doktor Zarębska...

– Druga dekada, Ateny...

– Profesor Miasny...

– Trzecia dekada, Sztokholm – przeczytała głośno Iwona.

– Nie pomyliłaś się? Zawsze było tak, że w miesiącu są w planie maksimum dwie konferencje... – Matylda uniosła głowę znad papierów.

– Mogę sprawdzić terminy w internecie... – rzuciła Iwona. – To tylko kilka minut.

– Jasne, sprawdź. – Matylda ponownie zagłębiła się w badanym dokumencie.

Wkrótce odezwała się Iwona.

– Bruksela się zgadza... Ateny też dobrze... Sztokholm... Nie, tutaj jest termin sierpniowy, a w zasadzie sierpniowo-wrześniowy. Zaczyna się trzydziestego sierpnia, a kończy pierwszego września, więc w planie błędnie wpisano!

– A ja, biedaczka, miałam tam jechać... Jak dobrze, że to już twoja działka! – Matylda aż podskoczyła na fotelu.

– Ale co ja mam zrobić?

– Porozmawiać z dziekanem, bo ja tak czy owak się wyłgam, zachoruję czy cokolwiek. Super, że to teraz już wyszło, bo chciałam się tym zająć dopiero po jego powrocie z urlopu.

– Idę od razu.

Iwona złapała plan i ruszyła do drzwi.

– To mówi pani, że w planie jest pomyłka... – Pokręcił głową dziekan. – To jest zawsze ciekawa konferencja i warto tam być. Dobrze, że nie zgłaszaliśmy referatu, więc nie mamy przypisanej osoby, chociaż chciałem zachęcić Matyldę. Hmm... – zamyślił się. – Mamy tam sporo przyjaciół, bo łączy nas Bałtyk. Hmm... A gdyby tak pani tam pojechała?

– Ale tak z marszu, zupełnie nieprzygotowana?

– Proszę na chwilkę usiąść. – Wskazał krzesło. – To jest blisko... – przekonywał. – Była pani tam kiedyś?

– Tak. Pół roku na studiach doktoranckich dwadzieścia lat temu – wyznała zgodnie z prawdą.

– No to spadła mi pani z nieba! Nikogo bardziej odpowiedniego na tę konferencję nie znajdę! – ucieszył się dziekan. – Mam nadzieję, że nie koliduje to z pani planami urlopowymi?

– W zasadzie nie, choć planowałam wziąć... to znaczy prosić o kilka dni na początku września. Sygnalizowałam to podczas rozmowy wstępnej...

– No tak, pamiętam. Sprawy choroby i pogrzebu przyjaciółki w lipcu zakłóciły pani wcześniejsze plany urlopowe. A gdyby pani pojechała do Sztokholmu, a potem prosto stamtąd na urlop?

– A jaka miałaby być moja rola w Sztokholmie?

– Głównie poznać środowisko biotechnologów konferencyjnych... – zaśmiał się cicho dziekan – ...ale mówiąc poważnie, odwiedzić zaprzyjaźniony z nami wydział uniwersytetu i trochę odpocząć. Będzie pani tam wyłącznie w roli obserwatora, słuchacza, co nie jest jak na pierwszy wyjazd trudnym zadaniem, prawda?

– Chyba zdecyduję się, panie profesorze.

– Cieszę się. Zaraz wydam odpowiednie dyspozycje. Życzę w takim razie miłego pobytu tam, a potem udanego urlopu – zakończył rozmowę dziekan.

– I jak? – przywitała Iwonę pytaniem Matylda.

– Jadę na tę konferencję. A wiesz, że ja tam byłam na studiach doktoranckich?

– No to spadłaś dziekanowi z nieba!

– To samo mi przed chwilą powiedział. Nie myślałam, że tak szybko wybiorę się gdziekolwiek w świat. Muszę pościągać sobie materiały dotyczące tej konferencji, listę uczestników i co tam jeszcze się da.

– No to obie jesteśmy zadowolone – roześmiała się Matylda. – Uczcijmy to kawą z pączkiem. Nie broń się tak, raz możesz zjeść, przecież dzisiaj przyniosłam je z Lipowej...

Matylda pomachała kciukiem w kierunku okna.

– No, chyba że stamtąd – zachichotała w odpowiedzi.

Rozdział 25

Iwona bez trudu poruszała się korytarzami uniwersytetu w Sztokholmie. Miała wrażenie, że wewnątrz głównego budynku nic się nie zmieniło. W olbrzymim holu przed salą konferencyjną podeszła do punktu rejestracyjnego, otrzymała teczkę z materiałami i identyfikator. Spojrzała na zegarek. Jeszcze pół godziny do rozpoczęcia konferencji. W holu kręciło się sporo uczestników, którzy uśmiechali się do siebie, kłaniali i zamieniali słowa powitania. Znają się, ale to są biotechnolodzy konferencyjni, jak powiedział dziekan. Uśmiechnęła się do własnych myśli.

– Iwona? To ty? – Dobiegł ją nagle kobiecy głos.

Obejrzała się w kierunku, skąd dochodził. Siedząca przy pobliskim stoliku ciemnooka i ciemnowłosa kobieta, w podobnym jak ona wieku, uśmiechała się do niej. Iwona podeszła w jej stronę wolnym krokiem i przymrużyła oczy.

– Kristina? – uśmiechnęła się wreszcie od ucha do ucha. Przywitały się.

– A Ingrid nie poznajesz? – Kristina wskazała na siedzącą obok blondynkę.

Kolejne przywitanie. Iwona w tym czasie przewijała film w pamięci: Kristina z Łotwy, Ingrid z Danii.

– Dziewczyny, my się wcale nie zmieniamy – zachichotała.

– Przybyło nam tylko po piętnaście... kilogramów! – Ingrid zawtórowała jej.

– Nie widziałyśmy cię dotąd na żadnej z konferencji, a bywamy prawie na wszystkich... – Kristina gestem zaprosiła Iwonę do stolika, przy którym siedziały z Ingrid. – Obserwowałyśmy cię od kilku minut, ale dopiero kiedy się uśmiechnęłaś, a masz charakterystyczny uśmiech, przypomniało mi się twoje imię.

– Jesteś sama? – spytała Ingrid. – Nie ma z tobą czasem szalonej Ewy? – Spojrzała ponad głową Iwony.

– Pożegnałam ją miesiąc temu... na zawsze. – Iwona posmutniała. – W środku miała wszystko pokiereszowane od raka. – Przesunęła dłonią po ciele. – Może kiedy indziej opowiem, dobrze?

Nastąpiła chwila rozmowy o tym, co która robiła od czasu studiów doktoranckich, wreszcie Kristina zaproponowała, żeby ruszyć w kierunku sali konferencyjnej, by zająć dobre miejsca.

– Zdążyłaś już przejrzeć materiały? – Ingrid spojrzała na niesioną przez Iwonę teczkę.

– Mam je dopiero od kilku minut i planowałam zerknąć na nie podczas wystąpienia otwierającego konferencję – wyznała szczerze Iwona.

– Wiesz, że jedną z popołudniowych sesji poprowadzi profesor Chichester z University of London, wybitna postać biotechnologii? – spytała Kristina, trzymając w ręku otwarty program konferencji, gdy już usiadły w sali.

– Szczerze? Zbyt wiele mi to nazwisko nie mówi, gdyż pracowałam cały czas w firmie produkującej kosmetyki. Właścicielem był mąż Ewy, ale zaraz po jej śmierci przeniosłam się na Uniwersytet Gdański; mój wydział jest w Gdyni. Dlatego ze wstydem się przyznam, że nazwisk naukowców zajmujących się teorią biotechnologii w zasadzie nie znam. Mam zamiar od dzisiaj to zmienić.

– Jutro wieczorem, podczas przyjęcia, pomożemy ci poznać wiele osób znaczących w tej dziedzinie... – mrugnęła Ingrid – ...tyle tylko, że akurat profesora Chichestera powinnaś znać – uśmiechnęła się zagadkowo.

– Naprawdę nie miałam czasu na śledzenie czysto naukowych poszukiwań w tej dziedzinie, choć to nazwisko oczywiście gdzieś mi przemknęło. Nie mogę więc powiedzieć, że go znam, ani też, że nie mam pojęcia, kto to. – Iwona tłumaczyła się z zakłopotaną miną.

– Na pewno go znasz, bo to przecież... Arthur, do którego wszystkie wzdychałyśmy dwadzieścia lat temu!

– Ten Arthur...? – Iwona zamieniła się w słup soli. – Ale zaraz, zaraz. Przecież Arthur nazywa się Morton. Doskonale pamiętam, bo przez ponad rok jeszcze do siebie pisywaliśmy.

– Ja tak samo osłupiałam, dowiedziawszy się kilkanaście lat temu, że teraz nazywa się Chichester – zaśmiała się Kristina. – Od tego czasu spotykamy się przy okazji każdej konferencji na przyjacielskiej kolacji.

– Ale zaraz, czy nie ty byłaś tą, o której mówiło się, że rozkochała w sobie Arthura? – Ingrid spojrzała w oczy Iwony. – Co prawda nikt ich nigdy razem nie widział... – Przeniosła wzrok na Kristinę i rozłożyła dłonie.

– Ech, dużo by opowiadać... Rozmawiałam o nim z Ewą na początku lipca – wymijająco odparła Iwona.

– Dobrze, dokończymy ten wątek później – powiedziała ciszej Kristina, wskazując na oficjeli wchodzących do sali konferencyjnej.

Wśród nich Iwona rozpoznała Arthura. *Boże! To chyba jakiś cud. Pierwszy wyjazd i już go widzę...*

*

Podczas przerwy kawowej Iwona w towarzystwie Kristiny i Ingrid skierowała się do bufetu. Nieoczekiwanie, tuż przed ich trójką, wyrósł Arthur. Wzrok Iwony i Arthura spotkał się i zastygł. Kristina i Ingrid witały się z nim z przesadną egzaltacją, ale on wciąż wpatrywał się w Iwonę. Gdy tylko wyswobodził się z uścisków, zrobił krok w jej kierunku, nieco spoważniał i zmarszczył brwi.

– Przecież pani jest... ty jesteś Iwona, czy tak?

Iwona westchnęła głęboko.

– Tak, to ja... Arthurze.

– Jakże się cieszę! – wykrzyknął i przypadł jak niegdyś do jej dłoni.

Iwona dostrzegła w jego oczach błysk, taki sam, jak kiedy witali się popołudniami dwadzieścia lat temu, gdzieś na spacerze albo w ulubionej kafejce niedaleko Opery Królewskiej. Oboje byli zaskoczeni i nieco zmieszani. Iwona gdyby mogła, powachlowałaby płonące policzki obiema dłońmi.

Po chwili Arthur przeniósł wzrok na Ingrid.

– Dużo jest jeszcze osób z naszej grupy? – spytał ją.

– Dojrzałam na razie niezmienną trójkę naszych wesołych przyjaciół... – zaśmiała się – ...ale oni usiedli w końcu sali. Jak zwykle. Więcej nikogo nie widziałam.

– Czyli nasze kolacyjne spotkanie może odbyć się w prawie pełnym składzie, co nie znaczy, że nie może być ciekawsze niż zwykle... – Arthur uśmiechnął się i ponownie wpatrzył w oczy Iwony. – Jakże się cieszę!

Kristina i Ingrid wyglądały na nieco zdezorientowane słowami Arthura; spoglądały na przemian to niego, to na Iwonę. Ta zaś przyglądała się Arthurowi z przyspieszonym biciem serca. Dawną jego młodzieńczość dostrzegała w ruchach i spojrzeniu. Tylko włos miał już nieco przyprószony siwizną.

– Czyli jak rozumiem, nic nie stoi na przeszkodzie, żeby jak zwykle spotkać się w stałym zestawie na kolacji? Bo nie usłyszałem potwierdzenia... – Przebiegł wzrokiem po Kristinie i Ingrid.

– Oczywiście – odparły jedna przez drugą.

Wpatrzył się ponownie w Iwonę.

– Mam nadzieję, Iwono, że nie odmówisz i też będziesz.

Teraz w jego głosie i spojrzeniu odnalazła to, co tak lubiła u niego dwadzieścia lat temu. Serdeczność, galanterię, ale i męskie zdecydowanie.

– Nie odmówię sobie tej przyjemności – powiedziała wolno z uśmiechem na ustach.

– Zarezerwowałem stolik w hotelowej restauracji, żeby uniknąć niepotrzebnych przemarszów przez miasto. No i oczywiście godzina spotkania jak zwykle, czyli dziewiętnasta – uśmiechnął się, nie spuszczając wzroku z Iwony.

Ta przez resztę sesji plenarnej siedziała jak na szpilkach. Po obiedzie razem z Kristiną i Ingrid udały się na sesję panelową, moderowaną przez profesora Arthura Chichestera, jej Arthura. Nie mogła się skupić na referatach i dyskusji na ich temat, ciągle się w niego wpatrując. Przypominała sobie dawne z nim spotkania, jego czuły wzrok i męski, choć nieco przytłumiony głos. On też prawie cały czas szukał jej spojrzeniem.

Kolacja z udziałem trójki wesołych przyjaciół, o których wspomniała Ingrid, przebiegała wśród nieustannych salw śmiechu. Norweg, Francuz i Włoch mogli bez przerwy dowcipkować; zdominowali całe spotkanie. Iwona dostrzegła, że Kristina i Ingrid coś kilkakrotnie do siebie szeptały, spoglądając to nią, to na Arthura. Nie było jeszcze bardzo późno, kiedy wymówiły się koniecznością popracowania nad swoimi jutrzejszymi wystąpieniami. Wychodząc, każda z nich pomachała Iwonie.

– Czy masz ochotę na jeszcze jedną lampkę szampana? – spytał Arthur, przesiadając się na miejsce obok Iwony.

– A nas nie spytasz? – rzucił Andrea, Włoch, jeden z wesołej trójki.

– Was mogę spytać, jakiego gatunku jeszcze dzisiaj nie piliście – zaśmiał się Arthur.

– Chyba wypiliśmy już wszystkie, to znaczy po jednym kieliszku alkoholu z każdego z naszych krajów i kieliszek alkoholu z kraju gospodarza konferencji. Nie możemy już dzisiaj więcej pić, zwłaszcza że rozpoczęliśmy kieliszkiem szampana – odparł roześmiany Jean-Claude, Francuz. – Oni zresztą muszą jeszcze popracować nad swoim jutrzejszym zespołowym wystąpieniem. – Wskazał na pozostałych dwóch przyjaciół.

– A ty nie musisz?

– Ja mam referat dopiero pojutrze, więc zdążę jeszcze dwa razy się przygotować. Czy mam wrażenie, Arthurze, że chcesz coś zaproponować?

– Jeśli już to tylko spacer... – roześmiał się Arthur.

– A nie, to ja już wolę iść spać, tym bardziej że jechałem całą noc.

Niebawem trójka przyjaciół ruszyła do swoich pokoi. Przy stoliku pozostali już tylko Iwona i Arthur.

– Czy może, Iwono, zjadłabyś coś jeszcze albo napiła się kawy czy herbaty?

– Chyba raczej nie, zresztą na mnie też już czas... chociaż spodobała mi się twoja poprzednia propozycja... – Przymrużyła oczy, Arthur zmarszczył czoło. – Zapomniałeś...? Spacer.

– Szczerze powiedziawszy, to było pod adresem Jeana-Claude'a, jako żart...

– Ale ja bym potraktowała taką propozycję poważnie – Iwona weszła mu w słowo i ponownie przymrużyła oczy.

– Jaki ja jestem niedomyślny. W takim razie... czy masz, Iwono, ochotę na spacer? – Arthur spojrzał jej prosto w oczy.

– Przejdę się z tobą choć trochę, ale z największą przyjemnością.

Szli obok siebie w milczeniu.

– Jak to się stało, że przez tyle lat nie spotkaliśmy się na żadnej konferencji? – odezwał się wreszcie Arthur.

– Dopiero od niecałego miesiąca pracuję na uniwersytecie.

– Ale wcześniej też zajmowałaś się biotechnologią?

– Tak, ale jej stroną praktyczną, wykorzystaniem przy produkcji kosmetyków.

– O! To bardzo ciekawe. – Spojrzał na nią uważnie. – A wobec tego, jak to się stało, że po tylu latach znów podjęłaś pracę na uczelni?

– To jest długie opowiadanie... ale wyjaśnij mi najpierw, jak się stało, że kiedyś nazywałeś się Morton, a teraz Chichester?

Z wieczornego nieba nieoczekiwanie zaczął kropić deszcz.

– Nie wiem, czy uda nam się dzisiaj dokończyć rozmowę, choć oba tematy są intrygujące. – Arthur spojrzał w górę. – Dobrze, że uszliśmy tylko jedną przecznicę. Wracajmy, bo nawet nie mamy parasola.

Wyciągnął w jej kierunku rękę; podała mu dłoń.

Ruszyli z powrotem szybkim krokiem. Coraz większe krople deszczu goniły ich aż do drzwi hotelu. Zdyszani zatrzymali się dopiero w holu. Arthur dopiero wówczas puścił jej dłoń, ale po chwili znowu ją lekko uścisnął. Przymknęła oczy.

– Czy mogę liczyć, że jutro uda nam się dokończyć spacer?

– Przecież jutro jest konferencyjne przyjęcie...

– Jeśli strasznie ci na nim zależy, to nie upieram się, ale co ty na to, byśmy poszli tam tylko na trochę, żeby zaistnieć, a potem urwali się z niego po... angielsku? – uśmiechnął się.

– Kusząca propozycja... – Iwona przechyliła głowę.

– Przemyślę więc wszystko dokładnie, a jutro podczas jednej z przerw kawowych powiem ci, co i jak. Co ty na to?

– Będę czekać... – Podniosła na niego radosne spojrzenie.

– Dziękuję. Dobranoc, Iwono.

Nachylił się aby ucałować jej dłoń.

– Dobranoc, Arthurze...

Rozdział 26

Spotkali się krótko po obiedzie w swoim dawnym zakątku, małym skwerku na tyłach pałacu królewskiego. Arthur czekał na Iwonę z bukiecikiem kwiatów, takim jak dwadzieścia lat temu podczas ostatniego wówczas spotkania. Był bardzo przejęty i stremowany.

– Chcę ci opowiedzieć, co się u mnie działo przez te wszystkie lata. – Gdy się przywitali, zajrzał Iwonie w oczy i wziął głęboki oddech. – Te dwadzieścia lat minęło szybko, choć czasami było mi trudno. Jakiś czas po twoim ślubie ożeniłem się z córką przyjaciół moich rodziców...

Iwona spojrzała na niego badawczo, aż Arthur umilkł. W tonie jego słów usłyszała jakąś dysharmonię.

– To znaczy, że nie ożeniłeś się z miłości, a z musu?

– Nie z musu, ale można powiedzieć, że to było małżeństwo z sympatii i rozsądku. Kiedy przestaliśmy, Iwono, ze sobą korespondować, rzuciłem się w wir naukowy, uniwersytecki. Chciałem o wszystkim zapomnieć, a przynajmniej odsunąć na dalszy plan. Kobiety... nie patrzyłem za nimi. Do ślubu długo przekonywali mnie rodzice, a ja wreszcie uległem im, zgodziłem się. To była córka zaprzyjaźnionej z moimi rodzicami rodziny, znaliśmy się od lat i lubiliśmy się... Moja żona Diana, będąc pod każdym względem kobietą niezależną, wyjeżdżała to tu, to tam... – Spojrzał w dal i zamilkł na chwilę. – Chciałbym o tamtych czasach z tobą porozmawiać, ale nie wiem, czy ty w ogóle masz ochotę...

– Czekałam na taką chwilę tyle lat... Mów, proszę.

Spojrzał na jej dłoń.

– Nie widzę obrączki na twoim palcu...

– Najpierw ty, Arthurze – westchnęła głęboko.

– Ślub był wiosną. Owocem naszego małżeństwa miało być dziecko, ale jakoś się nie zanosiło... – Rozłożył dłonie. – Zimą pojechała jak co roku w Alpy. Wiele razy nasze rodziny tam się spotykały; zawsze lubiliśmy z Dianą szaleć na nartach. Znakomicie jeździła, ja trochę gorzej – uśmiechnął się blado. – Miałem wówczas dojechać na Nowy Rok. Wieczorem, następnego dnia po świętach, dostałem wiadomość, że jest w szpitalu. Wypadła z trasy... – zawiesił głos i westchnął. – Wyjechałem nazajutrz skoro świt, ale ona zmarła w nocy, nie odzyskawszy przytomności.

Iwona bezwiednie położyła rękę na jego dłoni, przykrył ją swoją drugą dłonią.

– Byliśmy przyjaciółmi od dziecka, bardzo, bardzo jej żałowałem... Drugi raz już się nie ożeniłem.

Zapadła cisza. Arthur na moment przymknął oczy i głęboko westchnął. Po chwili znowu wpatrzył się w Iwonę.

– Pisałaś mi wówczas... – spróbował coś powiedzieć, ale Iwona, kręcąc głową i wyzwalając swoją dłoń z jego uścisku, przerwała mu.

Sięgnęła po telefon; śledził jej ruchy. Po chwili podała mu go i uśmiechnęła się.

– To mój syn... – Przymrużyła oczy. – Możesz przewijać.

Arthur wpatrzył się w pierwsze zdjęcie i po chwili podniósł oczy na Iwonę. Miał zmarszczone czoło i zdziwienie w oczach.

– Ewa, ta moja przyjaciółka, która niedawno odeszła na błękitne łąki... – westchnęła – ...powiedziała głośno, gdy zobaczyła niedawno mojego syna, że jest do ciebie podobny.

Arthur skinął głową, ale w jego wzroku dostrzegła coś więcej niż ciekawość.

– Badania DNA, o których ci kiedyś pisałam, wykazały jednoznacznie, że ojcem jest Zygmunt, wówczas mój narzeczony, a dzisiaj wciąż jeszcze formalnie mąż – ostatnie słowa wypowiedziała z naciskiem; oczy Arthura rozszerzyły się. – Zdaniem Dominiki, dziewczyny Patryka, to podobieństwo może wynikać z tak zwanego efektu zapatrzenia... – uśmiechnęła się, widząc, jak uniósł brwi ze zdziwieniem. – Ale przewijaj dalej – zachęciła go wzrokiem.

Przesuwał palcem po ekranie, choć widać było, że coś go zaniepokoiło, wciąż miał zmarszczone czoło.

– To jest Dominika? – Wskazał na zdjęcie, Iwona pokiwała głową. – Piękna dama. – Teraz on pokiwał głową i uśmiechnął się. – A to pewnie Ewa, czy tak?

Odwrócił aparat w jej stronę.

– Tak, to ona... zanim wbiegła na ostatnią prostą...

Iwona przymknęła oczy; poczuła jego dłoń na swojej. Spojrzała na niego z wdzięcznością.

– Czy to twoi rodzice?

Kolejny raz zwrócił aparat w jej stronę.

– Te ostatnie fotki pochodzą z czerwcowego weekendu na naszym rodzinnym letnisku. Zdjęcia z ostatniego weekendu, z Ewką i Henrykiem, schowałam nieco głębiej... One są tylko dla mnie – powiedziała ciszej.

– Rozumiem... Ale wracając do tego zapatrzenia, o którym powiedziała Dominika... – Spojrzał na nią pytająco.

– Tak się u nas kiedyś mówiło, kiedy rodziło się dziecko niezbyt niepodobne do rodziców... – pokazała zęby w uśmiechu – ...coś w tym musi być...

Położyła dłoń na jego ręku.

– Zapatrzenie... Chyba u nas podobnie się mówi. Muszę spytać babci. A czym zajmuje się Patryk?

– Dostał się na studia informatyczne. Ma w tym kierunku pewne zdolności. Kiedyś przez jedną noc rozwiązał problem, nad którym siedzieli dłuższy czas informatycy w firmie.

– A cóż takiego zrobił?

– Bawi się małą robotyką. Potrafi sterować jakimiś układami, procesorami czy czymś takim. Informatycy szukali błędu w modułach przetwarzania danych i wizualizacji wyników, a on zaczął od analizy obsługi czujników i tak dalej... – Wzruszyła ramionami. – No, nie znam się na tym, ale tak to zapamiętałam. Znalazł błąd gdzieś w sterowaniu i jeszcze poprawił sposób przeliczania i wizualizacji.

– Bystry chłopak!

– Wzięłam go do pracy, żeby wytłumaczył naszym informatykom, gdzie, co i jak zrobił. On narysował na tablicy kilka prostokątów i wyjaśnił, jak doszedł do znalezienia błędu. Oni byli w szoku, bo ponoć jego rysunki były pokazane w najnowszej wersji notacji przyjętej dla projektów systemów oprogramowania, na którą oni mieli dopiero pojechać na kursy. Potem powiedział, że reszta była już banalnie prosta.

– Talent...

– Po kimś to ma! – zachichotała Iwona. Arthur uśmiechnął się, ale po chwili znowu zmarszczył czoło.

– A mąż...? – spytał cicho, nie spuszczając z Iwony wzroku.

– No tak... Pisałam ci wtedy... Miałam męża, a właściwie formalnie jeszcze mam. – Spoważniała.

– Czy to znaczy, że macie się rozstać?

– Tak, rozstaniemy się... to już tylko techniczna sprawa. Dobrze, że był Patryk, bo jemu poświęcałam każdą chwilę, dopóki... pozwolił mi na to – nieoczekiwanie zachichotała; Arthur uśmiechnął się. – Powiem ci jeszcze raz to, co dawno temu pisałam... Nie mogłam wówczas wyjechać, ot tak, głównie ze względu na rodziców. Ale zawsze spoglądałam w kierunku paczuszki listów od ciebie, czasami je czytałam. Wiesz, niektórzy nie mają w swoim życiu okazji zaznać szczęścia choć przez kilka miesięcy, tak jak mnie się wówczas zdarzyło... Pielęgnowałam więc to we wspomnieniach...

Na jej twarzy pojawił się melancholijny uśmiech.

– Iwono. Mógłbym powtórzyć dwa, trzy ostatnie twoje zdania i powiedzieć, że tak samo również i ja myślałem. – Objął szybkim ruchem jej dłonie; spojrzeli na siebie. – Nigdy nie zapomniałem tamtych chwil, listy leżą w mojej szafce przy łóżku, zdjęcia z tamtych czasów też mam blisko. Jesteś obok wciąż, nieustannie. Dotąd czekałem na spotkanie z tobą z nadzieją, a teraz już nie pozwolę, abyś sobie wyjechała ot tak, po prostu.

– Arthurze… Jeszcze dwa miesiące temu żyłam w innym świecie, ale po niedawnych rozmowach z Ewą i Patrykiem o listach od ciebie, o tobie… – spojrzała na niego z czułością – …zapragnęłam jeszcze kiedyś się z tobą spotkać lub choćby przez chwilę cię zobaczyć.

Arthur przysunął się bliżej Iwony. Objął ją ramieniem. Jak kiedyś, gdy przychodzili tutaj.

– Czy to się dzieje naprawdę? – Podniosła na niego oczy.

Pochylił się i delikatnie pocałował ją w każde z nich.

– Jesteśmy dorośli, mamy swoje życie, patrzymy na wiele rzeczy pewnie inaczej, ale może jest przed nami jakaś szansa?

Iwona przymknęła oczy. W pewnej chwili poderwała się.

– Przecież mieliśmy tylko uzgodnić, jak urwiemy się z imprezy, a my gadamy, gadamy… – zachichotała.

– Widzisz…? Z ciebie zrobiła się realistka, masz poczucie rzeczywistości, a ja? Kiedy się zapomnę, to mogę bujać i bujać w obłokach.

– Nic się nie zmieniłeś. Może jeszcze tylko… – przechyliła głowę na bok i przymrużyła oczy – …wyprzystojniałeś!

Arthur uniósł jej dłonie i na każdej z nich złożył z czułością pocałunek.

– Jesteś jeszcze cudowniejsza niż wówczas. – Objął ją mocno. – Powinniśmy już pójść, żeby przygotować się do przyjęcia. Ale kiedy dam ci znać kiwnięciem głowy, ewakuujmy się stamtąd… – uśmiechnął się – …i spotkajmy w naszej knajpce, tej, co kiedyś. Byłem tam jeszcze wczoraj, mimo deszczu, i zamówiłem stolik.

Około dwudziestej drugiej znowu byli razem. Siedzieli przy dwuosobowym stoliku, wpatrzeni w siebie jak dawniej. Zespół cygański grał jak niegdyś rzewne romanse. Po chwili pojawił się kelner, zasyczał szampan w kieliszkach.

– Powinienem powiedzieć jakieś słowa toastu, ale zamiast nich chciałbym tylko wyrazić swoją prośbę, marzenie... – zamilkł. Iwona skinęła głową. – Obyśmy już nie musieli się rozstawać.

Uniósł kieliszek w jej kierunku.

– Zmodyfikuję je nieco... – Iwona uśmiechnęła się promiennie. – Obyśmy mogli się jak najczęściej spotykać.

Jej kieliszek dotknął kieliszka Arthura.

– Prawdziwa z ciebie realistka – westchnął Arthur, gdy spełnili toast, a kelner przyniósł dania.

– Staram się wyciągać dłonie tylko po to, co jest możliwe. Życie mnie tego nauczyło.

Miła rozmowa, ale pełna niedopowiedzeń ze strony Iwony trwała przez całą kolację.

– Może dzisiaj dokończymy wczorajszy spacer? – spytała, gdy zespół cygański na chwilę przycichł.

– Myślałem, że będziesz zbyt zmęczona.

– Przy tobie odzyskałam apetyt, a teraz chciałabym z tobą pospacerować jak dawniej.

Ruszyli w kierunku pałacu. Latarnie oświetlały parkowe alejki jak podczas dawnych ich spacerów. Iwona bezwiednie wsunęła dłoń pod jego ramię, a on przykrył ją swoją dłonią. Spojrzeli sobie w oczy i zatrzymali się. Arthur przygarnął Iwonę do siebie, a po chwili spojrzał w jej błyszczące w świetle latarni oczy.

– W moim sercu byłaś i jesteś tylko ty... – powiedział cicho, Iwona przymknęła oczy.

– W tej kwestii zgadzam się z każdym twoim słowem... – wyszeptała.

Arthur nachylił się do jej ust. Całowali się długo i namiętnie.

– Ja chyba śnię... – powiedział wreszcie Arthur.

– Dzisiaj w niczym się nie różnimy. – Iwona przytuliła się z całych sił do niego. – Opowiadałam kiedyś Ewie bajkę o księżniczce, wieży i księciu...

Arthur odsunął się do tyłu i dziwnym wzrokiem wpatrywał się w jej twarz.

– Moją ulubioną bajkę. Na koniec spytała, co bym zrobiła, gdyby ten książę niespodziewanie pojawił się pod moją wieżą.

Arthur zmarszczył czoło. Przez moment Iwonie wydało się, jakby jego myśli dokądś się oddaliły.

– Co jej wówczas odpowiedziałaś? – Po dłuższej chwili uniósł brew.

– Powiedziałam bez zastanowienia, że szybko bym zbiegła po schodach... I właśnie zbiegłam po nich, a teraz jestem w jego objęciach.

Znowu połączył ich pocałunek. Ruszyli w kierunku zamku. Arthur chrząknął; Iwona spojrzała w jego stronę.

– Czy ty coś wiesz o mojej rodzinie? Czy ja ci kiedyś o niej mówiłem?

– Nie było nigdy takiego tematu... A nie, kiedyś tylko powiedziałeś, że gdybym przyjechała do Anglii, tobyś mnie zaprosił na weekend na wieś.

– A czy z kimś rozmawiałaś na temat mojej rodziny?

– Arthurze. Jeśli już o kimkolwiek czasami myślałam, to tylko o tobie – uśmiechnęła się. – Teraz już nie muszę, bo jesteś przy mnie. Niech ta chwila trwa... Mamy trochę więcej lat niż wówczas, więc na razie nie myślę, co dalej. Szkoda tylko, że Ewie nie będę mogła opowiedzieć, jak to jest, kiedy marzenia się spełniają...

Zatrzymała się i ukryła twarz w dłoniach.

– Nie, Iwono. Nie płacz, proszę. Wracając do twoich wcześniejszych słów... Wciąż jesteśmy młodzi, więc wszystko jest jeszcze w naszym życiu możliwe. Powiedz, czy wyobrażasz sobie pozostanie tutaj na weekend?

– Wyobrażam sobie...

Arthur rozpromienił się.

– Ale nie zostanę, niestety... tym razem.

Wtuliła się w niego.

– Dlaczego?

– Obiecałam rodzicom i synowi weekend nad jeziorem, a potem kilka dni urlopu, ale... przecież spotkamy się pewnie jeszcze na jakiejś konferencji?

– Czy ty zawsze jesteś taką chłodną realistką?

– Chciałabym kiedyś zapomnieć się i nie dbać o nic, no, prawie o nic... – spojrzała głęboko w jego oczy – ...ale ktoś musi być odpowiedzialny.

– Jestem niepocieszony, ale przyjmuję twoje wyjaśnienie i tłumaczę je sobie tak, że znajdziesz jakąś okazję, by przyjechać do Anglii, zobaczyć, jak żyję, poznać moich rodziców, rodzinę...

– Może najpierw ty odwiedzisz mnie w Polsce? – Przechyliła głowę i uśmiechnęła się zachęcająco.

– Choćby zaraz, w sobotę! – wykrzyknął.

– Powoli, daj mi najpierw pozamykać moje sprawy... – Uniosła się na palcach i pocałowała go w policzek. – Jeśli już pojawiłeś się pod moją wieżą, jak ten książę w bajce, a ja zbiegłam, to...

Arthur znowu zmarszczył czoło. Ponownie jego myśli gdzieś uleciały.

– ...to nie pozwolę ci tak samemu odjechać. Chcę pojechać z tobą. – Iwona zamknęła jego usta pocałunkiem.

– Jutro dasz mi numer telefonu, mail, adres domu, żebym mógł się z tobą kontaktować. Będę mógł?

– Pragnę tego.

Znowu połączył ich pocałunek.

– Dzisiaj czuję się o dwadzieścia lat młodszy, mógłbym zrobić dla ciebie jakąś najbardziej nieprawdopodobną głupotę!

– Takim cię zapamiętałam, Arthurze. Proszę, nie zmieniaj się.

– A ty będziesz realistką... zawsze? – zaśmiał się.

– Nie, nie zawsze. Gdy nadejdzie chwila, będziesz musiał mnie powstrzymywać.

– Chcesz? To zrobię napad na skarbiec... – wskazał głową w kierunku zamku – ...i coś dla ciebie ukradnę – zaśmiał się.

Iwona niespodziewanie dla Arthura spoważniała.

– Wiesz co, oni... – wskazała na cudownie oświetlony zamek – ...okradli mój kraj w siedemnastym wieku, z czego tylko mogli.

Arthur zaniemówił. Spoglądał to na zamek, to na Iwonę.

– Znaczy kto... oni...? – wyjąkał zdziwiony.

– Szwedzi! Przecież jesteśmy w Szwecji, czy tak? Polacy nigdy nie najechali Szwedów, a oni nas tak. Polacy nigdy nie najeżdżali Niemców, Prusaków, a oni nas nieustannie. Owszem, najechaliśmy kiedyś Rosję i jako jedyni, długo przed Napoleonem, zdobyliśmy Moskwę. To było na początku siedemnastego wieku.

– Boże! O czym ty, Iwono, opowiadasz?

– To są fakty z historii mojego kraju. Polski – nie dawała się zbić z tropu Iwona, jej oczy błyszczały. – Polska była kiedyś pierwszym mocarstwem Europy... No, prawie pierwszym. Nie uczyli cię w szkole o tym?

– Ze wstydem się przyznam, że mam poważne braki w edukacji, jeśli idzie o historię twojego kraju.

– Wiesz, że Szwedzi ogołocili Polskę ze wszystkiego, co miało jakąkolwiek wartość? Powywozili księgozbiory, zabytkowe artefakty, klejnoty, gobeliny, obrazy, święte naczynia z kościołów. Gdzie tylko dotarli, grabili i rabowali. Dlatego gdybym teraz poszła do jakiegoś szwedzkiego muzeum czy tutaj... – wskazała na jaśniejący zamek – ...porobiłabym zdjęcia, a potem bym się starała, żeby przynajmniej niektóre z tych skarbów wróciły do Polski.

– To niesamowite, co mówisz...

– Szwedzi zachowywali się jak bestie... – rozkręcała się Iwona. – U nas wojna z nimi nazywana jest potopem szwedzkim. Kraj został złupiony, wsie opustoszałe, ludność wymordowana. Czy wiesz, że tylko ludność Warszawy w wyniku tej wojny zmniejszyła się o dziewięćdziesiąt procent? A w rezultacie pięciu lat ich najazdu zniszczenia naszego kraju były takie, jak dla Niemców skutki wojny trzydziestoletniej. – Iwona mówiła jak w gorączce. – Oni nawet kolumny z różnych zamków wykradali, spławiali Wisłą do Gdańska, a potem transportowali morzem do siebie! Czy wiesz, że Zamek Królewski królów szwedzkich zdobią dwa brązowe lwy, wykradzione z warszawskiego Zamku Królewskiego?

Podekscytowana Iwona tupnęła.

Arthur stał oszołomiony.

– Muszę koniecznie poczytać historię Polski... przepraszam cię, Iwono.

– Och, Arthurze, wybacz, to ja przepraszam, coś mnie napadło... Wtedy gdy byliśmy młodzi, co innego zaprzątało mi głowę, ale potem miałam dużo czasu, bardzo dużo czasu. Czytałam, a właściwie studiowałam historię Polski. Jest piękna i marzy mi się, żeby moi rodacy też chcieli ją poznać.

– A nie znają?

– Nie bardzo. Polacy są łatwowierni, tyle wieków żyli w niewoli, pod zaborami. Teraz, kiedy przyszła wolność, chociaż nie jest to jeszcze pełna suwerenność, myślą w większości o czym innym. Mam nadzieję, że to przejdzie i pochylą się nad własną historią. Ech, dużo by mówić – westchnęła.

– Chciałbym, żebyśmy mieli tyle czasu, bym mógł wysłuchać jeszcze wielu opowieści o historii twojego kraju. Kiedyś wydawało mi się, że cię poznałem, ale to tylko mi się wydawało. Chcę cię lepiej poznać, Iwono, bo chciałbym z tobą spędzić jak najwięcej dni mojego życia.

– Jesteś cudowny, Arthurze. Kocham cię nieustannie od tylu lat... – Iwona musnęła przelotnie jego usta.

– To ja pierwszy powinienem ci to powiedzieć. Też cię kocham, ale nie wierzyłem, że jeszcze kiedykolwiek będę mógł wypowiedzieć te słowa. – Arthur przytulił Iwonę. – Po tym, co wczoraj opowiadałaś o Ewie, muszę powiedzieć, że nabrałem jeszcze większego podziwu dla ciebie. A poza tym jesteś wyjątkowo mądra... Moja niewiedza dzisiaj mnie zawstydziła, ale spróbuję się podciągnąć, obiecuję.

– Kiedyś użyłeś identycznych słów po jakichś zajęciach laboratoryjnych na studiach doktoranckich, kiedy powiedziałam ci, że coś źle zrobiłeś. Pamiętasz? – uśmiechnęła się.

– Tak było. Wówczas pierwszy raz spojrzałem na ciebie inaczej. Do tamtego momentu myślałem, że jesteś zapatrzonym w siebie kujonem... – zaśmiał się.

– A czy wiesz, że wszyscy z grupy właśnie ciebie tak nazywali? Angielski kujon! – Teraz Iwona parsknęła śmiechem. – Spytaj Kristiny i Ingrid albo chłopaków.

– Jutro nie omieszkam. Czyli spotkały się dwa kujony – zachichotał.

Przytulili się mocno.

Rozdział 27

Rano przed rozpoczęciem kolejnego dnia konferencji i podczas pierwszej przerwy kawowej Kristina oraz Ingrid wysłuchały opowieści Iwony w odcinkach, o jej „odnalezieniu" się z Arthurem.

– Podejrzewałam, że tak będzie, ale nie sądziłam, że przyznasz się i opowiesz nam o tym sama – skomentowała historię Iwony wzruszona Kristina.

– Oboje jesteście niesamowici – potwierdziła Ingrid. – Ale co będzie dalej?

– Chcę się nadal z wami spotykać podczas kolejnych konferencji, więc muszę mówić prawdę.

– I popatrz, do tego jest jeszcze szczera... – Ingrid spojrzała na Kristinę.

– Szkoda, że nie wiedziałyśmy tego wszystkiego o was przed konferencją, bo wówczas byłoby jeszcze ciekawiej – uśmiechnęła się Kristina. – Co prawda zabrałaś nam bezpowrotnie faceta, o którego względy starałyśmy się obie rywalizować na wesoło, ale co tam. Twoje szczęście jest ważniejsze.

– A mówiłam ci kiedyś, że trzeba działać indywidualnie, a nie zespołowo? – Ingrid potrząsnęła głową i roześmiała się głośno. – Chyba w takim razie od następnej konferencji zacznę się kręcić przy Andrei – zachichotała.

– To ja może okiełznam jakoś Jeana-Claude'a – zawtórowała jej Kristina.

– A wobec tego co z będzie z Thorem? Zostanie sam? – Roześmiana Iwona spoglądała to na Kristinę, to na Ingrid.

– Już w grudniu do Lizbony ma przyjechać Angela. Pamiętasz Angelę? – Ingrid pokazała prawą dłonią, jak niewysoka to kobietka.

– Taka pyzata blondynka z piegami? – Iwona zmarszczyła czoło.

– Piegi ma dalej, owszem, ale już nie jest pyzata. Ma linię jak ferrari! – Ingrid pokazała dłońmi. – Thor łypie na nią okiem już od kilku lat. Pewnie gdyby nie Andrea i Jean-Claude, już by coś z tego było.

– Ależ wy jesteście diablice! – Pokręciła głową Iwona.

– Musi być wesoło, bo potem wracamy do nudnej pracy – zachichotała Ingrid.

– My tylko chcemy się trochę pośmiać, zabawić, a u ciebie wszystko dzieje się od razu na poważnie, ale niech ci tam. Zniesiemy to jakoś. – Mrugnęła Kristina.

Do kobiet podeszła czwórka mężczyzn: Arthur wraz z wesołą trójką nierozłącznych przyjaciół.

– Co tutaj tak wesoło? – spytał Andrea. – My też chcemy się pośmiać. Nam już skończyły się dowcipy. – Rozłożył dłonie.

– Obgadywałyśmy ciebie. – Kristina wskazała na Arthura.

– Mnie? – parsknął. – To na pewno twoja sprawka... – spojrzał na Iwonę – ...już i tak przez ciebie całą noc nie spałem.

Całe towarzystwo utkwiło wzrok w Iwonie.

– No i czego ode mnie chcecie? Musiałam im obu... – Iwona wskazała na Kristinę i Ingrid – ...opowiedzieć o wczorajszym spacerze. Jeśli mamy się spotykać na kolejnych konferencjach, to musiały się dowiedzieć wszystkiego o mnie, no i o tobie.

Spojrzała wyzywająco na Arthura.

– Chyba nie powiedziałaś im... – wyjąkał zaskoczony, szeroko otwierając oczy.

– A dlaczego nie miałam im przypomnieć, że kiedyś nosiłeś ksywę kujon? – wypaliła, przechylając głowę, Iwona.

Kristina, Ingrid oraz Arthur wpatrzyli się w nią ze zdumieniem.

– No, a jak ci kiedyś o tym wspominałem, to nie chciałeś wierzyć – zatriumfował Thor.

– I to was tak rozśmieszyło, że aż wszyscy w holu musieli się na was oglądać? – spytał zadziwiony Andrea.

– Oglądali się, bo jesteśmy wesołe i atrakcyjne – zachichotała Iwona.

– No i teraz trafiłaś w dziesiątkę – przyznała jej rację Ingrid.

– Prawdę mówiąc, to jesteście najbardziej atrakcyjnymi kobietami na tej konferencji – uśmiechnął się Jean-Claude i obrzucił wzrokiem Kristinę; mile połechtana przymknęła powieki.

– Chyba nie tylko na tej konferencji, co? – Arthur postanowił wzmocnić wypowiedź poprzednika jeszcze jednym komplementem.

– Szkoda, że już dzisiaj się kończy. Nie mogłyście tak pośmiać się pierwszego dnia? – Andrea zerknął na Ingrid.

– A wiesz, Iwono, początkowo myślałem, że powiesz im o... – Arthur zawiesił głos; Iwona zmartwiała – ...o lekcji historii, jaką mi wczoraj zrobiłaś – dokończył i uśmiechnął się od ucha do ucha.

Teraz oczy wszystkich powędrowały na Iwonę.

– No... bo... opowiedziałam mu wczoraj o... potopie szwedzkim...

– O czym? – Kristina, potrząsając głową, weszła w słowo jąkającej się Iwonie.

– To było ważne zdarzenie z historii Polski – wyjaśniła Iwona.

– Czy podczas kolejnych konferencji powołany zostanie zespół historyczny, a może odbędzie się jakaś historyczna sesja? Czy ja, moi drodzy, czegoś nie wiem? Z czego mam więc przygotować referat? – Thor komicznie targał swoją rudą brodę.

– Słuchajcie, przesiedziałem prawie całą noc przy komputerze. – Arthur postanowił coś przyjaciołom wyjaśnić. – Co tylko się dało, przeczytałem o potopie szwedzkim i wojnach północnych; wszystkich trzech. Musisz mi jeszcze wiele, Iwono, wyjaśnić, ale i tak dowiedziałem się już sporo. – Spojrzał na nią uważnie. – To były dla was straszne lata. Miałaś rację.

– Ale o co wam chodzi? – Andrea przenosił wzrok z Iwony na Arthura i z powrotem.

– O to, że jeśli chcemy się dobrze poznać, powinniśmy zajmować się nie tylko biotechnologią... Jak snoby. To na początek, tak w skrócie – wyjaśnił, kiwając głową, Arthur.

– No, ładnie już namieszałaś, a jesteś dopiero na pierwszej konferencji – powiedziała Kristina z podziwem w głosie. – Co to będzie, jak spotkamy się na którejś z kolejnych?

– Lepiej będziemy się znać i jeszcze bardziej lubić – uśmiechnęła się Iwona.

– Lubię was wszystkich od bardzo dawna, ale wyobrażam sobie, że można lubić się jeszcze bardziej... – Ingrid spojrzała przeciągle na Andreę, którego oczy ze zdziwienia aż zawirowały.

– Szkoda, że tym razem nie mogła przyjechać Angela – rzuciła Kristina, zerkając w stronę Thora.

– Czy może wiesz dlaczego? – Ten uniósł brwi i delikatnymi ruchami zaczesywał brodę.

– Musiała dokończyć ważny wniosek o dotację, ale w Lizbonie będzie na pewno – zapewniła Kristina.

– No, to ja też tam muszę pojechać! – Thor zatarł dłonie; Andrea i Jean-Claude zmierzyli go wzrokiem.

– Będziesz na kolejnej konferencji? – spytała Iwonę Ingrid, kiedy wróciły do salę.

– Nie wiem, ale raczej nie...

– Oo, to szkoda, bo dzięki tobie temperatura konferencji gwałtownie się podnosi. – Mrugnęła. – Andrea już kiedyś zapraszał mnie do Neapolu, a nigdy dotąd tam nie byłam. Obiecywał, że zaplanuje także wycieczkę na Capri... – Przewróciła oczami.

– No widzisz...

– A mnie z kolei już dwa razy zapraszał Jean-Claude do Marsylii – włączyła się Kristina. – Powiedział, że zaplanuje zwiedzanie zamku d'If... Bo wiesz, ja wciąż jestem wielbicielką Aleksandra Dumasa, a w szczególności hrabiego Monte Christo.

– Też go bardzo lubię.

– Mówisz serio? – Kristina z wrażenia wcisnęła się w fotel. – Rzadko się tym chwalę, bo wydawało mi się, że to jest takie... młodzieżowe.

– Jak najpoważniej, lubię, a dzięki takim lekturom sama czuję się młodsza. No, dobrze już... – Iwona położyła palec na ustach. – Słuchajmy, dziewczyny.

– Dobrze, że przyjechałaś... – Ingrid delikatnie poklepała Iwonę po dłoni.

Rozdział 28

Mamo, tato... – Iwona zaczęła poważnym tonem – ...postanowiłam się rozwieść. – Spojrzała na rodziców.

Zapadła cisza jak makiem zasiał. Pierwsza zareagowała pani Lilla.

– Ależ dziecko... co się stało? – Odstawiła głośno filiżankę. – Jaki rozwód? Tak nagle?

Z radia, z wnętrza domku, doszły na taras tony piosenki Toma Jonesa *Delilah*.

– Może by tak przyciszyć? – Pan Stasio spojrzał na żonę; machnęła dłonią.

– Ta decyzja dojrzewała we mnie od... dziewiętnastu lat – kontynuowała Iwona.

– Zaraz, czy nie pomyliły ci się liczby? To znaczy, że od samego ślubu chciałaś się rozwieść? – Tato pokręcił głową.

– Same radykalne decyzje tego lata. Zmiana pracy, teraz rozwód... Czy nie przesadzasz? – Matka spojrzała na córkę badawczo.

– Słuchajcie. Wiele spraw miałam przy Ewie czas dokładnie sobie przemyśleć. Tak naprawdę pomiędzy mną a Zygmuntem nie było kleju, mało spraw nas wiązało.

– A Patryk?

Pani Lilla spojrzała na wnuka, ten się uśmiechnął.

– Patryk? Tak, to jak najbardziej nas wiązało, ale teraz jest już dorosły, wszystko rozumie, a Zygmunt ma od niedawna nowe wyzwania.

– Ależ, Iwonko. Przez całe życie pojawiają się różne wyzwania i to, że nagle mąż ma więcej pracy czy zmienia ją, nie powinno być powodem do rozwodu. – Tato pomógł sobie gestykulacją.

– Te wszystkie lata poświęciłam na wychowanie Patryka... Zygmunt, który jest pracoholikiem, poświęcał mu za mało czasu... ale to nie jest najistotniejszy powód.

– Moment, mamo, tata nigdy nie odmawiał mi, jak go o coś prosiłem... Chodziłem z nim na basen i do kina. Dzięki temu mogłem obserwować Dominikę.

Patryk wystawił kciuk i uśmiechnął się, Iwona poczochrała syna po czuprynie.

– Nigdy się nie uskarżałaś... no, może tylko tyle, że nie przyjeżdżał tutaj z tobą zbyt często, bo ciągle miał dużo pracy. Zawsze tak go tłumaczyłaś.

– To była prawda, ale w gruncie rzeczy miał inne sprawy na sumieniu z dawnych lat, krępował się tego przed wami i to było także powodem jego niechęci do przyjazdu. Zresztą dla was to też byłoby krępujące, gdybyście musieli udawać, że jest fajnie, prawda?

– Masz rację... Myślałam, że sprawę tych kobiet puściłaś już w niepamięć...?

Pani Lilla zajrzała córce głęboko w oczy.

– Kobiet...? To ty wiedziałaś o wszystkim? – Iwona zdębiała.

– Oboje mamy oczy... – odparła pani Lilla i spojrzała wymownie na męża.

– Czy nie mogliście się kiedyś normalnie i porządnie rozmówić? – wyrzucił z siebie gwałtownie ojciec.

– Nigdy nie wiadomo, kiedy jest właściwy czas... Czekałam na stosowną chwilę i ona się niedawno pojawiła, bo czara się przelała... – Iwona zawiesiła wzrok na bonzai, któremu jej tato poświęcał tak dużo czasu. – Już się wstępnie rozmówiliśmy... – przerwała na moment, popatrzyła na rodziców i zatrzymała wzrok na Patryku. – Po tej rozmowie wyprowadził się do swojej mamy. Ona teraz wymaga opieki, a on chce nadrobić odsunięcie się od niej w ostatnich latach. Zmądrzał. Pozytywne jest jeszcze to, że nie będziemy ze sobą wojować, może nawet kiedyś zostaniemy przyjaciółmi – uśmiechnęła się. – Teraz zajmę się sobą...

– To znaczy, córcia, co...? Masz kogoś?

Pani Lilla spojrzała badawczo na Iwonę; ta odpowiedziała jej uśmiechem i przeniosła wzrok na syna, który dla zachęcenia jej skinął delikatnie głową. Nabrała powietrza.

– Kiedy podczas studiów doktoranckich byłam w Szwecji, poznałam mężczyznę, który stał mi się bliski. Do tej pory z tamtego związku... – przenosiła wzrok z mamy na tatę i z powrotem, zahaczając o syna – ...miałam tylko listy od niego. Zostawiłam je sobie na pamiątkę. Bardzo się kochaliśmy i pewnie stałoby się w moim życiu inaczej, ale trafiła mi się ciąża z Zygmuntem... Na konferencji, z której wczoraj wróciłam, przypadkiem się spotkaliśmy. Wróciły wspomnienia i okazało się, że dalej się kochamy – zakończyła, rozkładając ręce.

– Ty, taka realistka? To jest... prawie niemożliwe. – Pan Stasio zmarszczył czoło. – Dziewiętnaście lat!

– Prawie... czyli dopuszczasz jednak, że mogło się zdarzyć. – Iwona uśmiechnęła się do ojca, który po krótkim wahaniu skinął głową.

– Jakbym słuchała jakiejś bajki.

Pani Lilla złożyła dłonie i uśmiechnęła się do córki.

– Iwetka jest w niej księżniczką – wtrącił uśmiechnięty Patryk.

– Masz rację... – Iwona uśmiechnęła się do syna. – Nie podjęliśmy żadnej decyzji, zresztą to nie był odpowiedni czas, gdyż oboje byliśmy ogromnie zaskoczeni spotkaniem. Jestem natomiast pewna, że prędzej czy później znowu się spotkamy, bo każde z nas bardzo tego pragnie. – Przymknęła oczy.

Na taras doszły tony piosenki *Takie tango* wykonywanej przez zespół Budka Suflera.

– *...Bo do tanga trzeba dwojga*... – zanucił Patryk, wtórując Krzysztofowi Cugowskiemu, i przewrócił oczami. Iwona ponownie poczochrała go po włosach.

– A masz wobec niego... a właściwie, czy wyczuwasz, że on ma wobec ciebie jakieś poważne plany? – spytał ojciec.

– Na razie ustaliliśmy, że nasze uczucie przetrwało. Myślę, że to jest bardzo, bardzo dużo. On od dawna nie ma żony, jest wdowcem. To jest Anglik, profesor z Londynu, Arthur Chichester. Poważny człowiek... – Iwona pokazała stosowną do użytego określenia minę, wywołując uśmiech na twarzy rodziców.

– A co ty na to? – Pani Lilla uśmiechnęła się do wnuka.

– Ja widziałem od niego listy, więc się zgadzam! – Patryk roześmiał się w głos, ale po chwili spoważniał. – Przepraszam za śmiech, ale sądzę, że Iwetka zrobi wszystko jak trzeba. Ale mamo, on nazywał się chyba Morton, prawda?

– Wyłapałeś to! Powiedział mi, że jakiś czas po śmierci żony zmienił nazwisko, ale nie zdążył wyjawić mi szczegółów. Mieliśmy zbyt mało czasu.

– Już ja go w internecie prześwietlę! – Patryk poderwał się.

– Nie, nie teraz. Siadaj, jeszcze zdążysz – zachichotała Iwona. – Słuchajcie, kochani... – spojrzała na rodziców – ...jestem wciąż oszołomiona... – objęła się ramionami – ...ale na razie niczego konkretnego nie planuję. Chcę najpierw dobrze się wpasować w nową pracę i to jest obecnie mój główny cel. Jestem, jak zauważyliście, bardzo cierpliwa, chociaż serce nie sługa... – Przymrużyła oczy. – Może gdzieś służbowo pojadę, może Arthur tutaj się zjawi? Sytuacja może być dynamiczna, ale będę się starała nie wykonywać żadnych radykalnych ruchów, zwłaszcza że najpierw powinniśmy rozstać się z Zygmuntem w cywilizowany sposób.

– Masz rację, córcia.

Pani Lilla położyła rękę na dłoni córki; uśmiechnęły się do siebie.

– Iwetce dość często zdarza się mieć rację! – Patryk znowu się zaśmiał, a matka kolejny raz poczochrała go po włosach.

Na taras doleciały dramatyczne tony piosenki *Płonie stodoła* wykonywanej przez Czesława Niemena.

– Patryk! Proszę cię, wyłącz radio! – nieoczekiwanie wykrzyknął pan Stasio.

– Ależ tato. Przecież to jest fajna piosenka i to z czasów twojej młodości – zareagowała zaskoczona Iwona.

– Mnie ona od pewnego czasu strasznie się kojarzy i nic na to nie poradzę. Wyłącz, proszę... – powtórzył pan Stasio.

– Byłeś przy pożarze jakiejś stodoły...? – Iwona ze zdziwieniem spytała ojca, gdy wrócił syn.

– Nie... to nie to... – Ojciec spojrzał na żonę. – Zaraz mama i tak powie, że przesadzam... – Machnął dłonią, pani Lilla pokiwała głową. – Wiesz, że uwielbiam Wańkowicza, bo to wyjątkowy mistrz słowa – uśmiechnął się lekko do córki. – Czy słyszeliście, że te przedwojenne slogany reklamowe: „Cukier krzepi" albo „LOT-em bliżej" są jego autorstwa? – popatrzył na Iwonę i Patryka; pani Lilla znowu machnęła dłonią, zebrała naczynia i weszła do domku.

– Jakoś nie wpadły mi w oczy te informacje ... – zaczęła Iwona.

– Bo takie informacje same nie wpadają w oczy, Iwonko – odparł, kręcąc głową ojciec.

– E, tatuś zawsze wetknie szpilę.

– Ale o co chodzi, dziadku, z tą stodołą? – Patryk postanowił przerwać mało przychylną wymianę zdań i wrócić do wcześniejszego tematu.

– Tylko w skrócie powiem, ale warto przeczytać sobie książkę mistrza Melchiora Wańkowicza *Od Stołpców po Kair*, która leży w domowej biblioteczce... – wykonał ruch ramieniem w nieokreślonym kierunku – ...to książka, którą czyta się lekko jak powieść przygodową, a dotyczy losów narodu polskiego podczas drugiej wojny światowej, i treści są poważne. Bardzo poważne. Między innymi opisuje w niej mord dokonany przez Niemców w Gardelegen trzynastego kwietnia czterdziestego piątego roku, na niezdolnych do dalszego marszu więźniach z obozu koncentracyjnego Mittelbau-Dora i podobozu Neuengamme. Ponad tysiąc więźniów zagnano do wielkiej murowanej stodoły. Zabarykadowano wrota i podpalono w niej słomę, którą wcześniej oblano benzyną. Więźniowie, którzy usiłowali gasić ogień czy uciekać poprzez zrobione pod ścianami podkopy, zabijano z broni palnej i pancerfaustów. Do stodoły wrzucano granaty. Następnego dnia Niemcy wrócili, żeby zatrzeć ślady mordu; mieli zamiar spalić resztki ciał i stodołę. Brali w tym udział esesmani, żołnierze Luftwaffe, miejscowi strażacy oraz członkowie Volkssturmu i Hitlerjugend. Nie udało im się to całkowicie, bo do Gardelegen wkroczyły niespodziewanie wojska amerykańskie i odkryto ślady masakry.

Pan Stanisław mówił wolno i dobitnie; Iwona i jej syn wpatrywali się w niego z wielką uwagą.

– W ciągle tlącej się stodole i wykopanych już w jej pobliżu rowach znaleziono ciała tysiąca szesnastu zabitych, spalonych więźniów. Ofiarami byli w większości Polacy, ale też Rosjanie i Francuzi[19]. Amerykanie urządzili im pogrzeb, do którego wykorzystali miejscową ludność, jeszcze niedawno biorącą udział czy też asystującą w mordzie. W kierunku fosy ruszył niecodzienny pochód elegancko ubranych, schludnych, ogolonych, szacownych mężczyzn. Żonom tych mężczyzn nakazali Amerykanie wydać wszystkie białe prześcieradła, które nieśli oni porządnie złożone na rękach. Niemcy musieli całować szczątki ludzkie, których nie strawił ogień, i owijać je w przyniesione prześcieradła. Następnie ponieśli je w stronę fosy, a tam przekazywali je swoim współrodakom, układającym warstwami w pogłębionej buldożerami fosie. Ponoć podczas przekazywania sobie tych zwłok tytułowali siebie wzajemnie z całą powagą:

[19] Na podstawie: https://pl.wikipedia.org/wiki/Zbrodnia_w_Gardelegen

Herr Doctor, *Herr Ingenieur*, *Herr Geheimrat*[20]. Jeden dzień dzielił ofiary tego mordu od wyzwolenia. Mistrz Melchior dotarł do relacji przekazanych mu przez ocalonych cudem z masakry siedmiu Polaków, odnalezionych pod stosem trupów. Poszukiwał ich nawet w Ameryce. Dotarł także do innych materiałów archiwalnych. Być może wszystkie te dokumenty znajdują się w posiadaniu rodziny... Nic nie słyszałem, żeby IPN zaczął prowadzić śledztwo w tej sprawie[21], co uważam za poważny błąd – zamilkł.

– No tak, teraz rozumiem – powiedziała cicho Iwona. – Obiecuję ci, że przeczytam tę książkę i inne też... Sporo już przeczytałam z twojej biblioteczki historycznej, ale wciąż mam zaległości. W Sztokholmie zrobiłam Arthurowi wykład z potopu szwedzkiego...

– Na randce?

– Każdy moment jest dobry, tato, żeby mówić również o takich sprawach.

– Moja krew! – Dumny pan Stasio wyciągnął rękę w kierunku córki i uścisnął jej dłoń.

– Dziadku, ja też przeczytam, obiecuję ci. Całkiem mnie wcisnęło w fotel.

– Nie mnie, Patryku, obiecuj. Sobie...

– Dobrze, że przynajmniej sprawa stodoły w Jedwabnem jest wyjaśniona.

– Jak wyjaśniona? Kiedy? Wczoraj, przedwczoraj? Czy ja czegoś nie wiem? – Wzburzony pan Stasio poderwał się z fotela; Patryk zrobił oczy i spojrzał na matkę.

---

[20] *Geheimrat* (niem.) – tajny radca, urzędnik państwowy.

[21] Na podstawie: https://niezlomni.com/zbrodnia-w-gardelegen-3-kwietnia-1945-r-niemcy-spalili-1016-osob-w-stodole/

– No, przecież już wiele lat temu odbyły się tam uroczystości państwowe... Myślałem, że wszystko zostało wyjaśnione... – Patryk był zaskoczony wybuchem dziadka.

– Odbyły się wbrew krytycznym opiniom wielu historyków, naukowców. Dlatego, według mnie, nie do końca jest ta sprawa wyjaśniona. Ja jestem inżynierem i znam się na liczbach, a co do wielu liczb, które przy tej okazji padają, mam twarde wątpliwości.

– Tato, czy my dzisiaj musimy mówić na takie trudne tematy?

– Nie musimy, ale sama dopiero co powiedziałaś, że każdy moment jest dobry...

– No tak, ale dajmy już spokój. Wskażesz mi, co powinnam jeszcze przeczytać, i wtedy możemy zrobić sobie konferencję naukową.

– Poczekacie na mnie, aż ja też przeczytam? – Patryk spojrzał na dziadka, potem na matkę.

– Przygotuję wam po powrocie książki, które warto przeczytać, żeby wyrobić sobie samemu zdanie. Mam ich wiele, ale trzeba zacząć od bardzo nierzetelnej książki *Sąsiedzi* Jana Tomasza Grossa, zresztą socjologa, nie historyka, bo od niej cały ten bałagan się zaczął. Mam także opracowanie profesora historii Marka Jana Chodakiewicza *Mord w Jedwabnem*, która pokazuje zupełnie inny, bardziej prawdziwy obraz. Jeśli autorzy tak bardzo się różnią w ocenach, to chyba coś jest nie tak. Bo jak ma sobie wyrobić zdanie taki człowiek jak ja? Przecież nie można w tego rodzaju sprawach głosować, pytać ludzi, co kto czuje.

– Dziadku, ja na pewno wygooglam jeszcze wiele książek i dokumentów, których nawet ty nie znasz.

– I o to chodzi, ale najlepiej byłoby, aby w Jedwabnem mogła zostać powtórzona, przez międzynarodową komisję, ekshumacja. Tę w dwa tysiące pierwszym roku przerwano na żądanie rabinów, gdy ekipa badawcza zaczęła znajdować łuski od niemieckich pocisków. Powoływano się na religijne prawo żydowskie. Tylko że potem sami Żydzi, i z Izraela, i z gminy żydowskiej, donieśli, że przeprowadza się ekshumacje w Izraelu i są one zgodne z ich prawem.

Pan Stasio przerwał i odsapnął chwilę.

– A pamiętasz, Iwonko, jak pisałaś w liceum pracę o Gdyni i trafiłaś na materiał o rozbiórce kościoła Świętego Józefa w Kolibkach podczas wojny? Byłaś w szoku, że rozbierali go Kaszubi. Dopiero jak się zapoznałaś z wszystkimi materiałami, przyszłaś do mnie poruszona. Bo znalazłaś informację, że Kaszubi, owszem, rozbierali ten kościół, ale pod kolbami Niemców[22]. Płakali i rozbierali, aż do samych fundamentów, swoją starą ukochaną świątynię, sięgającą czasów Sobieskiego. Inaczej czekała ich śmierć. Warto więc szukać dostępu do wszystkich możliwych materiałów. Prawda nie zawsze jest prosta...

---

[22] Barbara Bielecka, *Regi – Królowi*, Gdynia Kolibki, 2009.

Rozdział 29

Dziadkowie poszli się zdrzemnąć, bo się zachmurzyło, więc może my pójdziemy się przejść? – Patryk spojrzał zachęcająco na matkę.

– Dobrze. Bierzmy kurtki i możemy iść.

Ruszyli w kierunku Małego Mausza. Po kilku minutach spaceru w ciszy Patryk spojrzał na matkę.

– Ja widziałem, że pomiędzy tobą a tatą nie zawsze jest okej, ale przy mnie potrafiliście nie robić sobie żadnych przykrości. – Pokazał kciuk; Iwona wsunęła synowi dłoń pod ramię. – Odwiedził mnie w ostatnim tygodniu dwa razy. Z jego inicjatywy rozmawialiśmy poważnie i wyznał mi, że cię zawiódł oraz że decyzja, co z wami dalej, należy do ciebie.

Wzrok matki i syna spotkał się; Iwona pokiwała głową.

– Opowiedział mi, jak pięknie zachowałaś się w ostatnim czasie wobec Ewy. Zawsze myślał, że to była tylko taka sobie koleżeńska znajomość, ale twoja opieka nad nią przez ostatni miesiąc przeszła jego wyobrażenia o przyjaźni. Zresztą cudownie powiedziałaś nad jej trumną.

– To może być dla ciebie dziwne, ale poznałam ją tak naprawdę dopiero teraz, w ciągu ostatniego okresu, nieco ponad miesiąca. Wcześniej... tylko znałyśmy się. Ona miała piękną duszę, czego wcześniej bym się po niej nie spodziewała. Tyle lat darłyśmy ze sobą koty. Taka wojna soft. – Iwona mrugnęła. – Kiedy się do niej wprowadziłam, zaprzyjaźniłyśmy się. Nie mogłam nie wybaczyć jej wszystkiego, co było wcześniej, co mi uczyniła... – machnęła ręką – ...zresztą czasami i ja ponosiłam winę... Nauczyłam się od niej kilku ważnych rzeczy. Chociaż wiedziała, że nie ma dla niej ratunku, to do końca myślała nie o sobie, ale o firmie, o ludziach. Pamiętasz waszą wizytę z Dominiką? – uśmiechnęli się do siebie. – Heńkowi nieustannie dawała rady, jak powinien dbać o pracowników, żeby wszyscy identyfikowali się z firmą, jej produktami. On po każdej jej uwadze, propozycji był autentycznie zdumiony... Na tyle go poznałam. Powiedział mi któregoś dnia, że gdyby wiedział, że ona ma tyle serca do takiej działalności czy taki potencjał zarządczy, to pewnie wszystko by się inaczej w ich życiu potoczyło...

– Ale, mamo, serce i rak...

– Nie wiemy, skąd się biorą takie schorzenia. Słuchałam kiedyś rozmowy w telewizji ze starym profesorem, lekarzem, to była taka cykliczna audycja, i on powiedział, że tylko dwa procent ich diagnoz, ocen, co pacjentowi jest, wynika z wiedzy, a reszta to czysty przypadek. Oczywiście, teraz wspomagają lekarzy urządzenia techniczne: USG, tomografy, rezonanse itd. Ale wracając do Ewy. Mnie szczególnie spodobał się jej pomysł, żeby w przypadku konieczności rekrutacji nowych pracowników najpierw rozmawiać z już zatrudnionymi, by przedstawiali CV członków swoich rodzin: współmałżonków, dzieci, rodziców. Dostała hopla na punkcie firmy rodzin. Twierdziła, że to może pozwolić na osiąganie lepszych wyników...

– Bo ja wiem. Może coś w tym jest? Kiedyś chciałbym pracować z Dominiką... – Patryk uśmiechnął się.

– Przed wami pięć lat studiów... Na pożegnanie z firmą dostałam dużą nagrodę finansową, która zrekompensowała mi urlop bezpłatny wzięty ze względu na Ewę. Z początku nie chciałam jej brać, ale Henryk powiedział mi, że to także wynika z testamentu Ewy i muszę się zgodzić, bo inaczej ona będzie w zaświatach cierpiała. W wielu przypadkach powoływał się na ten testament, choćby z urną i z prochami, które trafiły do Zatoki Gdańskiej. Oni w tym ostatnim okresie przeżywali renesans swojej młodzieńczej miłości... – Iwona pociągnęła nosem.

– Mamo, już dobrze, bo mi się rozkleisz – uśmiechnął się Patryk. – Zaczęłaś o tej nagrodzie...

– Aha! Uległam, bo zobaczyłam, że Henryk i twój tata zmienili się chyba nie na żarty. Mamy szansę stać się wreszcie przyjaciółmi... ale to wszystko, na co mogą liczyć – zachichotała.

– Niech się chociaż tym nacieszą!

– Dzięki otrzymanym pieniądzom kupię sobie na raty jakieś autko, nie bojąc się, że nie starczy mi na to.

– Super! Będziesz zmotoryzowana. Czasami mnie gdzieś podrzucisz, co?

– Oczywiście. Ojciec ustanowił stały przelew na twoje konto, ja zrobię podobnie. Przelał mi także swoją nagrodę jubileuszową i premię za kontrakt a konto rat na autko.

– Z tego, co ojciec opowiada, ten nowy kontrakt już przyniósł spore dochody, większość co prawda jeszcze na umowach, a nie na koncie, ale zaczynają się wpływy. Jest z siebie dumny.

– Z tego może być naprawdę z siebie dumny.

– Wyściskałem go za to po synowsku... Prawie się wzruszył. – Patryk z wrażenia po własnych słowach aż się zatrzymał.

– Dużo mądrych decyzji wprowadzili w krótkim czasie i to w większości pomysły czy nawet decyzje ojca, bo Henryk często przesiadywał w domu. Utworzyli w firmie, choć nie musieli, Radę Naukową, nawiązali z moją uczelnią ścisłą współpracę, umowę podpisali na dziesięć lat, a mnie personalnie zaprosili do udziału w pracach tej rady. Wystarczyło tylko, że Agnieszka, z którą zamieniłam się na miejsca, pomyślała o tym głośno, ja powtórzyłam Ewie, a ta szybko przekonała Henryka. W ciągu trzech dni podpisali umowę z uniwersytetem. Studenci będą mieli u nas praktyki, będą pisali prace związane z naszą produkcją. Uczelni to też się bardzo spodobało, bo staje się atrakcyjna dla studentów, a z drugiej strony my szkolimy sobie przyszłych pracowników.

– Nie jestem nowoczesny... – Patryk uśmiechnął się – ...i wydaje mi się, co tam, jestem pewien, że to jest bardziej twoja wina niż ojca. W końcu ty go jakoś skrzywdziłaś, wychodząc za niego z uczuciem do Arthura w sercu. Może więc to i lepiej, jeśli się rozstaniecie. Co nie oznacza, że tego wam życzę. Szkoda tylko, że zmieniliście się dopiero po tej całej historii z Ewą...

Spojrzał badawczo na matkę.

Iwona zamyśliła się. Stanęli na pomoście nad Małym Mauszem. Spojrzała w kierunku wyspy, na którą tak niedawno popłynęła z Ewą i Henrykiem. Westchnęła głęboko.

– To, o czym mówiłam rodzicom przy kawie, jest ostateczne. Rozstaniemy się z tatą. Jesteś mądry i jakoś to przeżyjesz, co?

– Okej, tylko nie narób żadnych głupot, Iwetko! – zawołał, aż po jeziorze poniosło się echo.

Iwona przytuliła się do syna.

– Będę uważała. Ja Arthura naprawdę kocham.

Pocałowała syna w policzek.

Rozdział 30

Pani doktor... – dziekan zaczął oficjalnie i zawiesił głos.

Iwona już i tak była zaskoczona zaproszeniem jej do małego stolika, co mogło raczej wskazywać, że rozmowa będzie miała charakter prywatny, ale takie słowa na jej otwarcie jeszcze bardziej ją zdziwiły. Profesor milczał i wpatrywał się w nią. Iwona też nie spuszczała z niego wzroku, jednak z wyrazu jego twarzy nie potrafiła się domyślić, co może zdarzyć się dalej.

– ...musiałem panią pilnie ściągnąć z urlopu, przepraszam za to najmocniej, ale mam dla pani propozycję, którą mogłem przekazać tylko w rozmowie w cztery oczy... – odezwał się po dłuższej chwili i znowu zawiesił głos, choć tym razem na krócej. – Ta propozycja to wyjazd... na rok... na uniwersytet... w Oksfordzie – wycedził wolno, a po ostatnim słowie na jego twarzy zakwitł rozbrajający uśmiech.

Iwona poczuła, jak jej żołądek uniósł się nieco. Siłą woli zmusiła go do powrotu na swoje miejsce. Musiała mieć chyba nietęgą minę, bo dziekan zmarszczył czoło. Postanowiła mimo wszystko uśmiechnąć się do niego.

– Czy pan profesor jest pewien, że przekazuje tę informację właściwej osobie? – wystrzeliła i zaraz ugryzła się w język, bo dziekan nasrożył się.

Gdy już obleciał ją strach, że przeszarżowała, dziekan nieoczekiwanie znowu uśmiechnął się szeroko.

– Lubię takie poczucie humoru i żeby nie przedłużać, wyjaśnię krótko, że miała tam pojechać doktor Krępska. Cieszyła się na pracę w tym międzynarodowym zespole, niestety, zdecydowała się od nas odejść. Była już pozytywnie zweryfikowana, zaakceptowana przez kierownictwo katedry biotechnologii uniwersytetu oksfordzkiego, ale ze względu na dziecko, które ma urodzić, wolała zostać w kraju.

– To chyba jednak pomyłka... – Iwona nie była w stanie opanować konsternacji. – Przecież Agnieszka ma córkę, która idzie teraz do klasy maturalnej, oraz drugą, która rozpoczyna liceum.

– Proszę mi uwierzyć, że to nie jest pomyłka. Tak w życiu bywa... – Profesor z anielskim wyrazem twarzy rozłożył dłonie.

– Ale... ona mi nic nie mówiła... – Iwonę jakaś siła wcisnęła w oparcie fotela.

– Bo dowiedziała się o ciąży dopiero na początku lipca, a wcześniej myślała, że te pierwsze objawy to coś innego, i martwiła się o swoje zdrowie.

– To dlatego tak szybko zgodziła się na pracę... tam. – Iwona wskazała dłonią za siebie. – Jak dobrze, że to nie była ta druga sprawa... ale że ciąża...? To niemożliwe... prawie. – Iwona potrząsnęła głową.

– Też w pierwszej chwili tak pomyślałem, gdy mi przyniosła tę wiadomość. Prawie... Cóż to jest za dziwne słowo i ile może pomieścić w sobie treści. – Profesor znowu uśmiechnął się anielsko. – Ponieważ Oksford naciskał, musieliśmy wysłać dokumenty trzech innych kandydatów – zmienił temat i nieco spoważniał. – Zgodziliśmy się, aby jedną z kandydatur zgłosiła właśnie pani doktor Krępska, która w kilka dni przygotowała pani *dossier*. Dzisiaj przyszła mailem informacja o tym, że Oksford wybrał właśnie panią.

– Ale kiedy Agnieszka opracowała te moje papiery? Przecież ona w zasadzie nie zna moich dokonań.

– Pomogła jej pani poprzednia, a teraz jej aktualna firma. Była zdumiona, że w dwa dni dostała wszystko, co pozwoliło jej wypełnić niezbędne dokumenty.

– Ale przecież tam nie ma mojej zgody, bo chyba takowa jest potrzebna, prawda? – Uniosła brew.

– Oni tak prowadzą wstępny etap rekrutacji, że odbywa się na ogół bez większego kontaktu z pracownikiem. To znaczy dopuszczają taki kontakt, ale go nie zalecają, bo chcą najpierw sami zdobyć wiedzę o dokonaniach kandydata, pozyskać opinie przełożonych. Nie chcą przedwcześnie stresować rekrutowanych naukowców. Mają po prostu inne procedury.

– Zastanawiam się, jak często jeszcze będę tutaj zaskakiwana. – rzuciła bezwiednie Iwona. – Najpierw konferencja w Szwecji, teraz Oksford...

Dziekan zaśmiał się głośno i gdyby to nie był on, Iwona pomyślałaby, że facet siedzący przed nią zarechotał. Uśmiechnęła się do niego.

– Mam przeczucie graniczące z pewnością, że chwilowo wyczerpaliśmy limit zaskakiwania pani. Rozumiem, że taka informacja może stanowić szok, ale z drugiej strony pani nie jest już...

– Dzierlatką...? – weszła mu w słowo,

Brzuch profesora znowu zatrząsł się ze śmiechu, choć jego twarz starała się utrzymać powagę. Przekrzywił głowę i zza zmrużonych oczu taksował Iwonę. No to już prawie zakrawa na seksizm, pomyślała Iwona.

– Ależ pani jest błyskotliwa! Użyła pani właściwego słowa. Już poprzednim razem zastanawiałem się, jak panią określić... – to mówiąc, złożył dłonie i przymknął oczy. – Pani Iwono... czy może mi pani wreszcie jakoś odpowiedzieć na moją propozycję wyjazdu do Oksfordu?

Iwona zmarszczyła czoło i podrapała się delikatnie po nim, nie spuszczając wzroku z dziekana.

– No jasne, że jadę! – zawołała w końcu.

– Kamień z serca... – Profesor pomachał dłonią przed twarzą. – To teraz zostały nam do uzgodnienia już tylko drobiazgi. – Poprawił okulary i uśmiechnął się szeroko. – Mam tutaj wydrukowany list z zaproszeniem, wystosowany do pani przez profesora Marka Westa.

Przesunął w jej stronę kartkę; Iwona podniosła ją.

– Jest tam, co prawda, jeden problem, ale przy pani zdolności rozwiązywania w mig wszystkich najtrudniejszych spraw mogę być chyba spokojny, że i z nim da pani sobie radę.

Iwona przebiegła wzrokiem po treści listu.

– Ależ oni chcą, żeby moja rozmowa w Oksfordzie odbyła się do połowy września! – wykrzyknęła i podniosła wzrok na dziekana.

– A cóż to za problem? Przecież dzisiaj jest dopiero dziewiąty. – Profesor spojrzał na kalendarz wiszący na ścianie. – Ma pani przed sobą cały tydzień, żeby się umówić i dojechać tam na rozmowę.

Oczy Iwony zrobiły się wielkie, ale po chwili potrząsnęła głową i znowu zaczęła trzeć czoło.

– Czyli najpóźniej w przyszły czwartek powinnam pojechać...

Teraz ona zerknęła na kalendarz.

– Lubię taką decyzyjność, konkretność i precyzję.

Profesor wykorzystał moment, że Iwona spojrzała na niego przytomniej, i mrugnął. Iwona pokiwała głową.

– Gdyby to nie był Londyn... to może bym się zastanawiała nad wyjazdem, ale ponieważ to Londyn, to jadę z przyjemnością.

Spojrzała na dziekana zza przymrużonych powiek.

– Jaki Londyn? Przecież mowa jest o Oxford University, a nie University of London – zdziwił się. Iwona kolejny raz poczęła trzeć czoło.

– No tak... Nie jestem zbyt mocna w uniwersytetach, ale się powoli podszkolę.

– Pomiędzy tymi uczelniami jest półtorej godziny jazdy autem, wielokrotnie tę trasę pokonywałem, ale z kolei w innym wymiarze dzielą ich wieki, a dokładniej prawie siedemset lat. – Pokiwał głową. – Co prawda, jeśli idzie o biotechnologię, to w rankingu światowych uczelni uniwersytet w Londynie znajduje się na trzecim miejscu, za Harvardem i uniwersytetem w Tokio, a Oksford zajmuje tam dopiero siedemnaste miejsce. Myślę jednak, że Mark West... przyjaźnimy się... – wskazał na siebie – ...ma w powstaniu tego zespołu konkretny cel.

– Oj, widzę, że czeka mnie porządne googlowanie...

– Wiem, że Agnieszka zaniosła do dziekanatu wszystkie materiały związane z pracą w tym zespole, jakie zebrała do czerwca, więc proszę je stamtąd zabrać. Wiele spraw się pani wyjaśni.

– Muszę też poczytać coś o profesorze Weście...

– Mam opis jego kariery naukowej, proszę. – Profesor przesunął po stoliku w kierunku Iwony opasły tom w grubych zielonych okładkach ze złotymi literami. – Dał mi w ubiegłym roku w prezencie. West napisał do mnie również prywatnego maila. – Zadowolony sięgnął po kartkę. – *Dear Adam*... – zaczął i spojrzał na Iwonę. – Potłumaczę trochę... – Pokiwał głową. – Nie oczekiwałem w snach... ależ z niego jest poeta... – zażartował – ...że przedstawisz mi kandydaturę tak wybitnego praktyka. Doktor Krępska była bardzo dobrą kandydaturą, ale doktor Walkowiak jest kandydaturą wręcz znakomitą, właśnie na miarę i potrzeby naszego międzynarodowego zespołu. – Odłożył list na stolik. – Więcej nie przeczytam, bo mi się pani rozanieli, a tu trzeba wszystkie siły rzucić na przygotowania do wyjazdu.

– A ja mam się jakoś przygotować na tę rozmowę?

– Pod względem merytorycznym nie widzę potrzeby, choć zdaje mi się, że jakiś kłopot może pani sprawić ubiór. Oni są tacy konserwatywni... – Pokręcił głową. – Ale da pani sobie radę. Aha, o jedno zapomniałem panią spytać. Czy na konferencji widziała się pani z kimś lub poznała kogoś z uniwersytetu w Oksfordzie?

– Raczej nikogo takiego nie było, za to spotkałam się z profesorem Chichesterem.

– Z tym Chichesterem?! – Profesor prawie podskoczył na fotelu. – Co to znaczy spotkałam? – Poprawił sobie okulary.

– Poprzednio widziałam się z nim podczas studiów doktoranckich w Sztokholmie, prawie dwadzieścia lat temu... – Przymknęła oczy. – Tyle czasu nie widzieliśmy się – dodała po chwili.

– Niezbyt przepadają za sobą obaj z Westem. Gdyby nie to, pewnie Anglicy już dawno byliby najlepsi na świecie w osiągnięciach uniwersyteckiej biotechnologii. To byłoby dla nas dobre, ponieważ do Anglii jest bliżej niż do Ameryki czy Japonii. Z Arthurem nie jestem w takiej komitywie jak z Markiem, bo wydaje mi się, że on jakoś tak nosi głowę wysoko. Jakby był co najmniej lordem. – Machnął dłonią. – Zresztą kiedyś byłem zaproszony na spotkanie w Royal Society[23] i widziałem, że on tam się czuje jak u siebie w domu.

– Arthur? To chyba niemożliwe... – Iwona pokręciła głową. – Tak towarzyskiego, bezpośredniego i kontaktowego naukowca jak on to ja chyba nie znam... – zachichotała. – Co prawda poznałam ich niedawno w Szwecji dopiero kilkunastu, ale i tak był spośród nich najsympatyczniejszy... – Spuściła oczy.

– Hmm... – Profesor spojrzał uważnie na Iwonę. – To dobrze, że pani go zna, bo może dzięki temu uda się wreszcie nawiązać lepszy kontakt z jego uniwersytetem.

– Spróbuję... A nie układało się?

– Może problem leży w tym, że zawsze wolałem rozmawiać z Markiem, niż szukać dostępu do kogoś, z kim nie bardzo potrafię się porozumieć? Nie wykluczam.

---

23 Royal Society – Towarzystwo Królewskie; angielskie towarzystwo naukowe, pełniące funkcję brytyjskiej akademii nauk.

Rozdział 31

Iwetko! Co tu się dzieje?

Patryk spojrzał zdumiony na wiszące w pokoju stołowym, gdzie tylko się dało, wieszaki z najróżniejszym odzieniem matki.

– Dziecko! Mam kłopot!

Iwona opadła ciężko na fotel i rozejrzała się wokół.

– Co, mole się zalęgły?

Syn mrugnął i zgrabnie wskoczył na drugi fotel.

– Gdyby tam mole... Jadę do Anglii.

– Do Arthura? – uśmiechnął się.

– Nie, niestety... – westchnęła smętnie. – To znaczy bym chciała i wówczas nie miałabym takiego problemu, jaki mam teraz.

– To co to za wyprawa?

– Zostałam zaproszona na rozmowę kwalifikacyjną, czy jakąś tam inną, na uniwersytet w Oksfordzie.

– Arthur coś ci załatwił? – zażartował Patryk.

– On pracuje na uniwersytecie w Londynie, a te dwie uczelnie konkurują ze sobą w zakresie biotechnologii.

No, może nie uczelnie, ale Arthur z profesorem Westem z Oksfordu, który przysłał do mnie list. – Wskazała na stolik.

Patryk złapał kartkę i przesuwał wzrokiem po treści.

– O! Wynika z tego, że to praca co najmniej na rok!

– Gdzie to przeczytałeś?

– Spójrz na przedostatni akapit...

– O kurczę... Ja skończyłam czytać akapit wcześniej, bo skupiłam się na sprawie tej rozmowy.

– Iwetko! Tutaj jest napisane, że wszystkie koszty związane z przyjazdem i pobytem w Oksfordzie pokrywają oni. Musisz wysłać im do dwunastego informację, co wybierasz, czy mieszkanie w kampusie uniwersyteckim, czy apartament w hotelu. Ja dziękuję... Weźmiesz mnie z sobą? Będę spał na dostawce albo w przedpokoju... – Patryk przewrócił oczami.

– Daj no ten list, niech i ja doczytam. – Teraz Iwona przebiegała po nim raz jeszcze wzrokiem. – No tak... ale okazja. Coś dziekan wspomniał, ale potem zaczęliśmy rozmawiać o czymś innym. Wciąż zastanawiam się, czy w ogóle powinnam tam jechać.

– Mamo! To jest chyba tak, jakbyś wygrała w totolotka. Ależ ci się układa... Nawet nie waż się zastanawiać. Masz jechać i koniec! Co najmniej na rok! A ta rozmowa ma jakiekolwiek znaczenie?

– Chyba tylko chcą usłyszeć ode mnie „tak", jako że moje CV zaakceptowali. W zasadzie już z uczelni napisałam do Westa, że mogę przyjechać czternastego września, bo pomyślałam o spędzeniu weekendu w Londynie. – Mrugnęła do syna.

– A Arthur już wie?

– Zdradzę się z tym dopiero, jak przyślą mi potwierdzenie daty rozmowy, bo może coś im nie przypasuje. Popatrz, widziałam się z nim tydzień temu, byłam zła, że przerwali mi urlop, a teraz... – Iwona wyrzuciła w górę łaszki, które akurat przeglądała.

– Iwetko! Nie poznaję cię – powiedział Patryk teatralnym głosem i roześmiał się. – To jaki masz problem?

Teraz on spojrzał na wiszące wokół wieszaki i na ciuszki matki leżące na podłodze i na sofie.

– Rozumiesz, rozmowa kwalifikacyjna... stary szacowny budynek, oni konserwatywni jak diabli. W co mam się ubrać, oto jest pytanie!

– Nie hamletyzuj! – zaśmiał się syn. Iwona pogroziła mu.

Wstał z fotela i przesuwał się wolno wokół pokoju, dotykając wiszących na wieszakach rzeczy matki.

– To mówisz „rozmowa"...? Widziałaś, jak się ubiera premier Theresa May?

Patryk odwrócił się na moment w stronę matki.

– Ale ja nie jestem taka stara!

– Spójrzmy, co rzecze wujaszek Google... – Patryk kilkoma ruchami uruchomił w komórce internet. – Ona jest pięćdziesiąty szósty rocznik, więc jesteś od niej młodsza o piętnaście lat.

– Miły jesteś – zachichotała Iwona. – Odmłodziłeś mnie o cały rok.

– I tak na tyle nie wyglądasz – odpowiedział rechotem. – No może... na trzydzieści dwa z kawałkiem. – Poruszył dłonią w powietrzu. – Spójrz, jak May się ubiera. Tutaj masz galerię.

– Przecież ja nie mam być premierem!

– Ale coś możesz podpatrzeć. Na przykład ta ciemnozielona garsonka... – Wskazał na wieszak. – Albo ten granatowy zestaw ze spodniami.

– Nie za ciemne to, nie za poważne?

– Będziesz tam przecież i mnie reprezentować, więc nie możesz się ubrać jak jakaś nieletnia cizia. Co innego spotkanie z Arthurem. – Przewrócił oczami. – Wtedy możesz włożyć tę małą czarną... – dotknął sukienki – ...albo tę wyzywającą czerwoną.

Iwona podeszła do wieszaków, o których mówił syn. Dotykała ubiorów i uśmiechała się. Potem odwróciła się w stronę syna, poczochrała go po włosach i pocałowała w czoło. Nie zdążył się odgonić.

– Tylko mi tu bez czułości – zaśmiał się.

– Syn ubrał matkę. Ja dziękuję... – Usiadła znów w fotelu. – Zatem koniec szukania! – zawołała, klasnąwszy w dłonie. – Zaraz sprawdzę jeszcze pocztę, bo może Arthur coś odpisał, a potem możemy pójść do lokalu na obiad.

– Do lokalu?

– A co? Nie stać mamusi? Wybierz jakiś sam, to za godzinę pojedziemy i nafrygamy się po korek, a potem pomożesz mi zrobić zakupy w delikatesach.

– A mogę wziąć ze sobą Dominikę?

– Jeszcze się pytasz?

– Gdybym wiedział, że będziesz, mamo, w takim dobrym humorze, tobym ją wziął od razu, ale przecież pamiętałem, że cię ściągnęli z urlopu.

– Jest jak w bajce! – krzyknęła Iwona i zamachała w powietrzu nogami.

Potem długa nasiadówka w restauracji Barracuda na Bulwarze Nadmorskim, którą wybrał Patryk, obiad z owoców morza, lody i dużo śmiechu. Iwona patrzyła z przyjemnością na syna i Dominikę.

Kiedy wieczorem zasiadła przed komputerem, z zaskoczeniem stwierdziła, że czeka już na nią odpowiedź od profesora Marka Westa. Podziękował jej za wybór daty przyjazdu i poinformował, że rozmowa, na którą przewiduje około godziny, odbędzie się piętnastego o dziewiątej rano. Jednocześnie podał, że w samo południe będzie miało miejsce inauguracyjne spotkanie międzynarodowego zespołu. Poprosił, żeby zatem nie przekładała już daty przyjazdu, dzięki czemu będzie mogła wcześniej poznać kompleks uniwersytecki i samo miasto. Pod podanym w mailu telefonem będzie czekał na nią steward, który podejmie opiekę nad nią podczas jej pobytu w Oksfordzie. Oczekuje tylko jeszcze na podanie, jakie wybiera miejsce zamieszkania, zgodnie z informacją przesłaną we wcześniejszym liście. Oprócz tego podał link do portalu, gdzie może znaleźć informacje umożliwiające wybór sposobu dotarcia z lotniska Heathrow w Londynie do Oksfordu. Przypomniał także, że za wszystkie środki transportu dostanie zwrot poniesionych kosztów, więc prosił, żeby na nich nie oszczędzała.

Iwona była w szoku. Piątek, a list napisał po osiemnastej i zawarł w nim wszystkie niezbędne informacje.

Po krótkim zastanowieniu wybrała oferowane mieszkanie na terenie kompleksu uniwersyteckiego i odpisała w tej sprawie do Westa.

Jeszcze chwila namysłu i zabrała się do napisania listu do Arthura. Kilka razy zaczynała, ale za każdym razem kasowała już napisaną treść. Może jutro napiszę na spokojnie, bo dzisiaj mogę coś pokręcić, pomyślała po kilku nieudanych próbach. Albo nie! Jutro zadzwonię. Tak będzie lepiej. Zrobiła sobie wcześniejszy prysznic i zasiadła przed telewizorem, szukając jakiegoś filmu, kiedy nagle odezwał się telefon. Zerknęła na wyświetlacz, Arthur! Przyłożyła dłonie do policzków.

– Halo! – odezwała się po kilku chwilach, gdy uspokoiła jako tako oddech.

– Iwona? Dobry wieczór.

– Tak, to ja. Nie spodziewałam się, że możesz zadzwonić w piątek.

– Siedziałem, próbując napisać do ciebie maila, ale uznałem, że lepiej będzie jednak zadzwonić.

Iwona w zdziwieniu podniosła brwi. Czy on czyta w moich myślach?

– Czasami lepiej i łatwiej jest coś powiedzieć, niż napisać. Bywa krócej i prościej – rzuciła.

– Tak właśnie sobie pomyślałem, zresztą wspominałaś, że na letnisku, tam gdzie teraz jesteś, czasami masz problemy z internetem.

– Tak, to prawda, ale wyobraź sobie, że wczoraj wieczorem musiałam przerwać urlop i zgłosić się na uczelnię.

– A cóż takiego się stało?

Iwona przewróciła oczami i potarła czoło, oddychała głęboko.

– Dostałam propozycję wzięcia udziału w integracyjnej wycieczce do Londynu w przyszły weekend – rzuciła nie wiedzieć czemu, a z wrażenia, że takie słowa wyrwały jej się z ust, popukała się po głowie.

– Niemożliwe! Ależ się cieszę. No to na pewno się zobaczymy. Wyobraź sobie, że któregoś dnia studiowałem dojazd do Gdyni i mam już pewną koncepcję wizyty u ciebie, ale to dopiero w październiku lub listopadzie.

A kiedy będziesz miała w Londynie trochę wolnego czasu?

– Jutro spotykamy się na uczelni, żeby wszystko dobrze zaplanować, ale to będzie musiało być jeszcze zatwierdzone przez kierownictwo wydziału, więc pewnie potrwa do wtorku, zanim będę mogła ci powiedzieć, co, gdzie i jak – brnęła, żeby tylko coś powiedzieć i zyskać trochę na czasie.

– Mam nadzieję, że prześlesz mi taki plan, a ja spróbuję tam wcisnąć jakieś swoje propozycje. A kiedy wyjeżdżasz z Polski?

– Najpewniej w sobotę przed południem będziemy w Londynie – rzuciła, marszcząc czoło.

Na szczęście przypomniała sobie, że w piątek wieczorem jest w Oksfordzie oficjalna kolacja, o której napisał w postscriptum do swojego listu profesor West.

– A czy powrót też już macie zaplanowany, czy jeszcze nie?

– To również musimy jutro ustalić, bo zdania koleżeństwa są podzielone, czy mowa jest o trzech dniach w samym Londynie, czy razem z dojazdami...

– No tak. To zawsze są takie dylematy – zaśmiał się. – Mam niezobowiązującą propozycję, Iwonko. Może byś mogła po waszej wycieczce zostać w Londynie jeszcze kilka dni?

– Pewnie, że bym chciała, ale dzisiaj nic ci nie odpowiem. Odezwę się do ciebie, jak już wszystko zostanie ustalone, dobrze?

– Dobrze w takim razie, że zadzwoniłem. Aleś mi ustawiła wieczór. Chyba wypiję sobie lampkę koniaku, a potem posłucham dobrej muzyki. Jutro rano, jak co tydzień latem, wybieram się do siostry na wieś.

– Dziękuję ci, Arthurze, za telefon i serdecznie cię ściskam. – Ostatnie słowa Iwona powiedziała ciszej.

– Ja też cię, Iwono, ściskam i całuję. Dobranoc.

– Dobranoc.

Iwona odrzuciła komórkę na sofę i uderzyła pięściami o poręcze fotela. Boże! Czy ja musiałam kłamać? Przecież mogłam mu powiedzieć prawdę! Przymknęła oczy. Wybijała rytm palcami po poręczy. A może jednak dobrze zrobiłam? Otworzyła oczy i uśmiechnęła się. Zrobię mu niespodziankę. Może nawet zostanę w Londynie na dłużej?

Rozdział 32

W poniedziałek wybrała się z wizytą do swojej byłej firmy. Pierwsze kroki skierowała do Zygmunta, który akurat konferował z Henrykiem.

– Ale niespodzianka! – zawołał Zygmunt.

– Super! – dodał Henryk.

Widziała, że obaj autentycznie cieszą się z jej wyboru rocznej pracy w Oksfordzie.

– Tylko nie będę mogła zbyt często wpadać do was, do firmy ani brać udziału w działalności Rady Naukowej.

– Dopasujemy terminy jej posiedzeń do twoich możliwości – rzucił Henryk. – Prezes chyba podobnie myśli? – Spojrzał na Zygmunta. Obaj się roześmiali, Iwona zawtórowała im.

– No dobrze, nie przeszkadzam wam. Muszę rozmówić się z Agnieszką.

– Tylko nie denerwuj jej. Jest w ciąży – powiedział ciszej Zygmunt.

– No właśnie. Dopiero wczoraj dowiedziałam się o tym od dziekana.

– Przepraszała, że powiadomiła nas dopiero po przyjściu do pracy na początku sierpnia. Zabroniła nam mówić o tym tobie – zaśmiał się Henryk.

– No dobra. Bywajcie. Aha! Autka na razie nie będę kupowala, skoro mam być w Londynie... – spojrzała na Zygmunta – ...to chyba oddam ci pieniądze.

– Nie ma mowy! – Zygmunt pokręcił głową. – Mogę dzisiaj wpaść na moment?

– Na razie nie wiem, o której będę w domu...

– Zdzwonimy się, dobrze?

– Dobrze. Wówczas porozmawiamy kompleksowo... wiesz, o czym mówię – uśmiechnęła się. – Bywajcie.

– Trzymaj się, Iwonko – rzucili jeden przez drugiego.

Kiedy weszła do laboratorium, po chwili ciszy i niedowierzania rozległy się powitalne piski i okrzyki niedawnych koleżanek.

– Agnieszka jest super! – rzuciła Wisia. – Oczywiście, z tobą było lepiej, ale skoro nas zostawiłaś, to mówię, jak jest.

Objęły się, bo razem studiowały i były od czasu studiów dobrymi koleżankami.

– A gdzie ona jest?

Wisia spojrzała na zegar.

– Będzie za kwadrans. Jest na spacerze. Ustaliła to sobie z prezesem. Dobrze nam z nim. – Mrugnęła.

Kiedy Agnieszka zobaczyła Iwonę, najpierw zamachała rękoma, a potem uśmiechnęła się szeroko.

– Nie na uczelni?

– Zadzwoniłam, że spóźnię się dzisiaj, bo wizytuję moją poprzednią firmę w ramach działalności w Radzie Naukowej. – Iwona mrugnęła. – Aleś mnie wrobiła! – przymrużyła oczy.

– Wiesz co, Iwonko? Mój mąż, jak pamiętasz, pływa, więc nie miałam parcia ani na pieniądze, ani na karierę. Gdybym ja wyjechała na rok, a córcia ma maturę, to sama wiesz...

– Pewnie w twojej sytuacji bym tak samo zrobiła.

– No widzisz. A ty sobie wszystko totalnie odmienisz. Wiem, że ugadałaś się już z Matyldą, a teraz jeszcze to.

– A dlaczego mi nic nie powiedziałaś o tym Oksfordzie?

– No pomyśl... A gdyby nie wyszło? Chociaż właściwie to byłam pewna, że ciebie wybiorą, bo wczytałam się dokładnie w zakres i program działania tego zespołu. Wbrew pozorom, takich praktyków jak ty, z doświadczeniem z zakresu zastosowań biotechnologii w przemyśle, jest na uczelniach bardzo mało. Dlatego wysłałam dodatkowo do Westa kilka rozwiązań opracowanych tutaj przez ciebie i artykuły z prasy fachowej, ale nie z periodyków naukowych. Naciskali na mnie w tej sprawie i Zygmunt, i Henryk. Firma wygrała na loterii, że ma dwóch takich jak oni ludzi na świeczniku.

Iwona spojrzała na Agnieszkę, która sądząc po minie, powiedziała to z najgłębszym przekonaniem.

– Tak, są dobrzy i niech tak zostanie jak najdłużej. – Pokiwała głową. – Życzę tego im oraz firmie, ale gdybyś zauważyła u nich jakąś zmianę, to natychmiast mnie informuj. – Iwona patetycznie podniosła palec.

A potem poplotkowały sobie o ciąży Agnieszki, o jej córkach i o Matyldzie. Pół godziny minęło szybko.

– No, to pędzę, Agnieszko, bo chcę jeszcze trochę zakręcić Matyldą w związku z twoją ciążą... – Wykonała palcami młynka.

– No dobrze, ale nie przesól. Trzymaj się cieplutko.

– Ty również.

Gdy Iwona weszła do pokoju na uczelni, Matylda spojrzała na nią chmurnym wzrokiem.

– Niby jesteś, ale cię nie ma. Konferencja, urlop, a teraz jeszcze do Oksfordu. Sama musiałam zmywać naczynia.

Iwona dostała napadu śmiechu.

– A teraz jeszcze się ze mnie nabijasz. Ee, tam... – Machnęła ręką.

– Ale mam za to pączki z Lipowej. – Iwona wskazała na paczuszkę, oczy Matyldy zabłysły.

– Chcesz mnie wziąć na pączki? A później tylko ja tyję. Co prawda w ostatnim czasie przy Agnieszce miałam ciut mniejsze kompleksy, bo i ona trochę się poprawiła. – Matylda poklepała się po biodrze. – Ty za to jesteś taka szprycha, że i za dwa lata codziennego jedzenia pączków nie przytyjesz.

– To mówisz, że Agnieszka w ostatnim okresie pracy tutaj przytyła, tak? – Iwona wykładając pączki na talerzyki, zerknęła na koleżankę.

Matylda z błyskiem w oku zbliżyła się do stolika. Opadła na fotelik. Iwona zalała wrzątkiem herbatę i usiadła obok.

– Przecież mówię. Byłaś z nią tutaj na początku sierpnia, to chyba widziałaś, prawda?

– Widziałam ją dzisiaj znowu i muszę powiedzieć, że wygląda z każdym dniem lepiej. – Iwona mrugnęła. – A tylko miesiąc z kawałkiem jej nie widziałam.

– Żeby tylko nie było na mnie! To ja ją ostatnio pasłam pączkami, ale przyznam, że zjadała je z ochotą. – Matylda pokiwała głową.

– Jeśli już tam mówić o czyjejkolwiek winie, to jej mąż najbardziej się w tym tyciu zasłużył.

– No nie mów. Chyba tylko raz go widziałam, i to z daleka, i on nie wyglądał na takiego, co by dużo jadł. Zresztą on tak rzadko bywa w domu. – Matylda ugryzła pączka i przymknęła oczy. – Lepsze są te z Lipowej niż te, które ja przynoszę – rzuciła z pełnymi ustami.

– Chyba właśnie dlatego tyje, że mąż tak rzadko bywa w domu... – Iwona kolejny raz w ciągu ostatnich kilku minut mrugnęła.

– Co ty masz dzisiaj z tym mruganiem, to jakiś tik?

Iwona pokręciła głową.

– Pomyśl... mąż rzadko przyjeżdża do domu, a Agnieszka po jakimś czasie od ostatniego jego pobytu zaczyna tyć.

– Nie widzę związku... No nie, nie piernicz! Poważnie? Ona jest naprawdę w ciąży? Po... – Matylda zawiesiła się; przymknęła oczy i coś do siebie mruczała – ...piętnastu latach przerwy? Kurczę, ale jaja!

– A czy wiesz, jak ona się cieszy? Chociaż początkowo była jakby w czarnej... no wiesz, w czym.

– A co się niby w międzyczasie stało? Może najpierw chciała usunąć, a potem zmieniła zdanie, tak?

– Coś ty, to nie Agnieszka. Martwiła się, że może coś jest z nią nie tak... – Iwona pokazała kilkoma ruchami palcem na ciało. – Przecież wiedziała ode mnie, od ostatnich dni czerwca, o Ewie i pewnie ze zmartwienia wcinała z tobą pączki na poprawę humoru. A gdy poszła wreszcie do lekarza i ten jej powiedział, że to ciąża, skakała z radości.

– To co faktycznie było powodem, że zamieniłyście się pracą, bo już nie rozumiem?

– A to zależy, kto pyta – zaśmiała się głośno Iwona. – Dziekanowi powiedziała tak, mnie najpierw siak, w nowej pracy na początku jeszcze co innego, a po badaniach uznała, że niczego nigdzie nie będzie prostować, bo i tak niebawem wszyscy przekonają się, co i jak. Tak sobie myślę, że w dobrym czasie postawiłam jej pytanie, czy nie może mi kogoś polecić na moje miejsce. Najpierw szukała, a po trzech dniach, ostatniego dnia czerwca zadzwoniła, że już znalazła. Siebie.

– Popatrz, jakie to w życiu trafiają się przypadki... Ktoś zaprosiłaś na pączka? – Matylda wskazała na dodatkowy talerzyk, na którym świecił się lukrem pączek.

– Pana przygodę... – zachichotała Iwona.

– Nie znam... To ktoś nowy?

– Matyldo, jedz. Położyłam tak na wszelki wypadek, gdyby ktoś zajrzał podczas naszej uczty.

– Uczta jednopączkowa...? Chyba żartujesz.

Śmiech obu kobiet odbił się wielokrotnie od ścian i sufitu pokoju.

Rozdział 33

Iwona podała kawę w stołowym. Patrzyła z ciepłym spokojem na Zygmunta, który wyglądał na spiętego.

– Gratuluję ci sukcesów, Iwono – zaczął nieco oficjalnie. – Heniek co chwilę cię komplementuje, a ostatnio Patryk także nie mógł się ciebie nachwalić.

– Patryk?

– On jest...

– Wiem, jest bardzo mądry i myśli poważnie o życiu.

– Spotkałem się na mieście z nim i Dominiką. Będzie z nich udana para.

– Ufam im. Są bardziej dojrzali, niż my byliśmy kiedyś – uśmiechnęła się.

– Nie mam w tym wielkiej zasługi i jest mi nawet trochę wstyd.

– Patryk uważa, że to dzięki waszym kilkuletnim wyjściom na basen mógł cały czas oglądać, spotykać Dominikę.

– No to chociaż na to się przydałem... Czy możesz mi, Iwono, wyjaśnić pewną sprawę? To dotyczy Ewy...

Iwona uniosła brew.

– Kiedyś powiedziałaś, że Ewa to sucz...

Iwonę zatkało. Przypomnienie teraz przez Zygmunta jej słów, wypowiedzianych kiedyś w wielkiej złości, sprawiło, że poczuła się źle. Oddychała głęboko.

– Ewa... była wspaniałą kobietą... – zaczęła mówić po chwili zastanowienia. – Miała w życiu pecha albo inaczej, nie miała szczęścia, aby w jej życiu, po ślubie, zdarzyło się coś, co by pozwoliło jej pokazać całą siebie, w pełnej krasie. Miała w sobie dobra aż w nadmiarze, tylko zabrakło zapalnika: czyjegoś gestu, jakiegoś wydarzenia, a najbardziej pewnie dziecka, które by ją uskrzydliło. Myślę, że ono byłoby też katalizatorem wszelkich pozytywnych zmian... – Iwona westchnęła.

– Henryk powiedział mi niedawno, że Ewa dzień przed śmiercią przypomniała mu, jak kiedyś zbagatelizował jej pomysł o adopcji dziecka. Ponoć użył wówczas argumentu, że można trafić na dziecko z rodziny patologicznej... Ona wówczas odpuściła i od tamtego momentu zaczęła się mocno zmieniać. Stwardniała, zamknęła się w sobie. A on zamiast walczyć o nią, pozwolił, by oddalali się od siebie coraz bardziej... Nie, to nie moja opinia, tak Henryk powiedział – dodał, widząc zdziwienie w oczach Iwony.

– Spotykacie się często i tak sobie rozmawiacie?

– Jeden wdowiec, a drugi prawie słomiany wdowiec, więc mamy o czym rozmawiać. Spieprzyliśmy obaj, co tylko się dało w życiu, obudziliśmy się za późno.

– Nigdy nie jest na nic za późno. Przecież jesteś jeszcze młody, zresztą Henryk także.

– To co my mamy zrobić?

– Chyba nie myślisz, że będę wam doradzać.

– *Sorry*. Tak mogłaś zrozumieć.

– Na początek, Zygmunt, musimy przygotować dokumenty, bo po to się w zasadzie dzisiaj spotkaliśmy...

– Wiem. Wszystkie dokumenty sam przygotuję, a właściwie już nad nimi siedzę, lada dzień dam ci je do przejrzenia. Postanowiłem, że winę wezmę na siebie, bo chcę, aby sprawa zakończyła się błyskawicznie. Nie widzę potrzeby rozdrapywania naszych spraw przed obcymi, co również jest pokłosiem moich rozmów z Henrykiem.

Spojrzał na Iwonę, jakby oczekiwał na jej reakcję.

Ona natomiast poczuła się kompletnie oszołomiona jego słowami, przedstawioną propozycją. Sądziła, że rozmowa będzie trudna, tym bardziej więc nie potrafiła jakoś sensownie zareagować. Przełknęła ślinę i skinęła tylko głową. Zygmunt, widząc to, postanowił szybko zmienić temat.

–A co u ciebie tak w ogóle? Jak praca, urlop, jak pierwsza po tylu latach konferencja?

Kolejne pytanie, po którym nie wiedziała, co powiedzieć, ale Zygmunt dodał jej odwagi uśmiechem.

– Wszystko układa mi się dobrze – odparła w końcu. – Trafiłam chyba na jakieś pasmo szczęścia. Z dziekanem mam doskonałe kontakty, z koleżanką w pokoju tak samo, z resztą koleżeństwa też dobrze mi się współpracuje...

– Cieszę się wobec tego i oby tak dalej...

– Poczekaj, na konferencji spotkałam... tego mężczyznę, o którym ci kiedyś opowiedziałam – zakończyła ciszej, dziwiąc się samej sobie i słowom, które padły.

Zygmunt pokiwał głową.

– To już resztę chyba mogę sobie dośpiewać, bo humor masz bezsprzecznie doskonały. Wszystko po tobie dzisiaj widać.

– Kiedyś przed tobą, Zygmuncie, grałam, a teraz już nie muszę.

– Życzę ci, żeby się wszystko jak najlepiej ułożyło... Tylko, Boże, dlaczego ja kiedyś byłem taki głupi? – wyrwało mu się i spuścił wzrok.

– Wielu by się nie przyznało do swoich błędów i do innych spraw, więc za to masz u mnie plusa. Chociaż tej ostatniej sprawy nie potrafię zapomnieć...

– Wiem. Byłem słaby.

– Obiecałam Ewie... – spojrzała mocno w oczy Zygmunta – ...że ode mnie Henryk się o tym zdarzeniu nie dowie. Ona nie chciała go dobijać.

Iwona zamknęła oczy, spod jej powiek wypłynęła łza.

– Ja też mogę obiecać... – powiedział nagle twardo Zygmunt; Iwona otworzyła szeroko oczy. – Tobie, a zaocznie również Ewie. Nie zdradzę mu nigdy tego, co zaszło między nami, to brzemię będę nosił w sobie, ale zamierzam pracować dla niego ile sił i nie zostawię go nigdy samego.

– Ewa nie wyjawiła mi, jak sobie wyobraża w przyszłości waszą współpracę, choć mogę sądzić, że byłaby uradowana z twoich słów.

Rozdział 34

Iwona czekała na rozmowę z profesorem Markiem Westem w bibliotece przyległej do jego gabinetu. Przechadzała się wolnym krokiem po dużym pomieszczeniu, spoglądając na bogato rzeźbione regały biblioteczne wypełnione książkami, olbrzymi stół narad z krzesłami, fotele i sofy obciągnięte brązową skórą. Podziwiała obrazy na ścianach i bogato zdobiony kominek. Wszystko budziło jej aprobatę. Kiedyś to mieli gust, pomyślała. Poza tym nie ma co się z nimi równać, bo to siedemset lat tradycji, jak powiedział jej dziekan.

Duże drzwi od gabinetu profesora otworzyły się z lekkim skrzypnięciem; spojrzała w ich kierunku. W jej stronę zmierzał elegancko ubrany starszy dżentelmen. Uśmiechał się w niewymuszony sposób; Iwona odpowiedziała także uśmiechem.

– Mark West – przedstawił się.

– Iwona Walkowiak – odparła.

Przywitali się serdecznie.

– Czy mieszkanie, na które pani zdecydowała się na te dni, zadowala panią? – spytał ciepło.

Iwonę zaskoczyło, że pierwsze pytanie dotyczy tak przyziemnej sprawy.

– O, tak. Jest bardzo miłe i wygodne – odpowiedziała więc bez większego zastanowienia. – Przyznam się, że już dawno tak dobrze nie spałam. Steward oddelegowany przez wydział uraczył mnie wczoraj długim, ale cudownym spacerem po kompleksie i okolicy, a jeśli dodam do tego emocje i wrażenia z wcześniejszego lotu z Gdańska i podróży z Londynu do Oksfordu, to powodów do zmęczenia miałam sporo.

– Może usiądźmy tutaj. – Profesor wskazał dwa fotele, pomiędzy którymi stał niewielki stolik. – Czy mogę pani zaproponować kawę albo herbatę?

– Bardzo chętnie napiłabym się kawy.

Profesor nacisnął niewielki przycisk na stoliku. Po chwili w progu stanęła młoda uśmiechnięta kobieta; wolnym krokiem podeszła bliżej.

– Ireno, chętnie napijemy się kawy – odezwał się profesor, zerkając przelotnie na Iwonę.

– Jaką kawę pani sobie życzy? – Młoda kobieta spojrzała na Iwonę zachęcająco. – Z ekspresu czy inną?

– Najchętniej klasycznie zaparzoną i z dodatkiem czegoś białego.

– A jaki ma być gatunek kawy? Arabica czy robusta? – Kobieta uśmiechnęła się, jakby chciała przeprosić za dziwne pytanie. Iwona z niedowierzaniem spojrzała na nią, a potem przeniosła wzrok na profesora Westa.

– Irena zaliczyła kurs baristów, bo uważała, że biotechnolodzy powinni mieć świadomość tego, co piją. Jest w stanie spełnić każdą, w tym zakresie, pani zachciankę – uśmiechnął się szeroko profesor.

Kobieta potwierdziła jego słowa skinięciem głowy; nie przestawała się uśmiechać.

– Pijam najczęściej kawę brazil mild, którą wcześniej sama mielę, najchętniej w ręcznym młynku. – Iwona spojrzała wesoło na kobietę.

– To jeśli idzie o kawę, już wszystko wiem i bardzo pochwalam ręczny młynek... – skłoniła głowę – ...a to białe to ma być śmietanka czy mleczko?

– Wolę śmietankę o małej zawartości tłuszczu.

– Wszystko już rozumiem. A dla pana profesora jak zwykle?

Profesor skinął głową; kobieta potwierdziła uśmiechem i skierowała się w stronę drzwi.

– Irena męczyła mnie przez pół roku, żeby pozwolić jej pójść na taki kurs, bo nie mogła słuchać, jak niektórzy moi goście, zamawiając kawę, mówili: obojętnie jaka albo czarna, albo z ekspresu. Taka rozmowa zabiera dwie, góra trzy minuty, a świadomość tego, co się pije, wzrasta, plus przyjemność wypicia tego, co się lubi. To było na poprawę humoru, który widzę i tak ma pani dobry. – Spojrzał na uśmiechniętą Iwonę.

– Jestem pod wrażeniem i nareszcie wiem, co piję. – Iwona pokiwała głową i wykonała gest rękoma, jakby miała ochotę zaklaskać; profesor skwitował to kolejnym szerokim uśmiechem.

– Pani doktor. – Mark West przybrał poważniejszy wyraz twarzy. – Przejdźmy do naszych spraw. Muszę powiedzieć na wstępie kilka... no, może kilkanaście słów. Jestem pod wrażeniem pani CV, zresztą cała komisja była nim zachwycona. Kogoś takiego jak pani szukaliśmy i... znaleźliśmy. Mamy zamiar bardziej niż dotąd zadbać o naszą użyteczność dla przemysłu, dlatego też postanowiliśmy powołać międzynarodowy zespół, który zajmie się przygotowaniem modelowego programu współpracy różnych uczelni zajmujących się biotechnologią i stosujących ją w produkcji jednostek gospodarczych. To tak najogólniej. Właśnie dlatego będzie w tym zespole tak wielu fachowców z całego świata, żeby opracowany program był uniwersalny, jak najbardziej reprezentatywny, ale również podatny na adaptację w każdym miejscu, gdzie ktoś będzie chciał z niego skorzystać. Zakres działania zespołu pragniemy uczynić otwartym, państwo sami go nakreślicie. Chcemy finalnie, aby nasz uniwersytet, który finansuje roczne funkcjonowanie tego zespołu, podniósł mocno swoje kompetencje właśnie w zakresie biotechnologii. Może się pani uśmiechnąć, że pewnie chodzi nam głównie o uzyskanie lepszej lokaty w światowym rankingu uczelni zajmujących się biotechnologią. Szczerze? O tę sprawę także nam chodzi, ale głównie zależy nam na poprawie kontaktów pomiędzy praktykami a teoretykami z naszej dziedziny. Pani jest dobrym przykładem na to, co powiedziałem, czyż nie?

– Mogłabym podpisać się pod większością pana sformułowań – uśmiechnęła się Iwona.

Rozległo się pukanie i kobieta z sekretariatu profesora Westa weszła z tacą. Rozstawiła filiżanki z zaparzoną kawą. Dygnęła i wyszła. Profesor zamieszał kawę łyżeczką i podniósł filiżankę do ust.

– A pani?

– Lubię poczekać, aż kawa chwilę się zaparzy, opadnie na dno, a dopiero potem zabielam.

– To może pani dokończy swoją myśl, bo przerwała nam kawa. – Zachęcił gestem.

– Po krótkiej pracy na uczelni, po uzyskaniu doktoratu, przeniosłam się do firmy, w której pracowałam blisko dziewiętnaście lat.

– Przeanalizowałem dokładnie opisy rozwiązań opracowanych przez panią i zastosowanych przy produkcji kosmetyków oraz z uwagą przeczytałem pani artykuły. One były decydujące w wyborze właśnie pani do zespołu. Nie będę ukrywał, że wywołały moją i komisji euforię... – Złożył dłonie i potrząsnął nimi. – Niczego im nie sugerowałem.

Pokręcił głową, widząc zdziwienie na twarzy Iwony.

– Robiłam tylko to, czego wcześniej się nauczyłam i to, co podpowiadał mi instynkt – odparła skromnie. Pomieszała łyżeczką kawę i zabieliła ją śmietanką.

– Przyglądam się pani pedantyczności związanej z przygotowaniem do wypicia kawy... – wykonał w powietrzu ruch mieszania i wskazał na dzbanuszek ze śmietanką – ...i jestem znowu pod wrażeniem. Przepraszam za takie słowa, ale ludzie na ogół robią to szybko, niedbale, a pani... – Pokręcił głową.

– Tak... jestem nawet trochę stremowana, ale picie kawy to dla mnie ważna sprawa, przy niej psychicznie się wzmacniam

Podniosła filiżankę do ust i wypiła pierwszy łyk, przymknęła oczy.

– Doskonała, tak jakbym sobie sama zrobiła w domu, kiedy naprawdę mam dużo czasu. Irena jest... – wskazała głową w kierunku drzwi – ...znakomita.

– Może ma tutaj także ręczny młynek? – uśmiechnął się profesor. – Przejdźmy teraz do spraw najważniejszych

– Przybrał znowu poważniejszy wyraz twarzy. – Pierwsza sprawa, akceptacja przez panią pracy tutaj...

– Oczywiście, zgadzam się!

– Muszę to rozwinąć, bo warunki płacowe i mieszkaniowe są ważne dla podjęcia przez panią ostatecznej decyzji.

– Gdybym nie chciała tu być, tobym w ogóle nie przyjechała – powiedziała Iwona z przekonaniem. – Chcę rozpocząć nowy etap w swoim życiu...

– A do tego szczera i impulsywna... – Profesor z podziwu pokręcił głową. – Muszę jednak przedstawić pani wspomniane warunki pracy. Po pierwsze, mieszkanie. Czy przedstawić jakieś inne do wyboru, czy może...

– To jest idealne! Już je polubiłam – wyrzuciła z siebie bez zastanowienia.

– Druga sprawa, płaca. Przygotowałem wcześniej propozycję pewnej kwoty...

Profesor wyciągnął z ciemnej teczki leżącej na stoliku kartkę i podał ją Iwonie; spojrzała na zapisane tam liczby i przeniosła na niego wzrok.

– Czy to nie pomyłka...? – powiedziała cicho i przełknęła ślinę. Przez głowę przebiegła jej myśl szybka jak błyskawica. Tyle tutaj jest za tydzień, ile u nas za cały miesiąc. Boże!

Profesor jakby nie dosłyszał jej słów ani nie zauważył dziwnej reakcji.

– Wczoraj zastanawiałem się jeszcze z kwestorem, czy z tytułu dodatkowej funkcji, jaką dla pani przewidzieliśmy, o której zaraz powiem, nie wprowadzić jeszcze pewnego dodatku – powiedział, podkreślając ostatnie słowa. – Rozmawiałem też o tym wczoraj z Adamem...

– Moim dziekanem? – weszła mu w słowo Iwona.

– Tak, bo traktuję go nadzwyczaj poważnie i nie chciałbym przez zbyt niską płacę dla delegowanego pracownika zepsuć sobie poprawne z nim stosunki. – Wykonał gest palcem i uśmiechnął się od ucha do ucha.

– Szczerze powiem, że warunki płacowe przerastają moje wyobrażenia, choć z drugiej strony wszystko w ostatnim czasie dzieje się tak szybko, że nie nadążam. Na myślenie o warunkach naprawdę nie znalazłam czasu.

Iwona rozłożyła dłonie.

– Adam dobrze mi panią scharakteryzował. Szczera i skromna...

Iwona, gdyby mogła, schłodziłaby w tym momencie płonące policzki, machając przed nimi obiema rękoma. Jednak wydało jej się to dalece niestosowne, więc postanowiła tylko na chwilę przymknąć oczy i szybko wrócić do wcześniejszej kwestii.

– A o jakiej dodatkowej funkcji pan profesor wspomniał? – spytała, marszcząc czoło.

– Szef zespołu powinien mieć silne wsparcie, to znaczy dobrych zastępców. Proponujemy, żeby jednym z nich została pani. Wszyscy członkowie komisji, w liczbie dziesięciu, głosowali za pani kandydaturą. Mój głos nie miał więc żadnego znaczenia, ale ja także byłem za panią – uśmiechnął się.

– Czy ja podołam?

– Jak nie pani, to kto? Kierowała pani przecież znacznym zespołem, gdzie liczyło się coś więcej niż liczba wydrukowanych stron artykułu... – zażartował. – Oczywiście, większość artykułów jest wspaniała!

– A jaki będzie zakres tych dodatkowych obowiązków?

– Tego jeszcze nie wiem, bo to sobie w spokoju przedyskutujecie z szefem zespołu, którego w samo południe przedstawi rektor uniwersytetu na inauguracyjnym spotkaniu.

– Myślałam, że to pan profesor szefuje temu zespołowi...

– Pani doktor... – pokręcił głową. – Są naprawdę tacy, którzy do tej funkcji nadają się lepiej niż ja. Wyboru szefa zespołu dokonywała oddzielna komisja, pracująca pod bezpośrednią jurysdykcją rektora. Nie aplikowałem... – powiedział. – Do dzisiaj wszystko w tym zakresie było niejawne i sam chętnie się dowiem, kto zostanie pani szefem – uśmiechnął się. – Jestem pod wielkim wrażeniem rozmowy z panią.

Obydwoje wstali z foteli i przyglądali się sobie.

– To pierwsza w moim życiu tego typu rozmowa. Pójdę teraz na chwilę do mieszkania, a potem zdążę jeszcze odbyć krótki spacer przed inauguracyjnym posiedzeniem zespołu.

– A do tego jaka ułożona i pełna wewnętrznej dyscypliny... Czy może mi pani coś obiecać?

Iwona zdziwiła się.

– Gdybym za rok zaproponował pani pracę na moim wydziale, czy byłaby pani gotowa do takiej rozmowy?

– Każda rozmowa z panem to prawdziwa przyjemność – uśmiechnęła się skromnie.

– I do tego urodzona dyplomatka... – pochwalił. – Proszę zatem teraz odpocząć.

Odprowadził Iwonę do drzwi i otworzył je przed nią.

Rozdział 35

Spotkanie zespołu z rektorem uniwersytetu w Oksfordzie odbywało się w sali, której wyposażenie stanowił duży okrągły stół na blisko trzydzieści osób. Stojący przy drzwiach sali pracownik wydziału biotechnologii informował każdą wchodzącą osobę, aby odnalazła swoje miejsce przy stole, oznaczone wizytówką z nazwiskiem. Na każdą z osób czekał tam zestaw dokumentów oraz identyfikator, zawierający zdjęcie, nazwisko i imię, posiadany tytuł naukowy oraz nazwy: macierzystej uczelni i kraju pochodzenia. Gdy Iwona zawiesiła na szyi identyfikator, rozejrzała się wokół. Kilkanaście osób w różnym wieku kłaniało się już sobie i wymieniało słowa przywitania. United Colors of Benetton, pomyślała i z uśmiechem przystąpiła, jak inni, do witania się i wzajemnego przedstawiania z członkami zespołu.

Gdy na stojącym w narożniku sali zegarze wybiła godzina dwunasta, obecni zostali poproszeni o zajęcie swoich miejsc. Po chwili do sali weszło kilka osób, wśród których Iwona dojrzała swojego Arthura. Poczuła uderzenie ciepła do głowy i przyspieszone bicie serca. Złapała się z całej siły krawędzi stołu i szeroko otworzyła oczy. W tym momencie ich spojrzenia się spotkały. On nawet przystanął na moment, ale po chwili zajął miejsce między rektorem a profesorem Markiem Westem. Na jego twarzy też widniało zaskoczenie. Z wyjątkiem rektora wszyscy usiedli. Ten rozejrzał się wokół z powitalnym uśmiechem na twarzy.

Przywitał gości z uczelni wszystkich kontynentów, przedstawił dziekana wydziału i kilkoro swoich współpracowników, a potem opowiedział o celach i zadaniach konstytuującego się właśnie zespołu. Iwona i Arthur, podczas jego wystąpienia, cały czas rzucali sobie ukradkowe spojrzenia. Rektor, po zakończeniu wstępnych słów, rozejrzał się wokół.

– Szanowni państwo, każdy zespół naukowy na uczelni, ale jest tak również w każdym innym gronie, które gdziekolwiek funkcjonuje i czymkolwiek się zajmuje, musi mieć swojego szefa. Wasz zespół także będzie mieć swojego szefa. – Rozejrzał się kolejny raz wokół. – Aplikowało na tę funkcję szesnastu przedstawicieli angielskich uczelni, spośród których wybrano trzech nominatów i poddano te kandydatury pod głosowanie. Przeczytam państwu ostatnie zdania z komisyjnego protokołu, zamykającego konkurs na tę funkcję. Chrząknął: *Komisja orzeka, że trzej niżej wymienieni kandydaci, wybrani przez komisję do ostatecznego wyboru na funkcję szefa odnośnego zespołu naukowego, uzyskali w głosowaniu tajnym następującą liczbę głosów: profesor Glenda Arnold z Uniwersytetu w Luton – dwa głosy, profesor Arthur Chichester z Uniwersytetu w Londynie – osiem głosów, profesor Jonathan*

Stark z Uniwersytetu Birmingham – jeden głos. Tym samym komisja rekomenduje Rektorowi Oxford University powołanie na wyżej wymienioną funkcję profesora Arthura Chichestera. Na tym protokół zakończono i podpisano. Jest tutaj jedenaście podpisów członków komisji.

Rektor pokazał siedzącym przy stole dokument.

Rozległy się zrazu nieśmiałe, a potem mocne oklaski. Arthur uniósł się i kłaniając się wokół, podziękował za nie. Przez cały czas jednak jego wzrok jakby na uwięzi wracał do Iwony.

– To oczywiście jeszcze nie koniec.

Rektor chrząknął, by ponownie zwrócić na siebie uwagę.

– W związku z przedstawioną mi rekomendacją podpisałem akt mianowania profesora Arthura Chichestera na tę funkcję. Bardzo proszę o przyjęcie odnośnego dokumentu i życzę panu profesorowi owocnej pracy ze starannie wyselekcjonowanymi naukowcami z uczelni wszystkich kontynentów.

Panowie uścisnęli sobie dłonie. Znowu rozległy się oklaski. O głos poprosił dziekan wydziału biotechnologii Oxford University, profesor Mark West.

– Zgodnie z przyznaną mi przez pana rektora prerogatywą powołałem oddzielną komisję w celu wyłonienia spośród państwa... – profesor Mark West zatoczył ramieniem łuk – ...dwóch zastępców szefa zespołu, którzy będą z nim przygotowywać szczegółowy plan działania oraz wspomagać go w kierowaniu pracą zespołu. Zostali nimi: doktor Stephen Morblatter z Harvard University i pani doktor Iwona Walkowiak z Uniwersytetu w Gdańsku.

Rozległy się brawa i przedstawieni naukowcy podnieśli się. Wówczas Arthur uśmiechnął się szeroko, wstał i zaczął wyjątkowo głośno bić oklaski. Nachylił się do rektora i szepnął mu coś; ten skinął głową. Podszedł do Iwony i złożył gratulacje, po czym spytał cicho:

– Czy to jest ta integracyjna wycieczka do Londynu?

– Byłam tam wczoraj, przejazdem – odparła szeptem. – Ależ się cieszę, Arthurze... – Jej oczy śmiały się radośnie.

– A ja wprost pękam z dumy, że będziesz moją zastępczynią! – Jeszcze raz pocałował ją w rękę. – Porozmawiamy później... Teraz pogratuluję Stephenowi i przywitam się z resztą zespołu. Muszę... – wyszeptał i mrugnął na odchodne.

Zamieszanie związane ze składaniem przez Arthura gratulacji przedstawicielowi Uniwersytetu Harvarda i witaniem się z pozostałymi członkami zespołu trwało kilka minut. Po powrocie na miejsce ze swadą przedstawił swój pomysł na funkcjonowanie zespołu, co nagrodzono frenetycznymi oklaskami. Iwona szybko znalazła odpowiedź na pytanie, kim jest guru światowej biotechnologii. Szybko też postawiła sobie drugie, czy mógłby być nim ktoś inny niż Arthur. Odpowiedź była natychmiastowa i znowu jednoznaczna – z poznanych fachowców tylko Arthur!

Uśmiechnęła się do niego, a on odpowiedział jej tym samym. Niedawno miała przyjemność słuchać go i oglądać jako moderatora, a dzisiaj z przyjemnością słuchała jego mądrych wypowiedzi z dziedziny bliskiej jej sercu. Tym bardziej że usłyszała w nich echo własnych słów o uwarunkowaniach pracy w takiej firmie jak gdyńska. Potrafi słuchać wszystkiego, co się mówi, pomyślała z uznaniem.

Dla niej jednak Arthur stał się ponownie, po tylu latach, głównie niekwestionowanym guru w całkiem innej kategorii. Czuła miłe kołatanie serca, gdy patrzyła na niego i słuchała jego głosu. Zatęskniła do jego czułych słów, delikatnego dotyku dłoni, pocałunku... Ach, westchnęła radośnie. Z jej twarzy od chwili przywitania się z nim aż do końca dwugodzinnego inauguracyjnego posiedzenia zespołu nie schodził uśmiech.

Ich oczy szukały siebie nieustannie.

Rozdział 36

Iwona poczuła się wyjątkowo dowartościowana, gdy podczas kolacji przydzielono jej miejsce pomiędzy rektorem Oksford University a profesorem Markiem Westem. Podczas dopołudniowych spotkań miała na sobie spodnium, a teraz włożyła garsonkę, oba ubiory wskazane jej przez syna. Mógłby być kreatorem mody... – zachichotała w duchu – ...a już na pewno na początek choćby stylistą. Przecież dodatki do obu zestawów też jej wybrał. Najpierw uważała, że jedne są zbyt odważne, a drugie zbyt oficjalne, ale potem na spokojnie oceniła, że chyba ma rację. Dzisiaj dostrzegała w oczach dopołudniowych rozmówców i teraz podczas przyjęcia, na którym pojawili się także goście rektora, wyraz aprobaty. Takie rzeczy potrafiła odczytywać bezbłędnie.

– Ślicznie wyglądasz... – Usłyszała za sobą słowa Arthura, gdy wyszła na chwilę zaczerpnąć powietrza na tarasie przylegającym do sali bankietowej. Spojrzała za siebie.

– Dziękuję, mój... – zawiesiła głos, ale on odważył ją ruchem powiek – ...miły – dokończyła.

Arthur głęboko nabrał powietrza.

Zauważyła, że w ich stronę zbliża się profesor Mark West. Oczy Arthura powędrowały za jej wzrokiem. Mark West z dobrotliwym uśmiechem na twarzy skłonił się, a potem przez chwilę przypatrywał im się z nieco pochyloną głową.

– Przepraszam państwa, ale muszę to powiedzieć... Stanowicie wspaniałą parę i cieszę się, że będziecie blisko współpracować ze sobą w komisji.

Iwona i Arthur spojrzeli po sobie. Cała trójka uśmiechnęła się.

– Powiedz mi, Marku, jeśli możesz, jak to się stało, że nie aplikowałeś na szefa zespołu? – spytał niespodziewanie Arthur. Profesor West złożył przed sobą dłonie. Iwona dzisiaj już kilka razy widziała u niego ten gest. Skupiał się w ten sposób w ważnych momentach.

– Arthurze... – zaczął profesor, ale przerwał. Jego oczy na chwilę spoczęły na Iwonie.

– Przy Iwonie możemy rozmawiać najszczerzej, jak się da – wszedł mu w słowo Arthur. – Kiedyś... pamiętasz, Marku, mogłem tobie mówić wszystko, radziłem się ciebie, podpowiadałeś mi wiele rzeczy. – Złapał go za nadgarstek. – Z mojej winy kiedyś się poróżniliśmy i odszedłem z Oksfordu. Teraz zaczynam nowy etap w swoim życiu... – Spojrzał przeciągle na Iwonę, a potem jego wzrok powrócił do Marka Westa.

– Nie zapomniałeś chyba, Arthurze, że jestem również doktorem psychologii...? – West cofnął się pół kroku i znowu delikatnie przechylił głowę. – Dostrzegam...

– Ułatwię ci... – ponownie wszedł mu w słowo Arthur i uśmiechnął się. – Z Iwoną poznaliśmy się dwadzieścia lat temu. Może ten nowy etap w moim życiu będzie związany również z nią...?

– W takim razie to jakiś nieprawdopodobny zbieg szczęśliwych przypadków: ja rezygnuję z udziału w konkursie, zostają przysłane dodatkowo dokumenty doktor Iwony, wy się spotykacie w Sztokholmie... Powiedziała mi o tym pani doktor – wyjaśnił profesor West, widząc zdziwiony wzrok Arthura. – Mogę dodać już od siebie, po tym, co dostrzega moje oko psychologa, że odnaleźliście się tam chyba ku obopólnej radości... – uśmiechnął się szeroko. – Obie niezależne komisje konkursowe wybierają was jako najściślejszych współpracowników w zespole. Jeśli natomiast idzie o tamtą sytuację sprzed lat... poróżniliśmy się, bo nie chciałem wówczas, żebyś za szybko mnie przeskoczył...

Spoważniał i pokiwał głową. Teraz on schwycił Arthura za nadgarstek.

– Nie była to zatem twoja wina, a raczej moja. Po prostu odpuściłeś, choć nie musiałeś... Chcę cię przeprosić, przyjacielu.

Wyciągnął prawicę, Arthur wyciągnął swoją. Objęli się i poklepali po plecach.

– Oj, chyba będzie padał deszcz – rzuciła wesoło Iwona. Obaj panowie spojrzeli na nią, a potem na ciemniejące niebo, na którym nie było widać jednej chmurki. – W Polsce tak się mówi, kiedy ściskają się mężczyźni – zachichotała.

– Arthurze, pasujecie do siebie jak rzadko... Znam się na tym... Wiem, mówiłem już. – Mark West uśmiechnął się. – Idę przekazać nowinę rektorowi. Pani Iwono, sir Arthurze... – Pochylił głowę.

– Sir Marku... – Odkłonił się Arthur.

– Ależ wy jesteście fajni... Jak mi dobrze... – Iwona stanęła jak najbliżej się dało Arthura; poczuła swoim biodrem i udem jego biodro i udo. Serce jej łomotało jak szalone. Spojrzeli sobie w oczy.

Po kolacji Arthur zaproponował spacer.

– Jutro rano chciałbym pojechać do siostry na wieś.

Spojrzał na Iwonę, ta wsunęła mu dłoń pod ramię.

– Mam samolot w niedzielę...

– Może mogłabyś zostać na dwa, trzy dni i pojechać tam ze mną?

– Niedługo przyjadę już na dłużej...

– A właśnie. Czy zdecydowałaś się, gdzie będziesz mieszkać podczas pobytu tutaj? Z tego, co wiem od Marka, większość członków zespołu wybrała hotele czy mieszkania w centrum Oksfordu albo nawet w Londynie.

– Ja wybrałam mieszkanie w kampusie. – Wzruszyła ramionami.

– Proszę...? Przecież stać by cię było na coś lepszego – urwał na chwilę. – Może coś ci doradzić?

– Mam niewielkie wymagania i już zdecydowałam. – Wykonała zdecydowany ruch dłonią. – Mieszkanie jest bardzo miłe, ma dobry klimat, doskonale dzisiaj spałam i będę miała blisko do pracy. – Spojrzała mu w oczy. – Czego mi więcej trzeba, Arthurze? Mam nadzieję, że od czasu do czasu spotkamy się u mnie na kawie...

– Oczywiście, będę cię chętnie odwiedzał, ale też zapraszał na wieś lub w inne miejsca zawsze, kiedy tylko zgodzisz się.

– A ta wieś... to daleko?

Rozejrzał się dyskretnie wokół i objął ją ramieniem; spojrzała na niego z wdzięcznością.

– Daleko to jest do Gdyni albo Nowego Jorku – uśmiechnął się. – Tutaj wszędzie blisko. Wieś jest w Walii, poniżej Wrexham. Stamtąd pochodzę. Od Londynu to dwie z kawałkiem godziny jazdy, a stąd jeszcze krócej i to jeszcze z kawą po drodze. Gdybyśmy ruszyli stąd o ósmej rano, to tam bylibyśmy akurat na drugie śniadanie.

– Kusisz...

– A na drugie śniadanie zawsze są świeże swojskie bułeczki z dżemem, oczywiście własnej roboty, i kawa... Siostra robi pyszną. Meteorolodzy zapowiadają na jutro ponad siedemnaście stopni, da się ją wypić na tarasie. Spodoba ci się.

– Tym tarasem... kupiłeś mnie. – Iwona zatrzymała się i pocałowała go w policzek. – Mieszkam w tamtym domku, drugie wejście.

Wskazała głową. Przystanęli i popatrzyli najpierw na pobliski dom, a potem na siebie.

– Czyli na jutro mamy wszystko umówione?

Arthur przyciągnął Iwonę do siebie; nie opierała się. Całowali się długo.

– To na którą mam być gotowa?

Odsunęła się, żeby nabrać powietrza.

– Punkt ósma. Może być?

– A ty dzisiaj wracasz do Londynu? – spytała, patrząc na niego zza przymrużonych powiek.

– Myślałem, że kolacja przeciągnie się, więc zaplanowałem nocleg w mieście w hotelu... Stąd taksówką dziesięć minut.

– To może... – Iwona spojrzała w jego oczy – ...wejdziesz jeszcze na herbatę?

– Dawno nie byłem u ciebie na herbacie. – Przytulił ją mocno. – A nie boisz się szeptów sąsiadów?

– Z tego, co wiem, to ci sąsiedzi wciąż się zmieniają. Profesor Mark West mi powiedział, że to może być uciążliwe, ale mnie to nie robi... – Mrugnęła.

Arthur raz jeszcze przyciągnął ją mocno do siebie. Przywarła do niego z całych sił.

– To wejdźmy – powiedziała cicho po chwili.

Mieszkanie przywitało ich lekkim zapachem lawendy.

– Zawsze w domu przed każdym wyjazdem na wakacje też rozwieszałam gdzie się dało lawendę. Lubisz ten zapach?

Arthur skinął głową. Zdjęli prochowce i weszli do saloniku.

– Posiedzisz chwilę sam? – Iwona wskazała na fotel; pokręcił głową.

– Chcę być wciąż przy tobie... Nie wierzę, że jesteśmy sami.

Wyciągnął ramiona, Iwona podeszła ufnie i położyła głowę na jego piersi.

– Czy ja śnię? – Usłyszał jej cichy głos. – Jesteś, mój książę.

Arthur raptownie odchylił się do tyłu. Zmarszczył czoło i przyglądał się Iwonie badawczo.

– Czy ty może...?

Iwona przymknęła oczy.

– Tak mi dobrze przy tobie. Oglądałeś *Pretty Women*?

– Chyba tak... tak. To z Julią Roberts, tak? Ale co nasza sytuacja ma wspólnego z tym filmem?

– Jasne, że nic takiego, ale rozmawiałam o nim nie tak dawno z Ewą. Gadałyśmy też o innych bajkach. W myślach, marzeniach nazywałam cię księciem, a ja siedziałam w wysokiej wieży...

– I ja przyjechałem pod tę wieżę...? – Kolejny raz pokręcił głową. – Przecież to ty przyjechałaś do mnie.

– Obiecałam sobie i Ewie, że jeśli zdarzy się przypadek i natrafimy kiedyś na siebie, to ja nie będę czekała, aż wdrapiesz się na górę, tylko sama zbiegnę w dół. I zbiegłam. Kochany...

Objęli się z całych sił. Po chwili znaleźli się w pobliżu sofy. Arthur podniósł Iwonę na ręce i już miał ją położyć na niej, kiedy usłyszał szept.

– Nie tutaj, w sypialni... bez światła, proszę...

*

Leżeli obok siebie, trzymając się za ręce. Oboje ciężko oddychali. Po chwili jak na komendę odwrócili się do siebie; wsparli głowy na łokciu.

– Jest... było tak samo cudownie jak wtedy – wyszeptała Iwona.

– Mógłbym smakować cię bez końca...

Przygarnął ją do siebie i okrył pocałunkami.

– Czy musisz jechać do tego hotelu? – spytała, gdy jej usta na chwilę uwolniły się od pocałunków.

– Mogę tam zadzwonić i za pół godziny przywiozą mi tutaj moje bagaże. Chcesz tego?

– Bardzo. Chciałabym zasnąć dzisiaj przy tobie, a jutro rano obudzić się też przy tobie...

Zacisnęła powieki i zadrżała, spod powiek wypłynęły łzy.

– Proszę cię, nie płacz, już cię więcej nie wypuszczę...

Arthur znowu zasypał ją pocałunkami.

Przez sufit i ściany przesunęły się światła reflektorów samochodu. Iwona spojrzała na zegar na biurku.

– Za pół godziny północ. To może zadzwoń do tego hotelu.

– Dobrze, że mi przypomniałaś! Zapomniałbym.

Wyskoczył z łóżka.

– Zgrabny jesteś, książę – zachichotała.

– Nie kuś, bo znowu wskoczę. Ty jesteś jeszcze zgrabniejsza niż dawniej!

Po chwili trzymał w ręku telefon i rozmawiał z hotelem.

– Momencik proszę... Iwonko... – szepnął – ...jaki tutaj jest adres?

– Nie pamiętam – zachichotała. – Powiedz, że naprzeciwko jest nieduża fontanna.

– Wie pani co...? Będę czekał niedaleko fontanny, zaraz po wjeździe na teren domków w kampusie. Proszę dać kierowcy mój telefon, to się znajdziemy. Dziękuję i przepraszam za kłopot. Dobranoc pani.

– Nie lubię dużych hoteli – powiedział do Iwony. – Zawsze śpię w Lakeside Guest House, to taki pensjonat. Oglądałaś kiedyś serial *Hotel Zacisze* ze znakomitym Johnem Cleese'em?

– Chyba wiem, ale tylko kilka odcinków, można się było sporo uśmiać.

– Wygląd tego w Oksfordzie trochę przypomina mi tamten z serialu. Nie miałem wątpliwości od pierwszego razu. – Mrugnął.

– A jest w nim tak samo wesoło?

– Jest tam cudowna i kontaktowa obsługa.

Niedługo zadzwonił kierowca i Arthur wyszedł przed dom. Po chwili wrócił z dwiema dużymi walizkami.

– Widziałaś, jak szybko dostarczyli bagaże? Na pewno zapakowali nawet skarpetki z łazienki i wiem pewnie, gdzie je schowali. – Pociągnął ekler z przodu torby. – Już raz je tutaj spakowali.

– To tak często odwiedzasz te domki? – zachichotała Iwona, wskazując na walizki.

– W tym domku... – Arthur rozejrzał się wokół – ... jestem pierwszy raz! – zaśmiał się głośno, a ona pogroziła mu palcem.

– Czy mogę, Iwonko, przebrać się na domowo? – Spojrzał na nią wesoło.

– Ja zrobię tak samo i zaraz wstawię wodę na herbatę.

– Poczekaj na mnie. Za chwilę przyjdę, żeby ci towarzyszyć – zaśmiał się.

Do herbaty zagryzali ciasteczka klonowe, które Iwona znalazła w lodówce. Okazało się jeszcze, że w barku był alkohol, ale Arthur pokręcił głową.

– Jazda po alkoholu jest wzbroniona – powiedział poważnym tonem.

– Ja i tak pijam tylko szampana, ale ty jeden kieliszek chyba możesz – zdziwiła się. Arthur patrzył na nią i chichotał. – Ty zbereźniku!

– Przepraszam cię, kochana. Młodziak się we mnie obudził – zażartował.

– Ja ci dam jazdę... – Pogroziła palcem

Arthur wyciągnął z jednej z toreb wiśniową skórzaną teczkę, a z niej duży tablet i kalendarz. Spojrzał do niego.

– Czyli jeśli wróciłabyś dwudziestego, to coś się stanie?

– Jaki to dzień?

– Środa...

– Chyba wolałabym jednak wrócić we wtorek.

– No dobrze, tym razem ci odpuszczę. – Podniósł palec.

– Podaj mi bilety, to od razu przebukuję.

Po kilku minutach sprawa była załatwiona.

– Teraz pokażę ci, gdzie jest ta wieś... – Otworzył tablet.

– Ale kolos!

– Tak, malutki kolos, z porządniejszym niż w seryjnych urządzeniach procesorem. Ma osiemnaście cali, bo lubię w podróży większe, a nie malutkie, mam też zawsze przy sobie komplet pamięci zewnętrznych z potrzebnymi danymi, więc w razie czego wszystko mogę na nim zrobić – mówił, uruchamiając niezbędne aplikacje.

– Pojedziemy stąd rano do Birmingham, a tam włączymy się w autostradę...

– Arthurze, nie musisz mi nic mówić o trasie. Pojadę z tobą tam, gdzie mnie zawieziesz. Będę się cieszyła trasą, więc im mniej powiesz, tym większa będzie niespodzianka i moja radość – uśmiechnęła się.

– To nie pokażę ci także wiejskiego domku siostry.

Pokręcił głową i szybkimi ruchami wyłączył tablet.

– Wszystko tu jest dla mnie nowe... Nowa praca w nowym miejscu, nowi ludzie, inne zadania niż dotąd, wszystko mnie cieszy, a najbardziej to, żeśmy się odnaleźli... – Oparła się o jego ramię. – Mówiłam, że będę na wycieczce? – Przymrużyła oczy. – Zróbmy szybko toaletę, bo chcę znowu ciebie zwiedzać...

Pocałowała go w policzek, wykręciła się zwinnie przed jego pocałunkami i ruszyła w kierunku łazienki.

Rozdział 37

Iwonę obudziły ostatnie słowa rozmowy telefonicznej prowadzonej przez Arthura.

– To za ile czasu można się spodziewać dostawcy? Rozumiem, pół godziny. Dziękuję.

W drzwiach sypialni pojawiła się jego twarz.

– Przepraszam, Iwonko, obudziłem cię. Ciszej się nie dało. Za pół godziny będą rogaliki, bo nie lubię podróżować na głodnego. Na ósmą będzie tutaj mój samochód. – Mrugnął i wskazał w kierunku ulicy za oknem.

– Ale przecież... – Iwona potrząsnęła głową.

– Przyjechałem tu pociągiem, bo mi było tak wygodniej, a mój samochód podstawi mi wynajęty kierowca. Czasami tak robię.

Podszedł do łóżka, przysiadł na jego brzegu i pocałował Iwonę.

– Już pachniesz... ogolony. – Pogładziła go po policzku.

– Spałem jak suseł, ale po szóstej mój wbudowany zegar... – wskazał na tors – ...zrobił dryyyń i już! W zasadzie jestem gotów do wyjazdu.

– Dobrze, w takim razie i ja się ubieram. A ile stopni?

– Czternaście, czyli już dosyć ciepło.

– To wyjdź na trochę... – Iwona machnęła ręką, ale Arthur zdążył jeszcze raz ją pocałować.

Zjedli po rogaliku.

– Pamiętałeś, co lubię?

– Śniadania z tobą to było dla mnie zawsze misterium, bo ty je lubisz celebrować.

– Jak mam czas – uśmiechnęła się. – Dziękuję za rogaliki.

– Przyzwyczaję się szybko do takich śniadań...

Iwona zmierzyła go wzrokiem.

– Przepraszam, tak mi się niechcący wyrwało.

– Nie, nie, nie – zreflektowała się. – To było przemiłe...

Podeszła do niego i zarzuciła mu ręce na szyję.

W czasie gdy Iwona zmywała filiżanki, pod dom zajechał elegancki wiśniowy samochód. Zobaczyła go przez okno. Ho, ho, ho, pomyślała. Dojrzała Arthura rozmawiającego przy nim z młodym mężczyzną. Po chwili był z powrotem.

– A kierowca?

– Zamówiłem mu taksówkę na dworzec i już. Rozliczamy się przelewem.

– Dobre... Dziesięć minut i możemy się pakować. – Iwona pokazała dziesięć palców.

Kilka minut po ósmej ruszyli.

Iwona podziwiała wnętrze auta.

– Jeszcze czymś takim nie jechałam – jęknęła z zachwytu.

– Zarabiam bardzo dobrze od lat, pierwszy samochód, jaki miałem, to był stary bentley po ojcu i od tego czasu staram się nie zmieniać marki – mrugnął. – Ten model, bentayga v9, kupiłem pod koniec ubiegłego roku. Tylko jedna rzecz mi się nie podoba... – zerknął na Iwonę – ...to, że tę markę kupili, znaczy całą firmę, Niemcy. Volkswagen... – Zrobił złą minę i pokręcił głową.

– No tak, oni są strasznie ekspansywni. My coś o tym wiemy...

– My, to znaczy kto? – Wykręcił się w kierunku Iwony.

– No my, Polacy – odrzekła krótko i zacisnęła pięść.

– A co oni od was kupili? – zdziwił się Arthur.

– Oni nas przez prawie tysiąc lat wciąż okradali i mordowali – odparła sucho. Zdziwione spojrzenie Arthura znowu wylądowało na Iwonie. – Ostatnio, po wstąpieniu do UE, powinno to wyglądać na nieco uczciwszą współpracę... – kontynuowała – ale Unia i tak jest przez nich zdominowana, więc któż to wie, jak wszystko naprawdę wygląda.

– To jest niesamowite, co mówisz... Czy historia może aż tak wpływać na współczesność? – Pokręcił głową. – To nie jest dobre, gdy sąsiedzi mają do siebie tyle pretensji i nieufności, może powinniście się jakoś dogadać...

– Widzisz, Arthurze. To, co powiem, głupio zabrzmi i może ci się zrobić przykro, ale w szkołach w tej waszej Anglii to historii was słabo uczą – powiedziała chłodno i pokręciła głową. – A wy z Irlandczykami, Szkotami zawsze byliście w poprawnych stosunkach?

– Ale... – wyjąkał Arthur i na moment zaniemówił. – Oj, Iwonko, niedawno zrobiłaś mi wykład z wojen szwedzkich, teraz Niemcy...

– A słyszałeś, co nam robili Ruscy?

– Stąd, z naszej perspektywy, to tak... strasznie nie wyglądało... – Podrapał się palcem po czole. – Wiesz... dawniej taka nie byłaś. Bardzo się zmieniłaś, Iwono...

– Wiem, Arthurze, ale wówczas byłam młoda, skupiona na sobie, zresztą wszystkiego nie wiedziałam jeszcze, a dzisiaj już inaczej nie potrafię myśleć i mówić. Za dużo znam faktów z naszej historii, a i tak ojciec ostatnio zmył mi głowę.

– Ojciec... tobie? – zmarszczył brwi.

– I miał rację. Teraz słowa o tym nie powiem, ale wygoogluj sobie hasło Gardelegen.

– To chociaż powiedz, co się za tym kryje.

– Nie ma mowy, bo zepsuję tobie i sobie cały weekend.

– Ja i tak przeczytam, jak tylko będę mógł, powiedz.

– Ech, żałuję, że przy okazji tego twojego bentleya zrobiłam niepotrzebnie wtręt o Niemcach i Polakach.

– Czy są momenty, kiedy nie myślisz o historii, o tym, co który z sąsiadów wam zrobił?

– Na szczęście są takie... Wczoraj takie były... – musnęła jego dłoń – ...i było mi bardzo, bardzo dobrze. – Przymrużyła oczy.

Na chwilę w samochodzie zrobiło się cicho. Arthur nacisnął przycisk odtwarzacza. Z głośników popłynęła piosenka śpiewana anielskim głosem, któremu towarzyszył chwilami chór[24]. Iwona dojrzała na twarzy Arthura błogość. Pewnie gdyby mógł, przymknąłby oczy.

– Co to za piosenka? – spytała, zwracając się w jego stronę.

– To kołysanka w języku walijskim, który jest językiem protoceltyckim – uśmiechnął się. – Przy niej uspokajam się najbardziej i najszybciej.

– A jakie są jej słowa?

---

[24] Mowa o tradycyjnej kołysance walijskiej *Suo Gân*, napisanej przez nieznanego kompozytora. Na ogół wykonywana jest przez chłopców śpiewających dyszkantem.

Arthur zaczął tłumaczyć słowa piosenki:

Śpij, kochanie, na mym łonie,
Ciepło i przytulnie mam;
Me ramiona cię otulą,
Miłość mamy w sercu jest.
A gdy zaśniesz, śpij bez lęku,
Nikt nie zbudzi cię ze snu;
Zamknij oczy, mój aniołku,
Zaśnij już na piersi mej[25].

– ...i dalej w tym duchu – zakończył, z delikatnym uśmiechem spoglądając w dal.

– Cudowna kołysanka i piękne słowa... – Iwona była zdumiona metamorfozą Arthura.

Gdy piosenka się skończyła, nacisnął znowu przycisk na odtwarzaczu. Tym razem z głośników popłynęła piosenka śpiewana dziewczęcym głosem, klimatem przypominająca Iwonie nieco utwór celtycki. Miała w domu płyty z podobną muzyką.

– A to? – spytała, zaglądając mu w oczy.

– To będą także piosenki walijskie, w części tradycyjne, lubię ten klimat, a poza tym ćwiczę język walijski. Ale jeśli chcesz, to puszczę coś współczesnego... – Spojrzał pytająco i wykonał ruch w kierunku odtwarzacza.

– Nie... zostaw! Nie trzeba rozumieć słów, żeby podziwiać piękno muzyki... – powiedziała, uśmiechając się.

– Mam tę muzykę w genach. Jak będziesz miała ochotę, pojedziemy do miasteczka na piwo i posłuchasz sobie jej w pubie na żywo. A skąd znasz muzykę celtycką?

---

[25] Tłumaczenie tekstu walijskiego kołysanki za: www.tekstowo.pl/piosenka.ludowa_walijska_suo_g_n.html

– Z tatą jeździliśmy na turnieje rycerskie, a tam serwowali najczęściej właśnie taką. Odpowiednia do klimatu tych imprez. Głównie dlatego ją lubię.

– Wracając do twoich słów, że wczoraj było ci dobrze... przepraszam, że akurat teraz o tym mówię... – wtrącił, widząc, że poruszyła się gwałtownie na siedzeniu. – Bardzo bym chciał, żebyśmy byli ze sobą dłużej niż tylko przez najbliższy rok.

Przyhamował nieco, bardziej, niżby to wynikało z warunków drogowych.

– Ciekawa jest ta twoja koncepcja – uśmiechnęła się zachęcająco.

– Mówiłaś podczas konferencji, że chcesz czy musisz rozwiązać swoje sprawy...

– Zdążyłam się już spotkać z mężem, podpisałam stosowne dokumenty i... już są w sądzie.

– No, to się cieszę. – Na twarzy Arthura pojawił się szeroki uśmiech. – Nie mogłaś mi o tym powiedzieć wczoraj?

– Jest tak dużo wątków, spraw, że niektóre przypominają mi się... sama nie wiem kiedy. – Rozłożyła ramiona i zachichotała.

– Przy tobie trudno się nudzić. – Mrugnął.

– A lubisz się nudzić?

– Nie... Zawsze sobie coś wynajduję do roboty, bo nuda, apatia, a to brało się z tęsknoty za tobą, szybko by mnie wykończyły. Wytrenowałem w sobie tę umiejętność przez tamte wszystkie lata... – Omiótł ją wzrokiem.

– Mam tak samo... – szepnęła, znowu muskając jego dłoń.

– Z tego wynika, że oboje równolegle rozwijaliśmy w sobie podobne mechanizmy obronne.

– Jest to prawie niemożliwe, ale nam się zdarzyło. My chyba jesteśmy jacyś... *different* albo *very crazy*...

Potrząsnęła głową i równocześnie rozłożyła dłonie, a po chwili spojrzała wesoło na niego.

– *Different... very crazy...* – zachichotał, ale zaraz spoważniał. – Też tak o sobie kiedyś myślałem. Sądziłem, że to rodzaj jakiejś nawet chorobliwej perwersji, ale w twoich ustach zabrzmiało to jak pochwała czy wręcz komplement. – Teraz on pokręcił głową. – Masz rzadką zdolność nazywania wszystkiego adekwatnie, choć czasami wydaje się to w pierwszej chwili dziwne.

Ich dłonie na moment się połączyły; obdarzyli się uśmiechami.

– Przy tobie odważam się na mówienie o pewnych sprawach głośno. – Zerknął na Iwonę. – Wrócę więc, jeśli pozwolisz, do wczorajszej rozmowy z Markiem. – Iwona skinęła głową. – Był na początku moim wzorcem z racji swojej mądrości, chęci pomocy. Był prawdziwym kolegą, choć przecież jest starszy ode mnie... Wielu spraw mnie nauczył, od chwili mojego pojawienia się w Oksfordzie wprowadził w towarzystwo. Za szybko uznałem, że jestem dobry, a nawet bardzo dobry, stałem się przez to arogancki, a także bezwzględny, często bez zbytniego powodu. Po śmierci żony miałem bardzo trudne momenty, stałem się zaborczy, walczyłem czasami za ostro. Chciałem szybko awansować, sądziłem, że to dla wszystkich powinno być oczywiste... Zbyt szybko chciałem go zastąpić... – Machnął dłonią. – Byłem zupełnie sam i nie miał mnie kto powstrzymać, podpowiedzieć, doradzić... Zresztą ja i tak nikogo wtedy nie słuchałem. – Na chwilę zamilkł. – Gdy to wszystko do mnie dotarło, a widziałem, że Mark w naszych relacjach zrobił się taki...

wycofany, odszedłem z Oksfordu. Nikt mnie nie zatrzymywał. Na drugiej uczelni szybko wpadłem w wir pracy, sprawy biotechnologii stały się dla mnie najważniejsze, przestałem myśleć o awansach, one przyszły same. Wtedy już studiowałem książki z psychologii, o których mówił mi wcześniej Mark. Chciałbym się z nim znowu zaprzyjaźnić... – rzekł zdecydowanie i zerknął na moment na Iwonę.

– Ciekawa koncepcja. – Iwona odpowiedziała spojrzeniem. – Kolejna już dzisiaj i chyba bardzo słuszna. – Pokiwała głową. – Tak, Mark zrobił na mnie wielkie wrażenie. Jest taki... ojcowski.

– Dziękuję ci, że użyłaś takich słów. Też tak o nim myślałem, ale nie miałem odwagi głośno o tym powiedzieć. Przy tobie robię się... łagodniejszy – uśmiechnął się i podniósł brwi, jakby się dziwił własnym słowom.

Iwona położyła delikatnie rękę na jego dłoni trzymającej kierownicę.

– Prowadzisz bardzo łagodnie, do mnie zawsze mówisz łagodnie, dotykasz mnie łagodnie, jesteś łagodny, taką masz naturę. Bądź jak Mark...

Spojrzała z czułością na Arthura.

– Kolejne słowa, które ty wypowiadasz głośno, a ja sobie czasami tylko tak myślałem. Zawsze mówisz to, co myślisz? – spytał, patrząc na Iwonę badawczo.

– Staram się, Arthurze, ale w małżeństwie z Zygmuntem nie zawsze mi się to udawało. – Rozłożyła ramiona. Arthur zmarszczył brwi. – Bo mój związek był, jak ci opowiadałam, dosyć dziwny... choć mąż niedawno pozytywnie mnie zaskoczył.

– Hmm... – Arthur zerknął na Iwonę. – Postanowiłem, że spotkam się z nim, teraz z mojej inicjatywy...

no, z Markiem! – uśmiechnął się, widząc dziwny błysk w oczach Iwony. – Popatrz, on wczoraj też podszedł do mnie pierwszy. Ja ledwo o tym pomyślałem. Ech...

– Jakie ładne widoki, ale wierz mi, że u nas jest jeszcze więcej zieleni, lasów...

– To droga szybkiego ruchu. Miasteczka i wsie przy trasie łączą się ze sobą, zanikają ich granice. Przy tych drogach zanika też angielska specyfika. Ona jest dalej, ale przy bocznych drogach. Kiedy wjedziemy do Walii, tam dopiero będzie pięknie. – Ustawił muzykę nieco głośniej. – Lubię ten utwór! – Wybijał palcami rytm na kierownicy. – Ależ z tobą czas szybko płynie. Niedługo Birmingham. Zobaczymy je z oddali, bo obwodnica. – Zatoczył koło palcem. – Mam nadzieję kiedyś ci je pokazać z bliska, jak wiele innych miejsc w Anglii, no i w mojej Walii – ostatnie słowa powiedział z naciskiem i napuszył się jak paw.

Iwona roześmiała się w głos. A potem popłynęła jego opowieść o trudnej, ale też przedziwnej historii kraju.

– Czy wiesz, że Normanowie pod przywództwem Wilhelma Zdobywcy podbili Anglię w parę tygodni, zaś uporanie się z Walią zajęło im parę stuleci?

Iwona rozłożyła dłonie.

– Króla Wilhelma pamiętam, ale o reszcie nie słyszałam.

– Nie uczą was tego w Polsce – uśmiechnął się szelmowsko, Iwona pogroziła mu. – Ale wcześniej podbijali nas Rzymianie, potem plemiona germańskie, będące wcześniej wojskowymi najemnikami Rzymian. To Germanie ściągnęli tutaj swoich ziomków z plemion Anglów, Sasów czy Jutów.

– Wszędzie ci Germanie... – Pokręciła głową Iwona.

– Dlatego ich nie lubię! – Zabawnie potrząsnął zaciśniętą pięścią, Iwona nieco spoważniała.

– To jeszcze jedna sprawa nas łączy, Arthurze – podchwyciła i wyciągnęła dłoń w jego stronę; na chwilę ją przytrzymał. – Czy ja się nie mylę, że rodzina Windsorów ma korzenie niemieckie?

– No właśnie, dlatego stare rody brytyjskie, mające korzenie wyspiarskie, niekoniecznie darzą ród Windsorów estymą, choć szanują ich jako rodzinę panującą. Pochodzą od Wettynów z Saksonii...

– A widzisz! – weszła mu w słowo. – Stamtąd pochodzili też niektórzy z naszych królów: August Drugi Mocny i August Trzeci Sas. Zepsuli nasz kraj i tego okresu w historii Polski chyba najbardziej nie lubię.

Machnęła ręką, jakby się od czegoś odganiała.

– No to ja może przestanę już mówić o brytyjskim rodzie królewskim, a wrócę do dziejów Walii – rzekł, przechylając zabawnie głowę i marszcząc brwi.

– Dawaj... – zachichotała Iwona.

– Król Artur, zresztą mój imiennik, chociaż wtedy nie używano tak powszechnie litery h, moim zdaniem był Walijczykiem... Wersji legend o nim jest tyle, że każdy może sobie coś wybrać. Jego zamek Camelot, według wersji, którą ja uznaję, leżał na półwyspie Lleyn, skąd widział Avalon, dzisiaj ta wyspa nazywa się Bardsey Island[26].

– Podoba mi się ta wersja! – Iwona uniosła kciuk.

– Kiedyś zawiozę cię na ten półwysep, bo widok stamtąd na morze jest cudowny. Królowi Arturowi pomagali rycerze, niektórzy nie byli wyspiarzami, ale tak jak na przykład Lancelot Sarmatami...

– No, to tutaj brakuje tylko mojego taty! – wykrzyknęła, przerywając mu, Iwona. – Sarmaci, według

---

[26] Za: https://pl.wikipedia.org/wiki/Krol_Artur

tradycji uznawanej przez niego, to jedna ze starszych nazw naszych przodków, mających swoje korzenie w ludach indoirańskich. On na pewno by powiedział, że i król Artur był Sarmatą, czyli Polakiem![27] – zaśmiała się w głos.

Arthur zamilkł i spojrzał na Iwonę zdumiony. Zjechał na pobocze. Zdjął ręce z kierownicy i odwrócił się w jej kierunku.

– To jest coś niesamowitego – powiedział po chwili cicho. – Czasami zastanawiałem się, dlaczego my tak się różnimy od innych Brytyjczyków. Nasza rodzina czy inne zaprzyjaźnione z nami rodziny walijskie.

– Przecież wiesz, co to są haplogrupy, prawda?

– Co ty chcesz, Iwono, jeszcze mi powiedzieć? – Arthur otworzył szeroko oczy.

– Za sprawą ojca wkręciłam się jakiś czas temu w tematykę haplogrup i właśnie sobie przypomniałam, że gdzieś niedawno trafiłam na... nie, to on mi powiedział w rozmowie telefonicznej przed wyjazdem tutaj, żebym uważała na Brytyjczyków, bo badania genetyczne haplogrup wykazały, że na przykład niektórzy potomkowie rodów, czy jak tam u was się mówi klanów: MacDougall, MacDonald i MacAlister, w przeważającej mierze posiadają w swoich genach haplogrupę R1a1, występującą najczęściej wśród ludów indoirańskich.

Miny Arthura zmieniały się jak w kalejdoskopie. Od głębokiego zdziwienia po ogromną wesołość.

– I co ja mam ci teraz odpowiedzieć? – roześmiał się. – Czy wiesz, że nasza rodzina ma korzenie szkockie, to znaczy wywodzi się z klanu szkockiego właśnie?

---

[27] Za: www.wspanialarzeczpospolita.pl/2015/10/14/krol-artur-i-jego-rycerze-byli-polakami/

Muszę to, co mi powiedziałaś, zdradzić ojcu. Ciekaw jestem jego miny.

– Świat jest mały. – Rozłożyła dłonie Iwona. – Nie tylko biotechnologia się rozwija.

– Coraz bardziej intryguje mnie wasza historia, bo może się okazać, że w jakimś stopniu to i moja historia...

– I *vice versa*! – prychnęła Iwona.

– No, mamy kilka mil do granicy Walii – powiedział, gdy za chwilę ruszyli i przy poboczu dojrzał tablicę z informacją

– Ciekawa jej jestem.

Niedługo pojawił się znak drogowy z nazwą miejscowości Whitchurch, a po kilku minutach Arthur zakomunikował z uśmiechem:

– Walia.

– Faktycznie jakoś tak bardziej zielono – powiedziała Iwona, przyglądając się widokom za oknem.

– Redbrook. Pierwsza walijska wieś od granicy. – Arthur wskazał zabudowania. – Za pół godziny z kawałkiem będziemy już u siostry.

– A mógłbyś zatrzymać się przy jakimś sklepie, to może bym coś kupiła, żeby nie przyjść z pustymi rękoma?

Pokazała puste dłonie, Arthur uśmiechnął się.

Zatrzymali się tuż za Wrexham, przy ładnym markecie. Iwona, podpytując Arthura, postanowiła kupić zasłonki na małe okna tarasowe i jakąś wodę perfumowaną. Spytała go, jakie siostra lubi kwiaty, a ten zdradził, że konwalie, jaśminy, ale jak pamięta z dzieciństwa, to zawsze lubiła wąchać mech.

– Tyle że to nie kwiat. – Wzruszył ramionami.

Gdy z kolei Iwona dopytała panienki sprzedającej kosmetyki o jakieś zapachy roślinne wśród wód kobiecych, ta wskazała na jedną z wód Yves Rocher.

– Akurat dostałam taką w prezencie od narzeczonego. Pachnie pięknie i ogrodem, i lasem.

Niebawem podjechali pod domek z kamienia z przybudówką. Gdy tylko zatrzymali się przy kamiennym murku okalającym go, wyszła w ich kierunku kilkunastoletnia dziewczyna, za nią chłopak, a na tarasie domku stała siostra Arthura z mężem. Wszyscy z ciekawością przyglądali się Iwonie.

Arthur przedstawił:

– To jest Iwona Walkowiak, Polka...

– A daj spokój z tym oficjalnym tonem. Tyle wiedziałam przecież już wcześniej. – Siostra Arthura wyciągnęła rękę w kierunku przyjezdnej. – Jestem Marion – uśmiechnęła się.

– A ja Paul – rzucił jej mąż.

Dzieci także podały swoje imiona: Meghan i Charles.

– A to drobiazgi dla pani – powiedziała Iwona i podała gospodyni ozdobną torebkę.

– Nie trzeba było... oo, firanki? To chyba twoja sprawka? – Marion spojrzała na brata, gdy wypakowała upominki.

– To przecież z mojej winy kot się uwiesił poprzednio na zasłonce i... już było po niej.

– To w takim razie mogłeś sam kupić... – Marion mrugnęła do Iwony.

– I na dzień dobry zrobiłaś ze mnie chytrusa – roześmiał się Arthur.

– Przecież płynie w naszych żyłach szkocka krew, więc nie dziwota. Zapraszam na drugie śniadanie. – Wskazała ręką. – A ten drugi pakuneczek rozwinę przy stole – dodała z uśmiechem.

Kiedy usiedli na tarasie, Iwona przyjrzała się dokładniej siostrze Arthura.

– Lady Marion... – powiedziała, wpatrując się w nią; zdziwione spojrzenia Marion i Arthura spotkały się natychmiast. – Jesteś podobna do niej, to znaczy do Marion z tej starszej wersji *Robin Hooda* – dokończyła myśl.

Zaskoczenie z twarzy Marion powoli ustąpiło. Uśmiechnęła się wreszcie i rzuciła wolno, spoglądając na brata.

– Bo miałam wrażenie... – zaczęła i przerwała.

Iwonie wydało się, że Arthur delikatnie pokręcił głową. Uniosła brew, ale uzupełniła poprzednią myśl tak jak zamierzała:

– Lubiłam bardzo muzykę zespołu Clannad do tamtego filmu.

– Tak, była bardzo charakterystyczna, szczególnie tytułowy utwór. A jak udała się podróż, Iwono?

– Przegadaliśmy całą, możemy rozmawiać ze sobą bez końca, mamy przecież spore zaległości.

– Trochę nam Arthur tydzień temu zaczął opowiadać, ale najpierw przyjechał nasz brat John, a potem i on musiał wyjechać.

– To na czym skończyłem? – Arthur zrobił pocieszną minę.

– Poczekaj chwilkę... – Marion rozwijała małe zawiniątko. – Comme une Evidence, Yves Rocher. Słyszałam o tej wodzie, ale jakoś nie miałam ostatnio czasu... – Odkręciła koreczek i puściła cienki obłoczek na nadgarstek. – Ojeju! Akurat taki, jak lubię, kwiatowy, ale delikatny.

– Panienka zdradziła mi, że jest tam nuta fiołka... – Iwona uśmiechnęła się.

– Chyba wyczułam delikatny zapach konwalii i pewnie jaśminu – weszła jej w słowo ucieszona Marion. – Jest jeszcze coś, ale nie potrafię rozpoznać... – Pokręciła głową.

– Jeśli dobrze pamiętam, powiedziała też coś o... mchu – uzupełniła Iwona.

– Tak, tak, to mech! Ach, jak się cieszę! Dawno już nie leżałam na mchu... – Spojrzała na brata. – Będziemy, kochanie, dzisiaj spali w lesie. – Uśmiechnięta pogładziła męża po dłoni.

– Czy zatrzymywaliście się gdzieś, żeby zobaczyć jakieś zabytki? – spytał Paul.

– Iwona zawsze jest ich ciekawa, więc dzisiaj lepiej było nie ryzykować postojów, bobyśmy chyba przyjechali dopiero na noc – zaśmiał się Arthur. – Zresztą i tak rozmawialiśmy prawie cały czas o historii.

– Biotechnolodzy rozmawiają o historii? – zdziwiła się Marion.

– Zaraz do tego wrócę, ale zdradzę wam najpierw, bo raczej to was bardziej zainteresuje, że zastępcą szefa międzynarodowego zespołu, o którym poprzednio wam opowiadałem, została... Iwona.

– A Arthur szefem. – Iwona wskazała na niego i zachichotała.

– To się narobiło... – Paul pokręcił głową.

– I wyobraźcie sobie, że wyboru dokonywały w trybie tajnym dwie różne komisje konkursowe. Ostatnio nam się szczęści. – Arthur położył na dłoni Iwony delikatnie swoją rękę. – Iwona, choć od niedawna pracuje na uniwersytecie w Gdańsku, przez dziewiętnaście prawie lat zajmowała się produkcją kosmetyków.

– Ja opowiem Marion o tym sama, o ile wyrazi zainteresowanie. – Iwona spojrzała na siostrę Arthura, a kiedy dostrzegła, że skinęła głową, dodała: – Przy okazji opowiem ci o nowej linii kosmetyków, która właśnie latem weszła na rynek.

– Ona powstała właśnie dzięki jej pomysłom. Słyszałem, że są tam między innymi rewelacyjne kremy – wtrącił Arthur i podniósł oba kciuki.

– To już się cieszę, że z pierwszej ręki będę mogła usłyszeć, jakie to cuda robi producent, żeby zachęcić kobiety do kupowania jego produktów. Arthurze, możesz mi zdradzić, zanim zagłębię się z Iwoną w taką rozmowę, czy będziesz za dwa tygodnie na jubileuszu ojca w Glenbarr Abbey? Słyszałam, że wybierają się tam tłumy, nie tylko z Londynu. – Spojrzała na niego.

– Będę, chociaż o szczegółach porozmawiamy później, dobrze? – odparł nieco zaskoczony pytaniem Arthur. Postanowił na wszelki wypadek zmienić temat. – Jeśli chcecie, to mogę wam teraz powiedzieć coś o naszych dzisiejszych historycznych rozmowach...

Mrugnął do Iwony, a potem przeniósł wzrok na siostrę i jej męża; dostrzegł po ich gestach, że mają na to ochotę.

– Czy słyszeliście o tym, że obecnie jest moda na prowadzenie badań genetycznych odnalezionych szczątków ludzkich w zakresie tak zwanych haplogrup? Na ich podstawie można stwierdzić, skąd pochodzili przodkowie. Iwona jest w tej dziedzinie fachowcem i...

– Ale zaraz... jacy przodkowie, nasi? – przerwała mu Marion i spojrzała na niego dziwnie, a potem przeniosła spojrzenie na Iwonę.

– Wyjaśnię wam, o co chodzi, dobrze? – Iwona przebiegła wzrokiem wokół stołu. – Wiecie chyba, co to jest DNA, prawda?

– Hasłowo tak, ale szczegółowo to już nie za bardzo. – Marion pokręciła przecząco głową.

– Pomagałem niedawno Meghan ocenić, czy dobrze przygotowała się do szkolnego testu z biologii... – rzucił, uśmiechając się Paul i spojrzał na córkę – ...więc nasza dwójka w tematach DNA i pokrewnych jest na bieżąco.

Charles rozłożył ramiona i pokręcił głową.

Rozdział 38

Iwona z Arthurem wyszli z lasu w dolinę. Ruszyli wzdłuż szerokiego strumienia, mając na wprost siebie słońce.

– Marion mi szepnęła, że pasujemy do siebie jak dwie połówki jabłka...

Arthur objął Iwonę. Podniosła na niego szczęśliwe oczy.

– Zauważyłam, że jesteś z siostrą bardzo blisko – powiedziała, robiąc daszek z dłoni nad oczami, aby zasłonić się przed operującym mocno słońcem. – Dostrzegłam także, że bardzo się liczysz z jej zdaniem.

– Przed laty tutaj spędzaliśmy razem całe wakacje i prawie każdy weekend. Byliśmy i wciąż jesteśmy bardzo zżyci. Zawsze opowiadaliśmy sobie więcej niż rodzicom. Powierzaliśmy nawzajem wszystkie największe sekrety. Ufamy sobie. Z młodszym bratem, Johnem, już tak nie było. Kiedyś tylko ona wiedziała o naszym związku, o moich miłosnych problemach. Długo podtrzymywała mnie na duchu, chociaż kiedy przeszedłem z Oksfordu do Londynu, widywaliśmy się przez jakiś czas rzadziej. Gdy ostatnio opowiedziałem im, po konferencji w Szwecji, że spotkaliśmy się tam przypadkiem, byli w szoku. Paul nie potrafił w to uwierzyć, ale i Marion, choć życzyła mi jak najlepiej, powiedziała, że tego typu przypadki w życiu się nie zdarzają. Dzisiaj zmieniła zdanie – uśmiechnął się.

– Ale kiedy zdążyliście o tym porozmawiać? – Iwona zatrzymała się na moment z wrażenia.

– Kiedy zagłębiłaś się z Paulem i Meghan w rozmowie o haplogrupach, ja poszedłem po lemoniadę, a ona odniosła filiżanki do kuchni, a drugi raz, kiedy cofnąłem się na chwilę po sweter, a ty rozmawiałaś z dziećmi. Potrafimy błyskawicznie wymieniać poglądy. Tyle lat to ćwiczyliśmy.

Iwona pokręciła głową i pocałowała Arthura w policzek. Ruszyli dalej.

– Cudownie jest tutaj. Takie jak te kamienne murki wśród pól, ciągnące się przez wzgórza i doliny, widywałam dotąd tylko na filmach, a teraz mogę ich dotknąć na żywo. Ależ to jest cudo.

– To nasza wyspiarska tradycja, przy czym one nie dzielą sąsiadów, tylko pokazują, kto ma do czego prawo.

– Znacie się z sąsiadami, lubicie ich?

– Tak, znamy się, w przeszłości pomagaliśmy sobie czasem, ale przede wszystkim zawsze darzyliśmy się szacunkiem. To jest właśnie najważniejsze między sąsiadami.

– Gdyby Polska mogła mieć takich sąsiadów, jak wy tutaj...

– Nawet w tych murkach dostrzegłaś politykę? – rzucił z niedowierzaniem. – Jesteś niesamowita.

– Tak mi się jakoś skojarzyło, ale już będę cicho.

– O nie, nie zniósłbym ciszy, w żadnym wypadku. Odkąd znowu się pojawiłaś, już nie... – Pogładził ją po ramieniu.

– Podobnie powiedziałeś do mnie dwadzieścia lat temu, kiedy przyszłam do ciebie, a ty kończyłeś jakąś pracę. Ja nudząc się, ciągle o coś dopytywałam. Trochę ci przeszkadzałam... – zachichotała. – Czuję się więc dzisiaj, jakbym miała o te dwadzieścia lat mniej.

– Znowu powiedziałaś coś szybciej niż ja. Identycznie przed chwilą pomyślałem. Spójrz... – zatrzymał się na moment i wyciągnął przed siebie ramię – ...tam jest nasz, to znaczy Marion i mój, most westchnień, tajemnic i zagadek...

Wskazał na kamienny mostek nad strumieniem, do którego się zbliżali.

– Stamtąd widać, czy ktoś nie nadchodzi, więc często na nim zwierzaliśmy się sobie lub finalizowaliśmy swoje wcześniejsze, tajemne rozmowy.

Tuż przed mostkiem Arthur schylił się i wyszukał dwa niewielkie patyczki o podobnej długości. Różniły się kolorem: jeden był bardzo jasny, a drugi brunatny.

– Zabawimy się w pytania? – Spojrzał Iwonie głęboko w oczy.

– A cóż to za zabawa? – spytała, patrząc na trzymane przez niego patyczki

– Kiedyś bawiliśmy się w nią z Marion; ona ją wymyśliła. Polega na tym, że dwa patyczki puszczamy do wody z jednej strony mostku i ta osoba, której patyczek pojawi się później z drugiej strony mostku, musi szczerze odpowiedzieć na najtrudniejsze nawet pytanie.

– Trudna zabawa, pod warunkiem że się nie kłamie.

– Chcesz się w nią zabawić? – Przyciągnął ją do siebie, na moment odchylił do tyłu i zajrzał głęboko w oczy. – Kocham cię – wyszeptał.

– Ja ciebie także mocno kocham – odparła.

Ich usta połączyły się w pocałunku. W pewnym momencie Iwona wsunęła dłoń pomiędzy ich wargi, odsuwając głowę. Oddychała głęboko i wpatrywała się intensywnie w jego oczy.

– Czekałeś na moją odpowiedź... Jeden raz mogę spróbować – powiedziała cicho. – Może czas, żebym i ja zabawiła się tak jak wy kiedyś?

– Oba patyczki musisz trzymać złączone razem i spuścić swobodnym lotem do wody, na płasko. Patyczki mają w ten sposób równe szanse. Który wybierasz?

– Mój niech będzie ten jasny. – Wskazała palcem.

– W momencie wylądowania patyków w wodzie oceniasz, czy wszystko jest z nimi w porządku. Czy równo wystartowały, jasne?

– Jasne – uśmiechnęła się.

Podeszli na przeciwległą stronę mostku. Iwona złączyła oba patyczki, wychyliła się i puściła je swobodnie do wody.

– Równo ruszyły – powiedziała i szybko przeszła na drugą stronę mostku. – Ale emocje... – Złączyła dłonie i przycisnęła je do ust.

Oboje nachylili się i spoglądali w dół.

– Już je widzę! – zawołała stłumionym głosem. – No, jasny, płyń, płyń! – zawołała.

Jasny patyczek zakołysał się tuż przed końcem mostku i ciemny nieznacznie go wyprzedził.

– Przegrałam. – Spojrzała na Arthura ze smutkiem.

– Zawsze jest możliwość rewanżu.

– Dobrze... to pytaj w takim razie.

Arthur przyciągnął ją znowu do siebie. Spoglądali sobie głęboko w oczy.

– Czy możesz mi obiecać... – na chwilę przymknął powieki – ...że będziesz przyjeżdżała tutaj ze mną przez wiele, wiele lat?

– Tak, obiecuję ci. O niczym innym nie marzę – odpowiedziała bez zastanowienia.

Ich usta ponownie połączyły się pocałunkiem. Iwona znowu, jak kilka minut wcześniej, rozdzieliła dłonią ich wargi, wpatrując się w jego oczy.

– Czas na rewanż. Teraz ja znajdę patyczki.

Kucnęła i wyszukała dwa równej wielkości.

– Mój jest ten zielony, a twój znowu brunatny. Teraz puszczasz ty. – Podała mu patyczki.

Przeszli na przeciwną stronę mostku. Arthur delikatnie opuścił je do wody.

– Dobrze ruszyły – powiedział.

– Szybko! – zawołała Iwona, przebiegając na drugą stronę mostku, Arthur pospieszył za nią.

Wychylili się jak uprzednio przez kamienną balustradę. Iwona oddychała głęboko.

– Płyną. Nie, tylko jeden płynie. To jest mój patyczek, zielony! Wygrałam!

Podskoczyła z emocji.

– Teraz zatem moje pytanie, Arthurze... Czy możesz mi obiecać, że już nigdy nie pozwolisz mi zasypiać i budzić się bez ciebie? – wyszeptała.

– Tak, o niczym innym nie marzę... – odpowiedział cicho i przyciągnął ją znowu do siebie.

Wkrótce ruszyli w drogę powrotną do wiejskiego domku. Zbliżali się do niego z narzuconymi na ramiona swetrami, trzymając się za ręce. Pierwsza dojrzała ich Marion. Zeszła z tarasu i wolnym krokiem ruszyła w ich kierunku.

– Długo was nie było – rzuciła, spoglądając na ich radosne twarze.

– Najpierw stwierdziliśmy, że znowu jesteśmy młodzi, jak dwadzieścia lat temu. Potem pokazałem Iwonie wszystkie nasze tajemne miejsca, a na koniec dotarliśmy do naszego mostku. Puszczaliśmy patyczki. Arthur uśmiechnął się do siostry. Marion zrobiła wielkie oczy.

– Trudne były pytania? – Po chwili spojrzała kolejno na Iwonę oraz brata.

– Najważniejsze, że dowiedzieliśmy się oboje w wymyślonej przez ciebie dziecięcej zabawie tego, o czym marzyliśmy, a czego nie mogliśmy od siebie usłyszeć przez dwadzieścia lat.

Arthur położył dłoń na ramieniu siostry; ruszyli wolno we trójkę w kierunku domu.

– Czy to zostanie waszą tajemnicą? – spytała, spoglądając na nich kolejno.

– Zdradzę ci, że będziemy tutaj przyjeżdżać, ile tylko się da. – Arthur pokazał siostrze uradowaną twarz.

– Strasznie się cieszę!

– A ja mogę liczyć na to, jak mi przyrzekł, że będę już zawsze zasypiała i budziła się przy jego boku.

Iwona zatrzymała się i spoglądała radosnym wzrokiem na rodzeństwo. Cała trójka objęła się radośnie.

– A jak rodzice się ucieszą! – pisnęła po chwili Marion.

W ich kierunku zeszli z tarasu Paul z dziećmi.

– Od razu się domyśliliśmy. Serdecznie gratuluję – rzucił uśmiechnięty. Ucałował Iwonę i poklepali się po plecach z Arthurem.

Dzieci również dołączyły się do życzeń.

– Jubileusz taty będzie jeszcze bardziej radosny – powiedziała Marion, zerkając na brata, a potem na męża.

Rozdział 39

Wrócili do Oksfordu dopiero we wtorek rano. Po drodze Arthur parę razy próbował opowiedzieć Iwonie coś jeszcze o swojej rodzinie, ale ta rozbawiona za każdym razem zmieniała temat. Ciągle wracała do weekendu spędzonego z rodziną Marion. On się wtedy tylko uśmiechał i pozwalał jej mówić.

Kiedy wreszcie usiedli do śniadania w mieszkanku Iwony w Oksfordzie, Arthur położył rękę na jej dłoni i spojrzał głęboko w oczy.

– Muszę powiedzieć ci coś ważnego o swojej rodzinie, bo nie chcę, żebyś poczuła się kiedyś zaskoczona...

– Arthurze, chcę być z tobą, to najważniejsze, a twoją rodzinę przyjmuję „z dobrodziejstwem inwentarza", jak mówimy w Polsce. – Mrugnęła wesoło, zajadając rogalika posmarowanego dżemem od Marion. – Twoja siostra i jej mąż są cudowni, ich dzieci również, powiedziałeś mi co nieco o bracie Johnie... Wszystko w zasadzie wiem.

– A o rodzicach?

– Z twoimi rodzicami lepiej byłoby się spotkać, kiedy będę już znowu... wolna – powiedziała poważnie.

– Chciałbym cię poznać z nimi wkrótce, na tym jubileuszu...

– No, nie wiem, czy to najlepszy pomysł – przerwała mu Iwona i pokręciła głową.

– Jubileusz ojca wiąże się z tym, co mam ci do powiedzenia o mojej rodzinie.

– No to zacznij wreszcie mówić, bo już drugie koło zataczasz. Iwona wykonała ponad stołem ruch ramieniem i prychnęła. – Rozumiem, że jubileusz to urodziny, czy tak? Chociaż oboje, mówiąc o tym, zagadkowo po sobie spoglądaliście, więc sama już nie wiem...

– Dostrzegłaś to?

– Arthurze...

– No, więc to są jego urodziny, ale jednocześnie obchodzi inną ważną rocznicę...

Arthur ponownie złapał dłoń Iwony.

– Rodzice mają rocznicę ślubu?

Iwona chciała wyswobodzić dłoń z ręki Arthura, ale ten jej nie pozwolił.

– Jako rodzina mieszkaliśmy od wielu pokoleń w Walii, jednak nie jesteśmy Walijczykami... – zaczął poważnym głosem Arthur, ale Iwona tylko wzruszyła ramionami.

– Mój tato jest z pochodzenia Wielkopolaninem, mama dziewczyną z Mazowsza, a mieszkamy w Gdyni. Rozumiem wasz problem... – zachichotała. – Poczekaj, muszę sobie przygotować kolejnego rogalika... – Pokazała wzrokiem na uwięzioną dłoń.

– Musisz wytrzymać o głodzie... – Tym razem Arthur zaśmiał się krótko, ale zaraz spoważniał. – Jesteśmy Szkotami, a nie Walijczykami.

– No i pysznie! Lubię szkockie kratki! Daj mi wreszcie jeść!

– Dwanaście lat temu zostałem mianowany przez królową lordem...

Iwona zamilkła na chwilę i przymrużyła oczy.

– To dlatego mówiliście sobie z Markiem: sir... sir... Cóż, jakoś będę musiała z tym żyć... – Wzruszyła ramionami. – Jestem głodna, puść, proszę.

– Moi przodkowie przeprowadzili się do Walii w piętnastym wieku...

– A moi rodzice do Gdyni... a nie, żeby utrzymać się w stylu twojej narracji, przeprowadzili się na Kaszuby, albo do Kaszub, w dwudziestym wieku. No, nie patrz tak. Kaszuby to taka nasza jakby Walia, Mazowsze – to, powiedzmy, Irlandia, a Wielkopolska może być Szkocją. Tak! Wielkopolska jest jak Szkocja, bo Poznaniacy to takie same sknery jak Szkoci!

Iwona roześmiała się w głos i wyzwoliła wreszcie swoją rękę spod dłoni Arthura.

– Chociaż mój tato jest zupełnie niepodobny do Szkota...

Arthur odchrząknął, ale po chwili uśmiechnął się i machnął dłonią.

– Może i dobrze, że potraktowałaś to, co dotąd mówiłem, na wesoło, bo zaraz będzie niestety poważnie.

– No dobrze. Widzę, że nie odpuścisz. Daję ci pięć minut, bo tylko tyle wytrzymam z głodu. – Iwona uśmiechnęła się, złożyła dłonie na piersiach i przywarła plecami do oparcia krzesła.

– Dziękuję... – Arthur skinął głową i głęboko odetchnął. – Otóż w piętnastym wieku, po wojnie „Dwóch Róż”[28], nasi przodkowie musieli uciekać ze Szkocji, gdzie czekałaby ich niechybna śmierć, i osiedlili się w Walii.

---

[28] Wojna „Dwóch Róż” (za: https://pl.wikipedia.org/wiki/Wojna_Dwoch_Roz) – wojna domowa tocząca się w Anglii w latach 1455–1485. Była to walka o władzę pomiędzy rodami Lancasterów (mających w herbie różę czerwoną) oraz Yorków (różę białą). Uważana jest za swoiste przedłużenie wojny stuletniej (serii konfliktów zbrojnych pomiędzy Anglią i Francją w XIV i XV wieku).

Sama przeprowadzka została odpowiednio wcześniej przygotowana, utajniona. Zmienili nazwisko, tożsamości, ale przecież wciąż byli MacAlisterami. To jeden z ważniejszych klanów w Szkocji.

Arthur popatrzył na Iwonę, która zmarszczyła brwi.

– Od tamtej pory kolejni członkowie naszej rodziny niezmiennie szefują temu klanowi. Aktualnym szefem klanu jest mój ojciec.

– To coś chyba jak książę... – wyszeptała Iwona.

Wreszcie dotarła do niej waga rozmowy i zapomniała o głodzie.

– Trudno to jakoś przyrównać do takiego tytułu, ale jest on dziedzicznym lordem, a to istotna sprawa. Nie chciałem zostać kolejnym szefem klanu, chociaż takie były plany ojca i klanowej starszyzny. Kiedy mianowano mnie lordem dożywotnim, ojciec dał mi wreszcie spokój. Myślę, że on i Mark mieli jakiś udział w tej mojej nominacji, ale nie mam zamiaru tego dochodzić... – Machnął dłonią. – Zostawili mnie wreszcie w spokoju, a teraz mój brat John ma przejąć sukcesję po ojcu.

– Ho, ho, ho! – Iwona potrząsnęła głową i podrapała się po czole. – Żeby to Ewka usłyszała, toby ze zdziwienia... chyba pękła! – zamilkła na chwilę i zakryła usta dłonią. – Przepraszam cię, Ewuniu, za te słowa...

Przymknęła oczy, oddychając głęboko, jej twarz aż się zarumieniła z emocji.

– Musiałem ci to, Iwonko, powiedzieć. Przepraszam...

Arthur wyciągnął do niej nad stołem dłoń. Iwona ją pogłaskała.

– To teraz jest dla mnie jasne, skąd te twoje słowa o innych zaprzyjaźnionych rodzinach, które mogą się dziwić naszej znajomości... Jakoś tak to mówiłeś, prawda?

– To jest ich problem... – Arthur skinął głową i uśmiechnął się. – MacAlisterowie niegdyś spotykali się na ważnych zgromadzeniach klanu potajemnie, w siedzibach innych zaprzyjaźnionych klanów, gdzieś w górskiej części Szkocji. Od początku dwudziestego wieku miejscem spotkań stała się i jest niezmiennie do dzisiaj siedziba klanu w Glenbarr Abbey[29], o której wspomniała przypadkiem Marion. Tam też mieszkają moi rodzice i brat John z rodziną. Natomiast Walia... – Arthur westchnął – ...Walia od czasów zamieszkania tutaj naszych przodków stała się ich, a potem naszą drugą ojczyzną i stąd tak wielkie moje, nasze zamiłowanie do wszystkiego, co walijskie, w tym do tradycyjnej muzyki i kultury tego kraju. Tamten wiejski dom, w którym byliśmy i gdzie ja się urodziłem, dla Marion jest tylko domem letniskowym, a dla mnie pozostaje nadal rodzinnym domem, prawdziwym gniazdem...

Arthur znowu westchnął i na chwilę zamilkł.

– Muszę ci jeszcze coś wyjaśnić. Wszyscy krewni traktowali moją naukę na studiach biotechnologicznych jako nieszkodliwe hobby. Za względu na dawne uwarunkowania, historię członkowie rodziny często kamuflowali się pod fikcyjnymi nazwiskami. Stąd moje pierwsze młodzieńcze nazwisko brzmiało Morton. Kiedy straciłem Dianę, ojciec miał nadzieję, że powrócę do rodowego nazwiska. Zamiast tego zmieniłem je na Chichester, zmieniłem także uczelnię i w pełni oddałem się nauce. W międzyczasie pogodziłem się z rodziną, ale postanowiłem już

---

[29] Glenbarr Abbey – nie jest siedzibą realnego klanu MacAlisterów, choć znajduje się tam aktualnie Charytatywne Centrum klanu, prowadzone przez Lady Glenbarr, Jeanne MacAlister. Miejsce to zostało wybrane na siedzibę klanu „powieściowych McAlisterów" wyłącznie z racji jego uroczego położenia i urody.

nigdy nie wracać do rodowego nazwiska. O tytule lorda już wspomniałem... – Rozłożył dłonie. – Podobny tytuł kilkanaście lat przede mną uzyskał Mark West. I to już wszystko... chociaż właściwie jeszcze nie... – pokręcił głową – ...Marion wyszła za mąż za posła partii konserwatywnej, który również uzyskał od królowej tytuł dożywotniego lorda, stąd może używać tytułu *lady*.

– To więc dlatego tak zareagowaliście na moje słowa: lady Marion!

– To też zauważyłaś?

– Arthurze...

– Czy przed tobą może się coś ukryć?

– Co prawda nie udało mi się wszystkich waszych słów i gestów połączyć w całość, ale byłam blisko – uśmiechnęła się do Arthura. – Nie użyłeś takiego słowa jak mezalians, ale widzę, że ten problem gdzieś w powietrzu nad nami krąży. Muszę sobie jeszcze to wszystko przemyśleć... – dodała po chwili i przymknęła oczy.

– Hej, co miały znaczyć te ostatnie słowa?

Usłyszała pytanie Arthura i nie otwierając oczu, objęła się z całej siły ramionami.

– Kocham cię, Arthurze... ale jestem głodna.

Spojrzała na niego figlarnie i sięgnęła po rogalika.

– Bardzo cię kocham – dodała, widząc jego zdziwiony wzrok.

Rozdział 40

Iwona po powrocie do Gdyni, najszybciej jak tylko mogła, wybrała się na cmentarz na Witomino. W niszy, w której spoczywała urna z prochami Ewy, ustawiony został niewielki kamienny wazon na kwiaty. Heniek dotrzymał słowa, pokiwała z uznaniem głową. W wazonie pyszniła się piękna czerwonokrwista róża. *Nie pokłóci się z moją wiązanką goździków.* Uśmiechnęła się do własnych myśli. *Przepraszam, Ewuniu, twoich goździków.* Uniosła bukiecik, żeby raz jeszcze ponapawać się zachwycającym zapachem kwiatów.

– Niech ci tutaj pachną. Tak to lubisz – powiedziała cicho.

Wsadziła je do wazonu i cofnęła się o krok. Ładnie komponują się z różą. Nagle, nie wiadomo skąd, spłynął biały motyl i usiadł na przyniesionych przez nią kwiatach.

– We wrześniu motyl? – szepnęła zdziwiona.

Przysunęła się bliżej niszy i dotknęła dłonią jej krawędzi. Motyl załopotał skrzydełkami, uniósł się nieco, ale opadł znowu na kwiaty.

– Nie boisz się, mały? – Przymknęła na moment oczy. – Wiesz, Ewuniu... spotkałam Arthura, mojego księcia z bajki. Nie czekałam ani sekundy i szybciutko zbiegłam do niego ze schodów. Tak jak ci obiecałam... – wyszeptała wzruszona. – Sama zresztą bardzo tego chciałam, marzyłam o tym. Tęskniłam, Ewuniu, do takiej chwili i chciałabym, żeby już tak zostało na zawsze.

Biały motyl w takt jej słów poruszał wolno skrzydełkami.

– Kocham go, a on mnie, wyznaliśmy to sobie... – Przymrużyła oczy. – Obiecaliśmy sobie także być razem tak długo, jak się da, a nawet... – dodała ciszej, zawieszając głos, i rozejrzała się wokół – ...że będziemy zasypiać przy sobie każdego wieczora i budzić się razem następnego ranka – uśmiechnęła się. – Powiedziałam mu tylko przed odjazdem, że muszę sobie jeszcze wszystko przemyśleć... Opowiadał mi o wielu sprawach rodzinnych, a ja rzuciłam hasło „mezalians", no, i powstało pewne niedopowiedzenie... – Wzruszyła ramionami.

Biały motyl znieruchomiał. Iwona zmarszczyła czoło.

– Ale tak naprawdę, ja już nie muszę niczego przemyśliwać. Tak sobie tylko wówczas palnęłam. Chcę być z nim bez żadnych warunków wstępnych... bo wiem, że problemu mezaliansu nie ma, ale sama dobrze wiesz, jaka jestem... – uśmiechnęła się.

Biały motyl znowu zaczął poruszać wolno skrzydełkami. Miała wrażenie, że wpatruje się w nią z zaciekawieniem, a może nawet się uśmiecha. Poruszał skrzydełkami, ale nie odlatywał.

– Jestem szczęśliwa, Ewuniu. I kocham cię, przyjaciółko – powiedziała nieco głośniej.

Motyl zatrzepotał silniej, a po chwili uniósł się dostojnie w górę. Ulatywał sponad kolumbarium w kierunku nieba. Odprowadzała go wzrokiem, aż zginął jej z oczu wysoko nad koronami witomińskich drzew. Przeniosła spojrzenie na niszę z urną Ewy, na złote litery z jej imieniem i nazwiskiem, na wazonik z pachnącymi goździkami oraz wychylającą się spośród nich czerwonokrwistą różą i pokręciła głową.

– Ależ to był cudowny spektakl. A może to byłaś ty...? – szepnęła i znowu pokręciła głową.

Po chwili wpatrywania się w niszę zmówiła krótką modlitwę i przeżegnała się.

– Pa, Ewuniu – szepnęła.

Na odchodnym pomachała w kierunku niszy delikatnie palcami.

Rozdział 41

Po kilku wieczorach droczenia się z Arthurem Iwona postanowiła jednak wziąć udział w jubileuszu jego taty w Glenbarr Abbey.

– Tylko mam do ciebie jeszcze jedną wielką prośbę...

Radosny wzrok Arthura zmienił się nagle w błagalny.

– Ubierz się tak samo, jak na raut w Oksfordzie.

Złożył dłonie.

– Nie wypada chyba, żebym w tak krótkim odstępie czasu była znów identycznie ubrana.

– Przecież o tym będę wiedział tylko ja... – roześmiał się.

Uległa mu i w tym, zwłaszcza że do wyjazdu do Szkocji zostało niewiele czasu. Przy Arthurze nie bała się nawet lotu awionetką z Oksfordu do Campbeltown, na półwyspie Kintyre. Wsłuchiwała się w jego opowieść o historii Szkocji i o tym, co było widać pod nimi. Lecieli nad angielskimi, a potem szkockimi wzgórzami, górami, jeziorami, morzem, lasami, polami, miastami, miasteczkami i wsiami. Rzucał ich nazwy, przytaczał fakty z historii i różne ciekawostki. Nie przerywała mu.

Z lotniska mieli jeszcze kilkanaście minut jazdy samochodem wąską drogą, w większości wzdłuż brzegu morza. Podczas gdy Iwona chłonęła z zachwytem surowe piękno krajobrazu, Arthur opowiedział jej w skrócie historię klanu MacAlisterów.

– Resztę dopowie ojciec – zakończył i uśmiechnął się.

Zjechali w boczną drogę, wiodącą między wciąż zielonymi łąkami i lasami.

– No, i jesteśmy już w Glenbarr Abbey – powiedział radośnie Arthur, wskazując na ciągnący się w obie strony niewysoki kamienny mur. – On okala cały teren rezydencji naszego klanu.

Niedługo zatrzymali się przed frontem dużej kamiennej budowli z kilkoma wieżyczkami. Nie zdążyli jeszcze wysiąść z samochodu, kiedy z drzwi wejściowych wyszli im na spotkanie gospodarze: Andrew i Eleonora MacAlisterowie.

– Bardzo się cieszę, że wreszcie przyjechałaś – rzekła z serdeczną bezpośredniością pani Eleonora, obejmując Iwonę. – Tyle lat na ciebie tutaj czekaliśmy.

– Witaj w domu – dodał jowialnie Andrew MacAlister i pocałował ją w oba policzki.

– Jestem kompletnie zauroczona... – Iwona wykonała ruch ramieniem, obejmując nim kamienną siedzibę klanu, park i przyległe łąki.

– Wszystko obejrzysz potem, dziecko. – Pani Eleonora delikatnie machnęła dłonią. – Tutaj jest naprawdę pięknie, ale najpierw chcemy się tobą nacieszyć. – Ujęła Iwonę pod ramię. – Arthur od ponad miesiąca jest nieprzytomny ze szczęścia...

Spojrzała żartobliwie na syna.

– Przez skromność nie zaprzeczę – uśmiechnął się Arthur.

*

W przeddzień wielkiej gali Iwona dowiedziała się od Andrew MacAlistera, że jubileusz dotyczy także czterdziestej rocznicy szefowania przez niego klanowi MacAlisterów. Arthur oczywiście zapomniał mi o tym powiedzieć, pomyślała, chociaż tak naprawdę to trochę z mojej winy – uśmiechnęła się do siebie.

Iwona stała się największą atrakcją jubileuszowego przyjęcia. Wszyscy goście przybyli do rezydencji klanu uśmiechali się do niej, każdy za punkt honoru przyjął sobie, żeby zamienić z nią choć kilka słów. Iwonie kręciło się w głowie, a Arthur chodził wokół napuszony jak paw.

Kiedy impreza skończyła się, a goście rozeszli na nocleg do swoich pokojów albo wyjechali, pani Eleonora podeszła do Iwony.

– Odpowiedz mi, proszę, Iwono, na trudne pytanie... W moim wieku warto wiedzieć, co się kiedyś stanie, bo tak naprawdę trudno przewidzieć nawet, co będzie jutro – dodała i wskazała na siebie. Ujęła Iwonę za obie ręce. – Wybacz mi... zdradź mi... będziesz z Arthurem?

– Marzyłam o tym przez dwadzieścia lat...

– Dziękuję, że dasz jemu szczęście. On tak cię kocha. Wszystko wiemy, bo nam kiedyś opowiedział. Załatw szybko swoje sprawy.

– Tak, najszybciej, jak tylko się da.

*

Po feriach zimowych Iwona przyjechała do Oksfordu z dokumentami rozwodowymi. Radość Arthura nie miała granic. Potem nastąpiło kilka miesięcy pracy w komisji uniwersyteckiej w Oksfordzie, przerywanej wyjazdami do Gdyni, do wiejskiego domku MacAlisterów w Walii albo do rezydencji klanu w Glenbarr Abbey. Latem z wizytą do Szkocji przyjechali rodzice Iwony oraz Patryk z Dominiką. Panowie Andrew i Stanisław polubili się szalenie, wprost nie mogli się rozstać. Najczęstszym tematem ich niekończących się rozmów była Sarmacja i sarmatyzm. Iwona, przysłuchując się czasem ich dyskusjom, była zdumiona angielszczyzną ojca.

– Szkoliłem się całą zimę i wiosnę. – Mrugnął, kiedy na moment zostali sami. – Nie chciałem, żebyś się za mnie wstydziła.

We wrześniu 2017 roku w Glenbarr Abbey odbył się huczny ślub Iwony i Arthura. Od tego czasu ona, tak jak pozostałe kobiety z rodziny MacAlisterów, mogła używać tytułu *lady*. Jej syn Patryk wraz z Dominiką często odwiedzali ją w Oksfordzie. Ona zaś kiedy tylko mogła, przyjeżdżała do Polski, do rodziców. Podczas każdego pobytu w Gdyni znajdowała czas na odwiedzenie kolumbarium na Witominie, aby podzielić się z przyjaciółką Ewą nowinami.

Spis treści

Edipresse Polska SA, ul. Wiejska 19, 00–480 Warszawa

Dyrektor zarządzająca segmentem książek: Iga Rembiszewska
Redaktor inicjujący: Natalia Gowin
Produkcja: Klaudia Lis
Marketing i promocja: Renata Bogiel-Mikołajczyk, Beata Gontarska
Digital i projekty specjalne: Katarzyna Domańska
Dystrybucja i sprzedaż: Izabela Łazicka (tel. 22 584 23 51),
Barbara Tekiel (tel. 22 584 25 73),
Andrzej Kosiński (tel. 22 584 24 43)

Redakcja: Ita Turowicz
Korekta: Jolanta Kucharska, Edytorial.com.pl Izabela Jesiołowska
Projekt okładki i stron tytułowych: Magdalena Zawadzka
Zdjęcie na okładce: Yuliya Yafimik/Shutterstock, Milosz_G/Shutterstock

Skład: JS Studio

EDIPRESSE
KSIĄŻKI

Biuro Obsługi Klienta
www.hitsalonik.pl
e-mail: bok@edipresse.pl
tel.: 22 584 22 22
(pon.–pt. w godz. 8:00–17:00)
www.facebook.com/edipresseksiazki
www.instagram.com/edipresseksiazki

Druk i oprawa: Lega, Opole

antalis
Just ask Antalis

Książkę wyprodukowano na papierze
Ecco book 60 g vol. 2.0
dostarczonym przez Antalis

ISBN: 978–83–8117–748–1